William Kirby e ... *le Yorkshire, en Angleter* ... *gra aux États-Unis en 18* ... *ses études dans l'Ohio mais, attiré par* ... *il vint s'établir, en 1839, à Niagara où il publia le* Niagara Mail. *En 1865, Kirby fit un séjour d'affaires à Québec. Il fut fasciné par l'histoire du* Chien d'Or. *Encouragé par des amis québécois à en faire un roman, il consacra 12 années de sa vie à cette œuvre.* Le Chien d'Or *a été réédité des douzaines de fois en Amérique et en Europe. Pamphile Le May en fit une traduction si personnelle que* Le Chien d'Or *appartient aussi à la littérature québécoise.*

LE CHIEN D'OR
(Tome 2)

Les personnages devenus si attachants du tome 1 *s'acheminent vers l'accomplissement de leur destin. Pierre Philibert avoue discrètement son sentiment à Amélie mais leur amour pourra-t-il se concrétiser en une union? Le sinistre intendant Bigot n'ose pas avouer le sien pour Angélique parce qu'il craint de déplaire à la Pompadour, maîtresse de Louis XV. Angélique craint l'influence exercée sur Bigot par la mystérieuse Caroline qu'il abrite au château. Le poison, l'épée, le glaive dénoueront ces passions tragiques, mais l'amour peut-il mourir? Pendant ce temps, l'administration corrompue de Bigot prépare la chute de la Nouvelle-France.* Le Chien d'Or, *un grand roman d'amour: un roman pour tous les temps, tous les pays.*

La collection Québec 10/10 *est publiée sous la direction de Roch Carrier.*

Éditeur: Éditions internationales Alain Stanké ltée

Illustration de la page couverture: Olivier Lasser

Données de catalogage avant publication (Canada)
Kirby, William, 1817-1906.
[The golden dog. Français]
Le Chien d'Or
(Québec 10/10; 111, 112).
Traduction de: The golden dog.
Éd. originale: Montréal: L'Étendard, 1884.
ISBN 2-7604-0332-7 (v. 1)
2-7604-0333-5 (v. 2)
I. Titre. II. Titre: The golden dog. Français.
III. Collection.
PS8471.I72G6414 1988 C813'.4 C88-096517-7
PS9471.I72G6414 1988
PR9199.2.K57G6414 1988

ISBN 2-7604-0333-5

Dépôt légal: premier trimestre 1989

IMPRIMÉ AU CANADA

William Kirby
Le Chien d'Or

tome 2

XXVI

LA CHANSON DU CANOTIER

V'là l'bon vent !
V'là l'joli vent !
V'là l'bon vent,
Ma mie m'appelle !
V'là l'bon vent !
V'là l'joli vent !
V'là l'bon vent !
Ma mie m'attend !

Ce gai refrain faisait retentir les rivages, et des voyageurs plongeaient en cadence dans les vagues bleues, leurs rames d'où tombait une pluie de gouttelettes fines que le soleil transformait en diamants.

C'étaient la famille de Mme de Tilly, Pierre Philibert et les censitaires qui retournaient au vieux manoir.

Le fleuve coulait majestueusement et comme drapé dans un manteau de lumière, entre ses bords escarpés que les champs verdoyants et les bois feuillus couronnaient.

Rien, dans le Nouveau Monde, n'égalait la beauté de ces rives avec leurs files de maisonnettes blanches et leurs villages coquettement assis autour de l'église.

La marée montante avait parcouru deux cents lieues déjà, et elle refoulait encore le grand fleuve.

Le vent soufflait de l'est et nombre de bateaux ouvraient, comme des ailes, leurs voiles de toile éclatante pour remonter la rivière. Les uns étaient chargés de munitions de guerre pour le Richelieu, par où ils se rendraient aux postes militaires du lac Champlain; les autres portaient à Montréal des marchandises destinées aux postes de commerce de l'Ottawa, des Grands Lacs et même de la Belle-Rivière et de l'Illinois, où l'on venait de fonder de nouveaux établissements. Des flottes de canots prenaient ces cargaisons à Montréal pour les rendre à leur destination.

Les voyageurs dépassèrent dans leur course les bateaux à voiles. Ils les saluèrent gaiement. Ce fut entre les divers équipages, un échange bruyant et joyeux de cris, de souhaits, de plaisanteries :

—Bon voyage, bonne chance ! pas trop d'embarras ! des portages courts ! beaucoup de bon temps !

Plusieurs crièrent :

—Les peaux des ours et des buffles que vous allez tuer sont-elles déjà vendues ?

D'autres :

—Ne laissez pas vos chevelures en gage aux belles Iroquoises !

Les chansons à la rame du Canada ont un caractère tout particulier, et sont d'un effet charmant. Elles sont agréables à entendre surtout quand de robustes canotiers les redisent en lançant leurs légers canots d'écorce sur les eaux tranquilles ou bouillonnantes, tantôt fendant comme des canards sauvages la nappe paisible, tantôt sautant comme des cerfs agiles les rapides bondissants et les cascades écumantes; toujours acceptant, avec une égale magnanimité et comme ils viennent, la tempête ou le calme, la fortune et l'adversité.

Ces chansons sont toutes d'anciennes ballades d'origine normande ou poitevine. Les pensées en sont pures et les expressions chastes.

On n'aurait pas voulu alors donner à la colonie pour ses chants populaires des paroles licencieuses, car on savait qu'elle avait été fondée pour la plus grande gloire de Dieu et l'honneur de son saint nom.

C'était en toutes lettres dans la commission de Jacques Cartier.

La chanson à la rame se compose ordinairement de stances assez courtes. Le dernier vers d'un couplet devient le premier du couplet suivant et cela forme un enchaînement original et plaisant. Après chaque couplet un refrain vif, gai, entraînant, qui part comme une fusée !...Toutes les voix chantent alors, tous les bras s'agitent, tous les avirons plongent dans les flots, et le canot bondit comme un poisson volant sur la surface frémissante du lac ou de la rivière !

Maître Jean La Marche avait choisi sa place à l'avant du canot. Il était faraud comme un jour de dimanche, droit et fier comme le roi d'Yvetôt. Son violon qu'il appuyait avec coquetterie à son double menton, vibrait harmonieusement sous les caresses de l'archet de crin, comme il avait vibré pour adoucir la fatigue de plus d'un aviron sur les rivières et les lacs, depuis le fleuve Saint-Laurent jusqu'aux montagnes Rocheuses.

Amélie, assise à l'arrière du canot, laissait sa main blanche jouer dans le courant limpide. Elle se sentait heureuse, car toutes ses affections étaient là avec elle, dans la gracieuse embarcation. Elle parlait peu et se plaisait à entendre le chant des rudes canotiers. Elle pouvait aussi s'abandonner plus facilement à ses douces pensées quand la conversation cessait, et que tout le monde chantait ou prêtait l'oreille aux refrains cadencés. Quelquefois, elle saisissait à la dérobée un regard de Pierre dirigé vers elle avec la rapidité de l'éclair, regard dont elle conservait le souvenir dans les secrets replis de son cœur. Quelquefois encore, c'était un de ces mots que seul l'amour sait dire, un tendre sourire plus précieux que tous les trésors de l'Inde et qui contiennent tout un monde de lumière, de vie, d'immortalité.

Après quelques minutes de repos, et quelques bonnes gorgées à même une gourde un peu suspecte—qu'il disait contenir du lait, par respect sans doute pour Mme de Tilly,—Jean La Marche s'apprête à chanter.

Les canotiers qui ramaient en cadence, obéissant à la musique comme le soldat qui marche au son du clairon, levèrent leurs avirons et attendirent le signal de les replonger ensemble dans les eaux sonores.

Maître La Marche commença cette vieille ballade du fils du roi, qui prend son grand fusil d'argent, vise le canard noir et tue le blanc. Sa voix résonnait comme une cloche nouvellement baptisée.

Plusieurs canots voguaient non loin. Ceux qui les montaient se mirent aussi à répéter avec les rameurs de Mme de Tilly, le gai refrain :

En roulant ma boule roulant,
En roulant ma boule.

Et Jean La Marche disait, en faisant vibrer son violon avec une énergie à lui rompre les cordes, les couplets de la populaire chanson. (*) Après qu'il eût fait longtemps retentir l'air de ces couplets mesurés, et de son violon qui ne se fatiguait pas plus que sa poitrine, tous les voyageurs qui avaient redit les refrains avec une ardeur non moins admirable, lui crièrent des «encore» comme à l'artiste qu'on veut récompenser ou flatter. Des voix enthousiastes répondaient de la rive, et l'allégresse se répandait partout. Toute la nature chantait. Les ondes, le ciel, les champs, les bois, les rivages, tout s'unissait dans un cantique de joie.

Et les voix devenaient plus vives et plus éclatantes à mesure que les bords de Tilly approchaient, car là, pour les bons censitaires comme pour leur noble châtelaine, c'était le foyer de la famille, et le foyer, c'est le paradis de la terre.

Le Gardeur fut entraîné par la gaieté générale. Il oublia son ressentiment, son désappointement et les séductions de la ville. Assis dans les rayons du soleil, sur les ondes bleues, sous le ciel bleu, près de ceux qui

---

(*)—Cette chanson,de 13 couplets, se trouve au répertoire des CHANSONS POPULAIRES DU CANADA, d'Ernest GAGNON, 5ième édition, publiée par la *Librairie Beauchemin, Limitée*, Montréal.

l'aimaient, comment aurait-il pu ne pas sourire, ne pas oublier, ne pas espérer ?

Son cœur s'ouvrait à la joie, au grand bonheur d'Amélie et de Pierre qui observaient avec un immense intérêt ce réveil de son âme endolorie.

Après quelques heures de cette délicieuse course, les canots vinrent s'échouer sur la grève, au pied de la falaise de Tilly. Tout vis-à-vis, au sommet de la côte, comme la borne immuable que devaient respecter les eaux et la terre, ou comme l'arche qui pouvait sauver les âmes et les corps, s'élevait l'église de Saint-Antoine de Tilly. Un joli village de blanches maisonnettes l'entourait.

Sur la grève sablonneuse, les femmes, les vieillards et les enfants, accourus pour souhaiter la bienvenue à leurs gens, se livraient aux transports de la surprise et du bonheur. Ils n'attendaient pas sitôt les travailleurs de la corvée du roi.

La nouvelle de l'arrivée des Iroquois vers les sources de la Chaudière les avait effrayés. Ils supposaient en même temps que le gouverneur craignait une attaque contre Québec, par mer, comme celle de Phips dont plusieurs se souvenaient encore.

—Bah ! ne craignez rien, mes bons amis, fit le vieux pilote Louis, en regardant fièrement tout le monde de son œil unique, ne craignez rien ! Je la connais cette campagne de William Phips : mon père me l'a souvent racontée.

«C'était à l'automne de 1690. Trente-quatre grands vaisseaux bostonnais vinrent débarquer sur les battures de Beauport toute une armée de ventre-bleus. Mais notre vaillant gouverneur Frontenac descendit en toute hâte des hauteurs boisées de la ville, avec ses braves soldats auxquels s'étaient joints des habitants et des Sauvages, les repoussa pêle-mêle à bord de leurs bâtiments et enleva le pavillon rouge de l'amiral Phips.

«L'instant de le dire ! Si vous ne me croyez pas,—personne ne m'a jamais fait cette injure,—si vous ne me croyez pas, allez dans l'église de Notre-Dame-des-Victoires, à la basse-ville, vous le verrez; il flotte encore au-dessus du maître-autel !

«Bénie soit Notre-Dame qui nous a sauvés de nos ennemis, et qui nous sauvera encore si nous le méritons !

«A la Pointe-Lévis où s'est réfugiée alors la flotte en déroute, l'arbre sec existe toujours. Vous savez la prophétie ? Tant que cet arbre sera debout, Québec ne tombera point aux mains des Anglais.»

Les personnes qui se tenaient sur la rive se mirent à l'eau jusqu'aux genoux pour aller au-devant des voyageurs. Les canots furent traînés sur le sable au milieu des rires et des propos éveillés.—Bienvenue à Mme de Tilly ! bienvenue à Mlle Amélie ! bienvenue à Le Gardeur ! bienvenue à Pierre Philibert ! Bienvenue ! bienvenue ! crièrent cent voix.

Le Gardeur aida Amélie à sortir du canot. Il vit que sa main tremblait, et qu'elle devenait pâle en regardant fixement à quelques pas dans le fleuve.

C'était à l'endroit où Philibert l'avait sauvé de la mort !

Toute cette scène pénible d'autrefois passa, comme dans un mirage, devant les yeux de la jeune fille. Elle vit son frère se débattre vainement au milieu des flots, puis tout à coup disparaître... Elle vit encore Philibert se précipiter, au risque de sa vie, à la rescousse de son compagnon... Elle sentit toutes les angoisses d'alors, et aussi toutes les délices du serment qu'elle prononça dans son âme, en embrassant le sauveur de son frère aimé.

—Le Gardeur ! dit-elle, c'était là; t'en souviens-tu ?

—Oui, sœur ! je m'en souviens. J'y pensais. Je dois une éternelle reconnaissance à Pierre. Néanmoins, il aurait mieux fait de me laisser au fond de la rivière; je n'ai plus de plaisir à revoir Tilly, maintenant...

—Pourquoi donc, mon frère ? Ne sommes-nous pas les mêmes ? Ne sommes-nous pas tous ici ? Il y a aussi de la félicité pour toi à Tilly.

—Il y en avait autrefois, Amélie, reprit-il avec tristesse, mais il n'y en aura plus jamais... C'est fini !

—Viens! Le Gardeur, ne gâtons pas la joie du retour. Vois ! le pavillon flotte au sommet de la tourelle et le vieux Martin va tirer la coulevrine pour nous saluer.

Un éclair, un jet de fumée et un coup de tonnerre firent soudain bondir les gens qui couvraient le rivage.

—C'est bien pensé, de la part du vieux Martin et des femmes du manoir, cela ! observa Félix Beaudoin.

Il avait servi dans sa jeunesse, Beaudoin ! et il connaissait le salut militaire.

—Les femmes de Tilly valent mieux que les hommes de la Beauce, comme dit le proverbe, observa-t-il encore.

—Oui, et mieux que les hommes de Tilly aussi, mon vieux, ajouta Josephte Le Tardeur, d'un ton brusque et tranchant.

Josephte était une grosse courte au nez retroussé, une virago dont l'œil noir perçait comme une tarière. Elle portait un chapeau de paille à larges bords et surmonté de boucles aussi difficiles à débrouiller que son caractère, un jupon de tiretaine court qui se souciait peu de cacher sa jambe forte. De ses manches retroussées sortaient deux énormes bras rouges qui auraient fait le bonheur d'une laitière suisse.

La remarque qu'elle venait de faire s'adressait à José Le Tardeur, son mari, un bon diable d'homme, mais un peu fainéant, qu'elle n'avait cessé de taquiner depuis le jour de son mariage.

—Les paroles de Josephte m'atteignent mais ne me font aucun mal, dit José à son voisin. Je suis une bonne cible; elle peut tirer !

—Je suis bien content, ajouta-t-il, que les femmes de Tilly soient meilleurs soldats que nous, les hommes, et qu'elles aiment à se mêler de tout ! cela nous épargne bien des tracasseries et de l'ouvrage.

—Que dites-vous, José ? demanda Félix, qui n'avait guère compris.

—Je dis, maître Félix, que sans notre mère Eve la malédiction ne serait pas tombée sur la tête de l'homme; qu'il n'aurait point travaillé malgré lui, comme cela arrive souvent, et surtout qu'il n'aurait point péché. Ah ! le curé l'a bien dit ! Nous aurions pu passer les jours à nous chauffer au soleil, mollement étendus sur l'herbe épaisse... Maintenant, si vous voulez vous sauver corps et âme, travaillez, priez et ne vous amusez point !... Maître Félix, j'espère que vous ne m'oublierez pas si je vais au manoir ?

—Je ne t'oublierai pas, José, répondit Félix, sèchement. Mais si le travail est le fruit de la malédiction que notre mère Eve a attirée sur le monde en mangeant de la pomme, elle ne pèse guère sur toi cette malédiction. Voyons ! fais avancer les voitures, et range-toi, que madame passe...

José s'empressa d'obéir. Mme de Tilly passa au bras de Pierre Philibert. Il ôta son bonnet et la salua profondément. Elle monta dans son carrosse.

Deux chevaux canadiens aux pieds mordants et sûrs comme ceux des boucs et forts comme ceux des éléphants, tirèrent la pesante voiture, au grand trot, sur le chemin qui serpentait tour à tour à travers les champs dorés et les bois touffus.

Après une demi-heure de course, ils s'arrêtaient à la porte du manoir.

C'était une grande bâtisse en pierre, de forme irrégulière avec des fenêtres profondément enfoncées dans les murs et garnies de cadres grossièrement sculptés. A chaque coin s'élevait une tourelle percée de meurtrières, et crénelée de manière à faire un feu d'enfilade de tous les côtés sur les ennemis qui se présenteraient.

Dans l'entrée se trouvait une tablette de pierre où le ciseau avait sculpté les armoiries de la famille de Tilly, avec la date de la construction et une invocation au saint patron de la maison.

Ce manoir avait été construit par Charles Le Gardeur de Tilly, gentilhomme normand, dont l'ancêtre, le sieur de Tilly, avait été avec le duc Guillaume à Hastings. Charles Le Gardeur vint au Canada avec quelques-uns de ses vassaux, en 1636. Il avait obtenu du roi une concession de terre sur les bords du fleuve Saint-Laurent, «qu'il posséderait en fief et seigneurie, disait la charte royale, et avec y droit de haute, moyenne et basse justice, et aussi droit de chasse, de pêche et de traite avec les Indiens, sujet à foi et hommage, etc.»

Il était entouré de pins éternellement verts, de ces grands chênes et de ces ormes élevés qui se drapent dans un feuillage nouveau chaque printemps, et, chaque automne, se dépouillent de leur éclatant manteau.

Un ruisseau murmurait tout auprès, en précipitant ses ondes d'argent. Tantôt il étincelait au soleil, et tantôt il se cachait sous les épais rameaux comme une jeune vierge honteuse d'être admirée. Un pont rustique en reliait les bords fleuris. Il sortait, ce petit ruisseau capricieux, d'un lac charmant et tout étroit, étendu comme une nappe de cristal au milieu de la forêt à quelques lieues du fleuve. C'était un endroit de promenade aimé des habitants du manoir.

Pierre Philibert éprouva une joie bien douce à l'aspect de cette antique demeure. Ces portes, ces fenêtres, ces pignons, toutes ces choses qu'il voyait après un si long temps, c'était comme de vieux amis qu'il retrouvait.

Toutes les servantes avaient mis leurs plus beaux atours, leurs robes les plus neuves, leurs rubans les plus éclatants, pour recevoir Mme de Tilly et Mlle Amélie.

Elles firent aussi le plus sympathique accueil à M. Le Gardeur— c'est ainsi qu'elles l'appelaient toujours—

et au jeune officier qui l'accompagnait. Elles eurent vite reconnu l'écolier d'autrefois, qui avait si généreusement sauvé la vie à leur jeune maître, et elles se dirent, comme cela entre elles, qu'il venait sans doute à Tilly pour... pour...

Elles n'achevaient jamais. Le sourire significatif qui répondait à la confidence, affirmait que c'était compris. Et puis, il était devenu un si bel homme, cet élève du séminaire, avec son uniforme brillant et sa vaillante épée ! Et elle, Mlle Amélie, n'avait jamais détesté entendre prononcer son nom, bien au contraire !

Les femmes ont vite fait de déduire les conséquences des prémisses, en fait d'amour, et elles ne se trompent pas toujours, tant s'en faut.

Derrière la maison, au-dessus de l'étable et du poulailler, caché aux regards par un épais rideau de feuillage, s'élevait le pigeonnier avec ses doux et amoureux habitants. Ils étaient peu nombreux, mais d'un riche plumage et d'une beauté remarquable. Il ne fallait pas laisser la roucoulante famille s'agrandir trop, à cause des champs de blé qu'elle aurait mis à sac.

Devant le manoir, au milieu des arbres chargés de verdure et palpitants de vie, s'élevait un pin d'une grande longueur, nu et droit comme une flèche d'église. Il n'avait plus d'écorce, plus de rameaux, excepté au faîte, un bouquet. Un pavillon et des bouts de rubans flottaient au-dessous de cet énorme bouquet vert qui le couronnait, et la poudre du canon en avait marqué de taches noires l'aubier encore tout éclatant de blancheur.

C'était un mai que les habitants avaient planté, pour rendre hommage à la dame de Tilly.

Planter le mai, cela se faisait en Nouvelle-France, à chaque retour de la belle saison, le premier jour du mois des roses, quand on voulait payer un tribut d'hommage à un supérieur.

Le mai, planté devant la maison que l'on voulait honorer, devait rester debout jusqu'au retour de la floraison nouvelle. Plus tard, et tout dernièrement encore, les capitaines de la milice sédentaire étaient, dans nos paroisses paisibles, l'objet d'une semblable marque de déférence de la part de leurs soldats. En retour, les soldats étaient conviés à une bonne table, mangeaient, buvaient et s'amusaient bien. Ils tiraient autour du mai, en feu de peloton, les seuls coups de fusils que le village étonné entendit d'un bout de l'année à l'autre.

Maintenant cette fête caractéristique s'en va avec d'autres encore pour ne plus revenir sans doute. Elle aussi ne sera bientôt plus qu'un souvenir. La Saint-Jean-Baptiste qui arrive avec les fleurs et les parfums des champs, avec des feuillages chargés d'harmonie et les flots de lumière du beau mois de juin, la Saint-Jean-Baptiste qui est la fête de tous les Canadiens français, emporte et fait disparaître dans son orbe étincelant, toutes ces autres réjouissances moins vives et moins douces qui n'ont pas pour fin sublime l'amour de la religion et de la patrie !

Félix Beaudoin, ouvrant les bras comme pour chasser une volée d'oiseaux, repoussa les servantes dans la maison.

—Mon Dieu ! comme tout doit être en désordre ! pensa-t-il.

Il s'imaginait qu'en son absence le monde ne marchait plus. Les domestiques auraient bien voulu regarder encore, mais il fallait obéir au sévère majordome sous peine d'exclusion perpétuelle.

Mme de Tilly, qui connaissait parfaitement le faible du vieillard, s'amusa dans le jardin avec les fleurs et les plantes, pour lui donner le temps de se mettre en règle, comme il disait.

Il entra à la suite des servantes, se revêtit promptement de sa livrée, prit son bâton blanc, signe d'autorité, et vint la recevoir à la porte, absolument comme si rien n'avait interrompu son service.

Mme de Tilly et ses hôtes le suivirent en souriant.

L'intérieur du manoir ressemblait aux intérieurs des anciens châteaux de France. Au centre, il y avait une grande salle qui servait de cour de justice quand le seigneur de Tilly avait à juger quelque délit, ce qui n'arrivait pas souvent, grâce à la moralité des gens. Dans cette salle se tenait encore la cour plénière, quand il fallait régler les corvées, ouvrir des chemins, construire des ponts. Dans cette salle aussi avaient lieu les grandes réunions des censitaires à la fête de Saint-Michel de Thury, le patron.

De là, on passait dans une suite de chambres de diverses grandeurs, toutes meublées et ornées selon le goût de l'époque et la richesse des seigneurs de Tilly.

Un grand escalier de chêne, assez large pour laisser passer de front une section de grenadiers, conduisait aux pièces supérieures; chambres à coucher et boudoirs avec leurs vieilles fenêtres à barreaux d'où le regard s'échappait pour embrasser un délicieux fouillis de nappes d'eau, de tapis de gazon, d'arbustes, de végétaux, d'arbres et de fleurs.

Philibert reconnaissait bien ces pièces, ces escaliers, ces passages où tant de fois il avait joué avec Le Gardeur et Amélie. Il croyait entendre encore l'écho lointain de leurs cris joyeux... Rien n'avait changé. Les meubles, les tentures, les tableaux, gardaient leur sévère beauté. Les portraits le regardaient encore et leurs yeux semblaient pleins de joie. Le reconnaissaient-ils après sa longue absence ?

Il entra dans une chambre bien familière, jadis : le boudoir de Mme de Tilly. Au mur du fond, pendait encore un petit tableau. Il le reconnut avec un sensible plaisir, avec orgueil même. Il l'avait peint dans un jour d'enthousiasme, et toute son âme aimante avait passé dans son habile pinceau.

C'était le portrait d'Amélie.

C'était bien l'angélique expression de ses yeux au moment où elle tournait la tête vers lui pour l'écouter; c'était bien le sourire suave de ses lèvres ! Le regard de la vierge de douze ans l'avait suivi partout. Sa bouche rieuse lui avait murmuré bien des paroles de consolation dans ses ennuis !

Il s'arrêta tout ému devant ce portrait d'une enfant qui était devenue la maîtresse de ses destinées.

Amélie était entrée dans le boudoir un instant après lui. Tout à ses souvenirs, il n'avait pas entendu le bruit de ses pas. Elle ne voulut point le déranger d'abord; cette attention qu'il portait à l'enfant, la flattait. Mais elle ne voulait toujours pas avoir l'air d'épier, et il fallait faire connaître sa présence.

—La reconnaissez-vous ? demanda-t-elle enfin, en faisant un pas vers le portrait.

Philibert se tourna vivement. Amélie lui apparut alors, à travers le voile de ses vingt ans, jeune et naïve comme le portrait. Ce fut une vision charmante et vraie.

—Comme il vous ressemble, Amélie ! je ne croyais pas l'avoir peint si fidèle, s'écria-t-il, dans un transport à demi contenu.

—Je suppose, repartit Amélie d'un air narquois, que vous avez trouvé le secret de faire un portrait qui me ressemblera toujours, dans les sept ages de la vie. Si c'était une peinture de mon âme, je ne dirais pas non, continua-t-elle, mais j'ai grandi... Voyez !

—Moi, je le trouve fidèle et beau, ce portrait... Et pourtant, j'étais un peintre fort maladroit. J'aurais voulu...

—Trop beau, sans doute, interrompit Amélie toujours en plaisantant. Il devrait sortir de son cadre pour venir vous remercier de la peine infinie que vous vous êtes donnée.

—Qu'il ne se dérange point; j'ai trouvé ma récompense dans l'idéal de la beauté que j'ai réussi à faire sortir de cette toile...

—La jeune fille de douze ans aurait dû vous remercier, Pierre, comme je voudrais et n'ose le faire...

—C'est moi qui suis votre obligé, Amélie ! Grâce à vous, à votre souvenir, j'ai accompli des choses étonnantes.

Amélie sentit un reflet pourpre courir sur ses joues. Le Gardeur entra. Elle lui prit le bras :

—N'est-ce pas Le Gardeur, fit-elle, qu'il sera difficile à Pierre de devenir notre obligé, après tout ce qu'il a fait pour nous ?...

—Difficile ? impossible, ma chère, impossible !

—Cependant, reprit-elle, si, pour commencer à nous acquitter envers lui, nous l'emmenions passer une journée sur le lac. Nous ferons une partie de canotage. Les messieurs allumeront le feu, les dames infuseront le thé. Il y aura chant et musique, danse aussi, peut-être. La lune se chargera de l'illumination qui terminera la fête. Que dis-tu de mon programme, Le Gardeur ? Qu'en dites-vous, Pierre Philibert ?

Pierre admira l'intelligence et le tact d'Amélie. C'était pour distraire Le Gardeur qu'elle proposait cette promenade sous les bois et sur les eaux. Elle voulait à tout prix le délivrer de la sombre mélancolie qui l'obsédait. Assurément, les amusements de la journée auraient pour elle un charme nouveau, à cause de Pierre qui les partagerait, mais il n'y avait pas de mal à cela.

—Ton programme est superbe, Amélie, répondit Le Gardeur, mais laisse-moi de côté. J'aime à rester tranquille. Je n'irai pas au lac. C'est en vain que je cherche à reconnaître Tilly; tout me paraît changé. Il me semble que je vois tout à travers un nuage. Rien de serein comme autrefois; pas même toi, Amélie. Il y a de la tristesse dans ton sourire; je le vois bien. Et c'est ma faute, sans doute.

—Allons, mon frère, tes yeux sont meilleurs que cela, tu les calomnies. Tilly est brillant et gai comme jadis.

Quant à mon sourire, s'il est triste, c'est que je deviens mélancolique comme toi, pour des riens. Mais écoute-moi, et tu verras, dans trois jours je serai la plus joyeuse enfant de la Nouvelle-France.

XXVII

HIERS CHARMANTS, RIANTS DEMAINS

Mme de Tilly et sa nièce se retirèrent dans leurs chambres pour faire leur toilette, puis elles descendirent au salon où venaient d'entrer messire Lalande, le curé de la paroisse—un aimable vieux prêtre,—plusieurs dames du voisinage, et deux ou trois officiers en retraite, qui trouvaient plus avantageux de vivre à la campagne qu'à la ville.

Félix Beaudoin parcourait en vainqueur, pendant ce temps-là, sa vaste cuisine et faisait trembler les marmitons. Il s'agissait de mettre une table digne de ses hôtes et digne de lui-même.

Sur le balcon, Pierre et Le Gardeur causaient intimement en regardant le ciel limpide; les fleurs du parterre faisaient monter jusqu'à eux leurs senteurs embaumées.

Amélie sortit du salon après quelques instants sous prétexte d'aller chercher Le Gardeur. Elle ne voulait pas qu'il demeurât seul avec ses pensées noires.

Elle parut sur le balcon. Savait-elle que Philibert s'y trouvait ? Peut-être. Il est probable que non, cependant, car elle eut un adorable mouvement de surprise. L'air frais et pur de la campagne, le contentement intérieur, l'espoir de rendre le calme à son frère, donnaient à sa figure une douce animation. Elle était admirablement belle et simplement mise. Pour toute parure elle portait une croix d'or.

Philibert lui avait donné cette croix, à l'anniversaire de sa naissance, autrefois, pendant une vacance qu'il passait à Tilly. Il la reconnut. Comme il la regardait avec persistance, heureux sans doute de la voir si fidèlement gardée, Amélie lui dit :

—C'est en l'honneur de votre visite, Pierre, que je porte aujourd'hui ce souvenir. Je suis fidèle à la vieille amitié, n'est-ce pas ?... Mais vous retrouverez ici d'autres amis qui ne vous ont pas oublié non plus.

—Si l'amitié est une richesse, Amélie, je suis plus riche que Crésus... mais une amitié sincère et pure vaut un prix infini.

—Et cette amitié que vous jugez inestimable, Pierre vous...

La cloche de la tourelle l'interrompit tout à coup. Elle sonnait le dîner. Elle sonnait vivement, gaiement, comme pour témoigner son allégresse. Amélie continua en riant :

—Vous pouvez remercier la vieille cloche, Pierre, si vous perdez un joli compliment. Mais, comme dédommagement je vous choisis pour mon cavalier; conduisez-moi à la table.

Elle s'attacha ingénument à son bras, et tous deux disparurent dans les longs corridors, en gazouillant comme les oiseaux qui se retrouvent, après un long hiver, sur le rameau fleuri où ils avaient ensemble chanté.

Le dîner fut magnifique et Félix Beaudoin se reposa satisfait de son œuvre. Le bon curé joignit les mains et récita les grâces avec une onction toute nouvelle. Peu après, le repas terminé, tout le monde se rendit au salon.

Madame de Tilly prit place sur un sofa, à côté de Philibert, tandis que le curé avec deux vieilles douairières en turbans et un ancien officier de la marine coloniale, s'installèrent à une table à cartes.

Ils aimaient le whist et le piquet avec passion, une passion assez inoffensive après tout, et que l'on cultive en vieillissant surtout dans les petites villes où les amusements sont plutôt rares.

Ils étaient deux contre deux, et, riant, disputant, bataillant pour un enjeu de rien, ils jouaient depuis un quart de siècle, et auraient voulu jouer ainsi, sans changer de partenaires, jusqu'au jugement dernier.

Pierre Philibert se rappela les avoir vus, dès ses premières visites au manoir, assis à la même table, et jouant les mêmes jeux avec le même entrain. Il en fit l'observation à Mme de Tilly qui lui dit en badinant :

—Mes vieux amis sont tellement habitués à vivre avec les rois de carton du royaume de Cocagne, qu'ils ne trouvent plus de plaisir que dans les amusements des rois, même des rois fous.

Amélie s'était assise auprès de Le Gardeur, et, dans sa fraternelle affection, elle déployait pour le distraire toutes les ressources de son âme et de son intelligence. Il aimait sa tristesse et voulait se plonger dans l'abîme de douleurs qui semblait l'appeler. Elle-même, elle éprouvait une vague inquiétude, une mystérieuse crainte, mais son sourire et sa parole enveloppaient comme d'un voile nuptial les larmes de son cœur.

Pierre l'écoutait ravi. Il aurait voulu se jeter à ses pieds pour la bénir et la remercier. Ah ! c'était bien là cette divine créature qu'il avait tant de fois évoquée dans ses rêves d'espérance !

De temps en temps Le Gardeur souriait. La bénigne influence calmait son trouble et faisait glisser un rayon de lumière dans les ténèbres de son esprit.

Amélie s'aperçut que Pierre Philibert la regardait: elle comprit qu'il l'admirait et elle en éprouva de la confusion.

Une harpe reposait dans un coin du salon. Elle se leva et vint jouer, avec une apparente indifférence, mais, en réalité avec une émotion difficilement comprimée, quelques mélodies simples et douces comme ses passions. Puis, elle chanta, dans le dialecte provençal, une chanson tendre et mélancolique qu'elle avait elle-même composée.

Il y eut un silence profond. Les joueurs de cartes eux-mêmes laissèrent, pour l'écouter, leur partie inachevée. C'était comme la voix d'un esprit qui aurait chanté dans le langage des hommes. Elle avait fini, et l'on écoutait encore ces dernières vibrations pleines de suavité qui mouraient lentement sur ses lèvres tremblantes et sur les cordes sonores de la harpe.

Les hôtes se retirèrent et ceux qui restaient formèrent un cercle devant le foyer. C'était la famille qui se resserrait dans une union plus intime, pour les confidences nouvelles, pour les épanchements sacrés.

Mme de Tilly s'était mollement enfoncée dans son grand fauteuil, et de son bras elle enveloppait affectueusement Amélie, assise sur un tabouret, à ses pieds. Elle invita Philibert à raconter ses voyages, ses études, sa carrière militaire, et le brave colonel répondit avec une extrême bienveillance et une grande modestie à sa curiosité.

Puis chacun se mit à faire des projets pour le lendemain, et pour les jours suivants. Des courses à cheval jusqu'aux seigneuries voisines; des promenades dans le parc et le domaine pour herboriser; des parties de pêche et de chasse; des visites aux amis, et surtout une excursion au petit lac de Tilly. On établirait pour toute une journée une colonie dans la petite île; on dresserait des tentes; on choisirait un gouverneur, un intendant peut-être, même un roi et une reine, et l'on oublierait le monde jusqu'au retour au manoir. Tous ces projets, comme des trames ourdies de fils d'or, serviraient à enlacer Le Gardeur.

—Je donne mon assentiment à tout, conclua Mme de Tilly.

—Je me laisse rouler dans vos mailles dorées, ajouta Le Gardeur, à condition que Pierre reste avec moi; je suis un pauvre papillon que vous voulez prendre et fixer au mur de votre château en Espagne. Ainsi soit-il !

Quand Amélie fut seule dans sa chambre elle se jeta aux pieds de la statue de la Vierge et fit monter au ciel de vives actions de grâces. Dans sa reconnaissance elle avait couronné de fleurs le front de la divine Madone. Elle pria pour Philibert, pour Le Gardeur, pour toute la maison. Longtemps, dans son émotion, elle fit glisser entre ses doigts purs les grains de son chapelet béni !

Le lendemain le soleil se leva brillant sur la cime verte des bois et sur les prairies veloutées. L'air était pur; les fleurs s'ouvraient pour offrir leurs parfums à Dieu.

Les rochers, les eaux, les arbres, tout se découpait avec une netteté merveilleuse. Pas un lambeau de brume, pas un flocon de fumée ne traînaient dans le ciel; pas un rayonnement comme dans les grandes chaleurs; pas un nuage de poussière dans la route étincelante de soleil !

Pierre Philibert sortit pour errer seul dans la solitude du parc. Il revit le promontoire avec le bosquet ombreux qui le couronnait et le fleuve immense qui dormait à ses pieds; il revit la forêt où le cerf avait coutume de brouter, et les hautes fougères où se couchaient les faons. Là-bas, sur cette côte élevée, il allait s'asseoir avec Le Gardeur, pour compter les voiles tour à tour blanches et sombres des bateaux qui louvoyaient sur les flots agités. Il y retrouvait tout frais encore un lit de verdure où il s'était reposé jadis. Les œuvres du Seigneur ne vieillissent point !

C'est ici, dans ces sentiers, qu'il avait enseigné à Amélie l'art de monter à cheval. Il la revoyait comme elle était alors, jeune, belle, en robe blanche, les cheveux épars sur les épaules, le rire sur les lèvres, babillarde comme les oiseaux qui voltigeaient au-dessus de sa tête. Devant lui le petit ruisseau avec son pont rustique, les saules et les roches couvertes de mousse, autour desquelles venaient jouer les truites tachetées de rouge et les saumons presque noirs.

Il s'assit au bord du ruisseau, sur une roche, et prit plaisir à regarder se mouvoir ces armées de vairons vifs et petits, que le moindre signe effarouchait. Peu à peu toutes ses pensées se fondirent en une seule pensée, et tous les objets s'évanouirent pour faire place à une forme angélique qu'un souffle du ciel semblait avoir apportée. Il ne songeait plus qu'à Amélie, il ne voyait plus qu'elle. Il se demandait ce qu'elle pensait de lui, comment elle l'aimait, s'il pouvait espérer...

—Se souvient-elle de moi comme on se souvient de l'ami de la famille ? se disait-il...ou quelque sentiment plus tendre se cache-t-il au fond de son âme ?...

Il évoquait tous ces regards rapides qu'elle avait, involontairement peut-être, levés sur lui. Tous ? Oh ! non ! Il ne les avait pas tous surpris les regards pleins d'amour de la vierge timide. Ces regards pour lesquels il eut donné tout un monde, il ne les avait pas vus !

Il entendait encore chacune de ses paroles, et cherchait à ses discours un sens qu'ils n'avaient peut-être point. Il ne voyait rien de défini, rien de certain, et pourtant son amour se cramponnait à ces vagues promesses d'un sourire et d'un regard...

—S'il est vrai que l'amour enfante l'amour, pensait-il encore, elle doit m'aimer. O présomption ! ô folie ! ajoutait-il aussitôt, je suis le jouet de mes désirs.

Il ne savait pas comme elle avait pensé à lui dans le secret du cloître, comme elle avait prié pour lui depuis le jour de leur séparation ! Prière ardente et désintéressée comme la prière pour les morts, car elle n'espérait plus le revoir.

Et maintenant qu'il était revenu, elle se sentait prise de crainte. Elle avait peur de cette flamme qui la consumait. Un rien pouvait la trahir et elle ne voulait point encore révéler le secret de son âme.

Pourtant elle savait bien qu'elle était aimée. Son instinct de femme ne la trompait point. Et durant cette dernière soirée n'en avait-elle pas acquis la certitude ? Elle aurait voulu s'enfuir alors dans sa chambre, pour se livrer sans contrainte aux délices de sa joie, pour bénir les paroles qu'elle venait d'entendre, et pour épancher son bonheur au pied de la croix !

XXVIII

UNE JOURNEE AU MANOIR

Amélie se leva. Elle était rose et gaie comme les reflets du matin. Elle n'avait guère dormi cependant, à cause des émotions nouvelles qui avaient agité son âme. Mais le bonheur ne fatigue guère et elle se trouvait heureuse.

Elle fit une toilette simple, noua un ruban bleu dans ses cheveux noirs, se coiffa d'un chapeau de paille à larges bords, et descendit au jardin. Elle souriait à tous les objets et bénissait tout le monde.

Elle s'informa à Félix Beaudoin, de son frère Le Gardeur.

—Où est mon frère, Beaudoin, le savez-vous? l'avez-vous vu ce matin ?

—Oui, mademoiselle, répondit le vieux Félix en saluant respectueusement, il vient justement d'ordonner qu'on sellât son cheval pour aller au village. Il a demandé une carafe de cognac et la carafe lui a été apportée.

—Merci ! fit-il, remportez-la; je ne boirai pas une goutte.

Son valet le regardait tout surpris.

—Je ne boirais pas même le nectar des dieux dans ce manoir, ajouta-t-il.

Et comme le valet se retirait :

—Faites amener mon cheval, s'il vous plaît, demanda-t-il, je vais me rendre au village. Les gosiers altérés comme le mien trouvent là une meilleure liqueur.

—Pauvre Le Gardeur ! soupira Félix Beaudoin. Essayez de le retenir ici, mademoiselle ! essayez !...

Amélie fut attristée de cela. Sa vive allégresse de tout à l'heure s'envolait déjà. Elle se mit à la poursuite de son frère, dans le jardin, et elle l'aperçut bientôt qui marchait à grands pas. Il avait l'air fâché et de sa cravache il décapitait les passe-roses et les dahlias qui bordaient les allées.

Il portait son costume d'écuyer et attendait le groom avec son cheval.

Elle courut à lui, l'enchaîna de ses deux bras et, le regardant avec douceur, lui dit :

—Le Gardeur, ne va pas au village maintenant, attends-nous.

—Ne pas aller au village maintenant ? et pourquoi ? je reviendrai pour le déjeuner. Je n'ai pas faim et je compte sur une petite course à cheval pour me mettre en appétit.

—Attends après le déjeuner; nous irons tous ensemble à la rencontre des amis qui doivent venir nous visiter ce matin. Héloïse de Lotbinière, notre cousine, vient pour vous voir, Philibert et toi. Il faut que tu sois ici pour lui souhaiter la bienvenue. Les galants sont bien rares ici, et il serait mal à nous de laisser partir le plus beau en cette occasion.

Un combat terrible s'engageait dans l'âme de Le Gardeur entre le devoir et la passion. Il se sentait invinciblement attiré par l'amorce du plaisir, et il craignait de désoler sa sœur.

Amélie le tenait toujours, le regardait en souriant, lui disant cent choses aimables. Elle voulait venir à bout du démon qui le tentait. C'était la lutte de l'ange contre l'esprit du mal. Une pareille affection ne pouvait pas être vaincue: elle devait triompher.

—Chère enfant, s'écria tout à coup Le Gardeur, je ne suis pas digne de toi !

Et il l'embrassa tendrement. Il avait des pleurs dans les yeux.

—Pourquoi faut-il qu'une pareille amitié soit inutile ? acheva-t-il avec tristesse, un instant après.

—Oh ! ne dis pas cela, Le Gardeur, ne dis pas cela !.. je donnerais ma vie pour te sauver.

Elle s'appuya la tête sur son épaule et se prit à sangloter. Sa douceur et son dévouement venaient d'obtenir ce que les remontrances ou la sévérité n'auraient jamais obtenu.

—A toi la victoire, mon Amélie, reprit Le Gardeur, à toi la victoire aujourd'hui ! je n'irai au village qu'avec toi...Oh ! pourquoi ne se trouve-t-il pas d'autres femmes aussi bonnes que toi ! je ne serais pas un réprouvé...

Tu seras mon bon ange... Je veux t'obéir...Essaie de me sauver. Si tu n'y parviens, tu pourras toujours dire que tu as fait ton possible et plus que ton devoir.

—Le Brun, cria-t-il au groom qui venait d'amener son cheval, reconduis noir César à l'écurie.

Il lui jeta en même temps la cravache qui avait rasé tant de fleurs.

—Le Brun, clama-t-il encore, écoute ! Si jamais je t'ordonne de m'amener ma monture avant déjeuner, amène-la sans bride et sans selle, avec un licou seulement, afin que j'aie l'air d'un clown et non d'un gentilhomme.

Le Brun n'en revenait plus de sa surprise. Il crut que le jeune seigneur voulait faire une maîtresse plaisanterie; il crut un peu aussi qu'il devenait fou; et c'est ce qu'il s'empressa de chuchoter à l'oreille de ses compères.

—Pierre Philibert est descendu pêcher le saumon, allons le rejoindre et lui souhaiter le bonjour, proposa Amélie.

Ils partirent joyeusement côte à côte. Philibert se leva et courut au devant d'eux sitôt qu'il les aperçut à travers la ramure. Leurs mains se pressèrent dans une sincère étreinte. La main d'Amélie s'attarda un moment dans celle de Philibert. Ce fut lui qui la retint, mais si peu de temps que Dieu seul s'en aperçut, Dieu, elle et lui !

Amélie sentit une effluve chaude lui brûler les joues: elle détourna les yeux.

L'amour se manifeste d'une façon merveilleuse par ce toucher de la main si fugitif qu'il soit. Il est le prélude mystérieux de cette étrange, intime et ravissante liaison qui va toujours unir deux personnes.

Ils comprirent tous deux ce qu'ils ne s'étaient pas encore avoué. Le silence d'un instant leur révélait de plus doux secrets que les entretiens tant de fois recommencés.

Il y a des moments qui sont toute une vie. Nos amours, nos espérances, nos déceptions tiennent dans la goutte de fiel ou de nectar que nous buvons. Nous sommes arrivés à une étape nouvelle; le passé s'efface complètement et le présent se forme de tout ce qu'il contenait. C'est la fin d'une existence déjà vieille et le commencement d'une nouvelle carrière.

Pierre Philibert se sentait aimé et il était triste. Non, il demeurait grave et silencieux. Amélie perdait aussi sa gaieté. C'était le recueillement de l'âme à l'annonce de la félicité longtemps attendue; c'était l'enivrement de l'esprit dont les rêves caressés prennent une forme indestructible et deviennent la réalité.

Le Gardeur ne soupçonnait point la cause de leur silence. Il croyait qu'ils prenaient de la peine à son sujet, et s'efforçait de se rendre aimable. Il leur montrait diverses choses, dans ce paysage enchanteur, et racontait les souvenirs qu'elles rappelaient.

Ils s'assirent tous trois sur une longue pierre, un immense caillou apporté là probablement depuis des millions d'années, par quelque banquise vagabonde, alors que l'océan glacial s'étendait sur une grande partie de l'Amérique. Peu à peu l'enjouement revint et la causerie recommença toute pétillante de gaieté.

Ils parlèrent des projets de la veille, des amis qu'ils allaient recevoir, de ceux qu'ils iraient voir. Ils se promèneraient en canot, dîneraient sous les arbres, feraient du chant, de la musique, de la danse.

Le Gardeur était le plus éveillé des trois maintenant, et il s'amusait à critiquer le programme d'Amélie; affaire de rire. Tantôt il paraissait sérieux, tantôt il plaisantait évidemment.

—Vous avez beau faire, dit-il à la fin, des amusements de manoir ne valent pas les plaisirs du palais de l'intendant.

Cette parole fit venir une larme dans les yeux de sa sœur. Il s'en aperçut :

—Pardonne-moi, chère Amélie, fit-il, tout ému, pardonne-moi, je ne voulais pas te blesser... je serais content de voir ce palais réduit en cendres, et moi avec !

—Oh ! tu ne m'as nullement blessée, Le Gardeur ! je sais bien que tu plaisantes... Ma sensibilité est tellement grande, vois-tu !...et j'éprouve pour ce palais une si invincible horreur que je ne puis en entendre parler sans me sentir mal à l'aise.

—Pardonne-moi ! je ne t'en parlerai jamais plus de ce palais, excepté pour le maudire, comme j'ai fait mille fois depuis que je suis revenu à Tilly.

—Merci, petit frère, fit-elle en l'embrassant.

Le bugle fit retentir ses notes aiguës. Il sonnait le déjeuner. C'était le privilège d'un vieux serviteur de la famille, qui avait été trompette dans les troupes du seigneur de Tilly, de réunir ainsi, au son de son instrument, les habitants du manoir, pour le repas du matin.

Il avait bien sollicité la permission de sonner aussi le lever, dès le point du jour, mais Mme de Tilly s'était montrée impitoyable. Elle voulait protéger le sommeil de ses gens.

Philibert reconnut l'appel d'autrefois. C'était le même cor qui vibrait sous les bois, le même souffle qui le remplissait.

—C'est Eole ! dit-il.

Eole, c'était le sobriquet du vieux serviteur.

—Vous vous souvenez de lui ? demanda Amélie.

—Oui, et je me souviens, qu'un jour, nous l'avons suivi sous les bois, ou plutôt c'est lui qui nous accompagnait. Il faisait chaud; il était fatigué; il ne trouva rien de mieux à faire qu'à s'étendre à l'ombre et dormir. Nous nous enfonçâmes dans la forêt et un instant après nous étions égarés.

—Je m'en souviens comme si c'était hier, Pierre : oui, je m'en souviens ! j'ai bien pleuré alors, je m'en tordais les mains de désespoir. J'avais faim; ma robe était tout en lambeaux; j'avais perdu un soulier. . . Oui, je m'en souviens ! Le Gardeur et vous, vous étiez aussi découragés que moi et cependant vous me portiez tour à tour, ou ensemble, sur vos mains enlacées comme une chaîne. Mais vos forces s'épuisèrent et tous à la fois nous tombâmes au pied d'un arbre en pleurant. Et alors nous nous rappelâmes toutes ces histoires d'enfants perdus dans les bois, et d'ours qui s'approchaient d'eux en grognant pour les dévorer. . . Je me souviens que nous nous mîmes à genoux pour réciter nos prières, et pendant que nous demandions au bon Dieu de nous prendre en pitié, nous entendîmes soudain les éclats de la trompette du vieux Eole. Il était tout près de nous... Et comme il soufflait, comme il soufflait dans son cuivre pour se faire entendre !. . . Le pauvre homme, il était si content de nous retrouver, il nous embrassait si fort, il nous secouait si violemment que nous aurions aimé autant être égarés encore.

Le vieux Eole répéta son appel sonore, comme pour corroborer le récit d'Amélie.

—Allons, fit Le Gardeur, sinon nous pourrions subir encore la touchante amitié du vieux trompette.

Ils suivirent le sentier fleuri qui conduisait au manoir. Les merles et les loriots chantaient sur leur passage, et partout, sur les branches et dans les fougères, les insectes luisants trottinaient au soleil.

Mme de Tilly les attendait sur le seuil de la grande porte.

—Venez, mes enfants, leur dit-elle, comme je suis heureuse de vous revoir ensemble, et ensemble de vous faire asseoir à ma table !

Amélie pensa en la regardant :

—Je ne sais pas si elle compte Pierre parmi ses enfants.

—Vous saurez, continua la noble châtelaine, en suivant le grand Félix Beaudoin dans la salle à déjeuner, vous saurez que les Iroquois se sont éloignés de notre frontière. Il est probable qu'ils ne feront plus guère parler d'eux. C'est un messager spécial qui m'a apporté cette nouvelle... Une bonne nouvelle n'est-ce pas ?

—Excellente ! bonne tante, répondit Amélie...

Le Gardeur fit un signe de la tête qui signifiait le contraire.

Pierre Philibert remarqua :

—Les Iroquois sont de vieilles connaissances que j'aime bien à revoir... au bout de mon épée.

—Vous ne laisserez donc pas le manoir, maintenant, mes braves guerriers, reprit Mme de Tilly en s'adressant à Philibert et à Le Gardeur, et vous aurez tout le temps nécessaire pour vous entendre avec Amélie au sujet de vos amusements.

—C'est tout arrangé, tout, fit Amélie avec vivacité. Nous avons tenu cour plénière ce matin, et préparé un code de lois pour votre règne de huit jours. Il ne manque plus que la sanction royale. La donnez-vous ?

—Et je la donne. Il le faut bien puisque tout est réglé, décidé, arrêté. Je devance mon époque et je deviens une souveraine constitutionnelle.

—C'est comme cela que doit être une royauté pour rire, riposta Amélie: constitutionnelle.

—C'est comme cela surtout que devrait être une royauté sérieuse, affirma gravement Philibert.

—Le Gardeur et Pierre vont aller au village après le déjeuner, commença Amélie.

—Au-devant d'Héloïse votre cousine, qui doit descendre de Lotbinière aujourd'hui, acheva Mme de Tilly.

—Tu viendras avec nous, Amélie, c'est convenu, tu sais, dit Le Gardeur fort sérieusement.

—Je ne voulais pas être un embarras, répondit la jeune fille, mais si tu l'exiges, j'irai... Au reste, c'est pour toi que vient Héloïse, et non pas pour moi. Elle a perdu un cœur, ici, à la fête de la Saint-Jean, et elle revient pour le chercher, ajouta-t-elle, en jetant les yeux sur Philibert.

—Vraiment ! Et comment cela ? questionna Pierre.

—Comment ? écoutez. Elle a vu, dans le boudoir de ma tante, votre portrait et celui de Le Gardeur. Elle les trouvait si beaux l'un et l'autre qu'elle ne pouvait faire de choix entre les deux.

—Décide, toi, me dit-elle; donne-moi celui que tu voudras.

—Ah ! et comment avez-vous décidé ?

—Elle m'a donné, se hâta de dire Le Gardeur... Héloïse n'a pas eu son Abélard!...Jugement erroné.

—Non pas ! Le Gardeur, riposta Amélie, Héloïse a consulté le sort. Elle a pris trois petites boîtes semblables, a mis un nom dans chacune, les a mêlées pour ne point les reconnaître, puis d'une main tremblante a ouvert la... mauvaise ! Pas de chance ! Ensuite, la veille de la Saint-Jean, elle s'est tenue dans le porche de l'église pour voir l'ombre de son futur quand il entrerait ... Hélas ! elle n'a vu que l'ombre d'une femme, m'a-t-elle assuré.

—Une femme qui allait s'agenouiller devant la statue de Notre-Dame, j'en suis certain, observa Le Gardeur.

Il continua, s'adressant à Pierre Philibert, et sa voix prit un accent presque douloureux :

—Te souviens-tu de la veille de la Saint-Jean, Pierre ? je m'en souviens toujours, moi. C'est la veille de ce grand jour que tu m'as sauvé de la mort... Ah! la pauvre et inutile existence que tu m'as rendue alors !... Mais nul ici n'est ingrat envers toi, et Amélie se rend toujours à l'église, ce jour-là, pour remercier le Seigneur.

—Nous avons bien des actions de grâces à rendre au ciel, mon frère, et j'espère que nous n'oublierons jamais les devoirs de la reconnaissance, ajouta Amélie rougissante et attendrie.

Puis elle continua :

—C'est moi, en effet, qu'Héloïse vit entrer dans l'église, ce matin-là, mais elle n'en fut pas sûre et crut autant que c'était mon spectre. N'importe, j'acquis des droits sur elle, alors, et m'en suis prévalue; je disposai de son cœur et c'est à toi que je l'offris, Le Gardeur. Cruel ! tu as dédaigné la plus charmante enfant de la Nouvelle-France !...

Le Gardeur partit d'un éclat de rire.

—Héloïse tenait trop de l'ange, fit-il, pour un démon comme Le Gardeur de Repentigny. Mais je vais tâcher de faire oublier ma faute en lui portant les plus délicates attentions aujourd'hui. Je fais amener les chevaux à l'instant même et nous allons courir au-devant elle.

Philibert aida Mlle de Repentigny à se mettre en selle. Elle allait bien à cheval et montait seule ordinairement. Mais ce jour-là, la galanterie avait ses droits.

Ils partirent tous les trois au petit pas, Amélie, Pierre et Le Gardeur, par la grande avenue couverte de tuf, en répondant aux saluts de Mme de Tilly qui agitait son mouchoir blanc à travers les feuillages verts des arbres. Quand ils furent sur la route ils mirent au galop. Amélie paraissait très élégante dans sa longue amazone bleu foncé.

Ils eurent vite atteint le village.

Héloïse de Lotbinière les attendait. Elle se jeta dans les bras de sa cousine et l'embrassa avec une tendresse réelle. Elle tendit la main à Le Gardeur et à Philibert. Le Gardeur devina que c'était surtout sur lui que se concentrait l'affection de Mlle de Lotbinière. Il en éprouva peut-être un peu d'orgueil, mais il resta insensible.

—Je vous reconnais bien, colonel Philibert, dit-elle, et je sais que la Nouvelle-France est fière de vous...

Aussitôt, elle regarda Amélie de façon à lui faire comprendre comme elle la félicitait d'être aimée de cet homme, et comme elle partageait son bonheur.

Philibert, en s'inclinant avec respect, répondit :

—La Nouvelle-France est fière de tous ses enfants, et elle veut que le soldat se sacrifie pour ses frères.

Héloïse de Lotbinière était belle, gaie, spirituelle et sensible. Elle aimait Le Gardeur depuis longtemps et sans espoir. Elle s'était en quelque sorte repliée sur elle-même, comme ces plantes frêles que brise le premier souffle glacé de l'hiver.

Amélie avait vu avec peine l'indifférence de son frère. Elle savait qu'il était déjà dans les filets de la charmeuse Angélique des Meloises et elle voulait combattre l'amour par l'amour, comme dans les prairies, on combat le feu par le feu. Mais Le Gardeur était irrévocablement perdu pour l'amour chaste et fidèle, et nulle femme au monde ne pouvait lui faire oublier Angélique.

Amélie, pour consoler un peu la malheureuse enfant, lui voua une sympathie profonde et un irrévocable attachement. Héloïse cacha son chagrin au fond de son âme et personne ne le vit, que sa cousine et Dieu. Elle pleura mais en secret; son regard fut toujours serein, son visage souriant. Elle déployait à se torturer une énergie indomptable. Sa volonté était de fer et son cœur de feu.

Les jeunes gens revinrent aussitôt au manoir. Ils furent suivis par un grand nombre d'amis qui voulaient féliciter Mme de Tilly de son heureux retour.

Tous avaient du bonheur à revoir Le Gardeur, qu'ils ne rencontraient pas souvent à Tilly maintenant, et Philibert dont la renommée volait déjà au loin.

Plusieurs avaient supposé que le colonel aspirait à la main d'Amélie. La supposition devint une certitude en se transmettant de bouche en bouche. C'était un secret que tout le monde savait. Les confidences chuchotées à l'oreille se répandent aussi vite que les nouvelles proclamées à son de trompe. Mystère ! Quelques intimes amies répétèrent à Amélie ce qu'elles avaient appris, et la félicitèrent de tout leur cœur.

Amélie rougit, sourit, nia, affirma que rien n'était moins vrai, moins sûr, moins probable, et tout le temps, son cœur chantait. Elle se plaisait à entendre ces rumeurs et ces promesses de félicité. Elle éprouvait une certaine confusion mais une joie plus grande encore. Elle était fière de voir que, aux yeux du monde, Philibert l'avait choisie entre tant d'autres.

Toutes ces paroles, lui semblèrent des perles qu'elle recueillait avec soin, et qu'elle admirait en silence sous l'œil de Dieu. . . Sous l'œil de Dieu, car elle se soumettait d'avance à sa volonté sainte, soit qu'il mît le sceau à la félicité qu'elle espérait, soit qu'il brisât comme un jouet ses suaves espérances.

Les jours passaient bien agréablement à Tilly et le programme élaboré par Amélie était fidèlement suivi. Les amusements se succédaient sans relâche et avec une aimable variété.

Le matin, les messieurs allaient à la chasse ou à la pêche, les dames lisaient, faisaient de la musique, du dessin ou divers travaux d'aiguille; l'après-midi, tout le monde se réunissait; puis la soirée avait lieu tantôt au manoir, tantôt chez les amis d'alentour.

L'hospitalité était la même partout. Le peuple de la Nouvelle-France ressemblait à une grande famille intimement unie. Ce phénomène social a triomphé de la conquête anglaise et du temps.

Chaque jour, Mme de Tilly passait une heure ou deux avec maître Côté, son intendant, pour traiter les affaires de la seigneurie.

Le régime féodal imposait aux seigneurs de grands devoirs et de graves obligations. Les seigneurs avaient des intérêts dans toutes les fermes et se trouvaient partie à toutes les transactions qui se faisaient dans leur domaine.

L'acquéreur d'une propriété était tenu de jurer foi et hommage et de payer les arrérages dus par le vendeur.

Le sieur Tranchelot venait justement d'acquérir la ferme du Bocage: une lisière de trois arpents de largeur sur une lieue de profondeur qui aboutissait au fleuve. Il arriva au manoir pour rendre foi et hommage.

C'était à l'heure du midi. Mme de Tilly passa dans la grande salle, accompagnée d'Amélie, de Philibert et de Le Gardeur. Tous étaient revêtus de leurs habits de cérémonie. Ils s'assirent sous le dais et maître Côté se plaça en face d'eux, à une table, avec son livre de procès-verbaux ouvert devant lui. Sur cette table, une épée nue et une coupe de vin.

Trois coups furent frappés dans la porte et le sieur Tranchelot entra tête nue, sans épée et sans éperons, car il n'était pas gentilhomme. L'intendant le conduisit devant la châtelaine.

Il s'agenouilla et fit hommage en la forme voulue par la loi.

«Madame de Tilly, madame de Tilly, madame de Tilly ! je vous rends foi et hommage, en qualité de propriétaire de la ferme du Bocage que j'ai acquise du sieur Marcel, en vertu d'un acte fait et passé devant le digne notaire Jean Pothier dit Robin, le lundi de Pâques 1748. Je promets payer les cens et rentes et tous les autres droits quelconques; je vous prie d'être ma bonne dame suzeraine et de recevoir ainsi mon hommage».

Mme de Tilly accepta sa foi et hommage et lui donna la coupe de vin, qu'il vida debout devant elle. Elle le fit reconduire par le régisseur et lui souhaita la prospérité sur sa belle ferme du Bocage.

Philibert se trouvait de plus en plus heureux et s'enivrait sans cesse de la présence d'Amélie. Il prenait plaisir à voir se développer ses admirables perfections. Elle était si naïve, si simple dans ses manières, si prévenante , si vertueuse ! Elle était si aimante ! Elle se cachait moins maintenant et ses regards parlaient souvent si ses lèvres se taisaient encore...

—Je suis téméraire, pensait-elle, je suis coupable, peut-être, de donner mon cœur avant qu'il me soit demandé...Je m'en veux !...mais je n'y puis rien. Je l'aime !...Il m'a préférée aux autres !...Il m'a voué toute son affection...je le sais !... je suis fière de son amour... oui, j'en suis fière !

Et cependant, quand elle paraissait devant lui, elle éprouvait un serrement de cœur, presqu'une angoisse; car il pouvait lire au fond de son âme à présent, et le mystérieux voile de pudeur qui dérobe aux regards les intimes pensées de la jeune fille, était à demi levé. Le moment ne devait pas tarder à venir non plus, où elle entendrait le solennel aveu qui tremblait depuis longtemps sur ses lèvres.

Il arriva. L'heure de la naissance et l'heure de la mort sonnent quand Dieu le veut; mais c'est le cœur de la femme qui annonce l'heure de l'amour. Heure fortunée si l'amour est pur et l'intention droite; heure de malédiction s'il est menteur et perfide ! La femme marchera dans le sentier de la vie, doucement appuyée sur l'homme qui la protège et la chérit, honorée et bénie de ses enfants, enviée et admirée de tous; ou bien elle deviendra une esclave inutilement rebelle au joug, et traînera ses pas ensanglantés dans les épines du chemin .

Le moment arriva de se rendre au petit lac de Tilly. Tout le monde répondit à l'appel. Pas d'absent dans les rangs ! Le matin frais et clair promettait la chaleur; mais les bois avaient de l'ombre.

Six canots partirent chargés de monde et de provisions, et remontèrent la petite rivière. Le voyage fut assez court, et très gai. Rendus au lac, tous se dispersèrent sous les ramures et mille cris joyeux effrayèrent les oiseaux surpris.

Au frais matin succéda une journée chaude et une brise agréable se mit à souffler. Les vieux chênes que traversaient quelques rayons de soleil, laissaient tomber leur ombre comme un tapis capricieusement tissé et toujours changeant; les pins antiques versaient leur senteur résineuse, et plus loin, les oiseaux remis de leur terreur, chantaient avec une ardeur nouvelle.

La journée fut bien employée. Les uns cherchèrent des fleurs sauvages sur les bords de l'eau ou au fond de la forêt; les autres jetèrent l'hameçon aux poissons affamés; ceux-ci luttèrent de vitesse dans leurs canots d'écorce; ceux-là dépistèrent le lièvre ou la perdrix; d'autres passèrent le temps à chanter ou à causer.

L'heure du dîner réunit toute l'ardente troupe, et pendant que le brasier allumé sous les bois s'éteignait, et que la fumée se dissipait déchirée par les rameaux, l'allégresse prit un nouvel élan. Des clameurs de joie firent retentir la forêt, et les oiseaux y répondirent de toutes parts.

Quelques étoiles commençaient à paraître dans l'azur du firmament. Elles ne devaient pas briller beaucoup, cette nuit-là, car la lune qui se levait déjà sur la solitude des bois resplendissait d'une manière étrange et les noyait dans ses flots de clarté.

Il fallait, avant le départ, faire ensemble le tour du lac. Chacun prit place dans les canots légers qui s'élancèrent sur les vagues endormies au milieu de leur retraite sauvage. Les Indiens n'auraient pas mieux ramé que ces gentilshommes accoutumés aux délices des salons. Les canots décrivirent la courbe de la jolie nappe d'eau, en longeant le rivage où les grives éparpillaient leurs dernières notes plaintives.

Jean La Marche et deux joueurs de flûte, à l'avant du premier canot, se tenaient prêts à exécuter les plus riches morceaux de leur répertoire. Ils n'attendaient que le signal. Mlle Héloïse de Lotbinière prit sa guitare.

—Je vous accompagne, dit-elle...La musique rapproche les esprits les uns des autres et les élève tous vers Dieu...

—N'oubliez pas la poésie qui est la plus divine des choses terrestres, ajouta une douce voix de femme.

Le violon, les flûtes et la guitare firent aussitôt entendre leurs accords. Ils jouèrent un air ancien déjà :

«A Saint-Malo beau port de mer...»

que Jean La Marche, qui présidait au chorus, entonna d'une voix nette et puissante, et dont les échos se perdirent dans la forêt.

Tout le monde chantait. Jamais le lac, jamais la forêt n'avaient tressailli d'une aussi douce mélodie. Le chant ne cessa point jusqu'à ce que les canots fussent arrivés vis-à-vis d'un petit promontoire...Alors, le silence se fit soudain.

—Voyez donc ! avait crié l'une des jeunes filles, en montrant de la main quelque chose de superbe, au sommet de la côte.

C'étaient trois pins majestueux qui se découpaient sombres et forts au milieu d'un océan de lumière.

—On dirait les flammes d'une immense fournaise allumée par Dieu, remarqua Héloïse de Lotbinière ...

—La fournaise ardente dont parle l'Ecriture sainte, ajouta Le Gardeur, et au milieu, les trois enfants qui chantent les louanges du Dieu d'Israël.

De plus en plus faibles et lointains, les échos répétaient les douces mélodies. Puis, un silence solennel succéda. La nature doucement s'alanguit et les cœurs se sentirent remplis d'une tendresse étrange. C'était l'heure des pensées charmantes et des tendres confidences, l'heure du réveil de l'amour et des épanchements des jeunes âmes, alors que seules avec Dieu elles avouent leurs flammes enivrantes et demandent au ciel de les bénir.

XXIX

Felices ter et amplius

Le bois s'enveloppait de calme. Les suaves harmonies du soir seules passaient de temps en temps, par bouffées enivrantes, comme le chant d'une mère qui endort son enfant.

Amélie était assise avec Philibert sur la racine d'un chêne, comme sur le trône du dieu de la forêt.

Le hasard ou l'entente de leurs compagnons leur avait ménagé cet instant de félicité.

Philibert lisait. Amélie écoutait la musique de ses lèvres. Il faisait semblant de lire, plutôt, les vers qu'il récitait, car l'ombre effaçait les pages inspirées. Le livre était un prétexte.

Il répétait la touchante histoire de Paulo et Francesca da Rimini, et sa voix vibrante était semblable à un cri de douleur. Amélie pleurait. Elle avait lu déjà ces pages sublimes de l'immortel Dante, mais jamais elle n'en avait saisi le sens et la grandeur comme maintenant. Jamais encore elle n'avait compris cette faiblesse touchante qui est la force de la femme ! O singulier mystère que le cœur de la femme ! Et la poésie qui sait découvrir ainsi les plus intimes secrets de l'âme est bien nommée divine !

Philibert suspendit sa lecture et enveloppa Amélie d'un regard débordant de tendresse. Elle se détourna toute confuse et fixa les vagues du lac qui tressaillaient comme son cœur. Les stances de la divine poésie tintaient à ses oreilles comme les cloches d'argent, et dans sa mémoire revenaient ces vers :

Amour ch'al cor gentil ratsapprende,
Amour ch'a null amato amar perdona,
Questi che mai da mi non fia diviso.

Tu brûles et ravis les cœurs, ô doux amour !
Tu veux être payé d'un fidèle retour.
Dans la vie ou la mort, rien, ô bonheur suprême !
Ne me séparera plus de l'objet que j'aime !

—L'amour, pensait-elle, l'amour est la mort comme il est la vie, la séparation comme la réunion !

Elle était attendrie et tremblante; elle n'aurait pas osé, pour tout au monde, lever les yeux sur Philibert.

Elle voulut faire semblant de s'éloigner, mais une force invincible la clouait sur son siège.

—Ne lisez plus, dit-elle à Pierre; ce livre est trop triste et trop beau... Je crois qu'il a été fait par un esprit qui a vu tous les mondes, connu tous les cœurs, et partagé toutes les souffrances. Il me semble la voix d'un prophète de malheur.

—Amélie, répliqua Philibert, pensez-vous qu'il y ait des femmes aussi aimantes et aussi fidèles que Francesca da Rimini ? Elle n'a pas voulu se séparer de Paulo, même dans les sombres régions du désespoir. Croyez-vous qu'il se trouve de pareilles femmes ?

Amélie le regarda un instant. L'émotion agitait vivement sa poitrine et colorait sa figure. Elle savait bien quelle réponse faire, mais elle avait peur de paraître téméraire. Cependant cette pensée lui vint : «je dois être en état de répondre à toutes ses questions.»

Et elle dit avec lenteur et fermeté :

—Je crois, Pierre, qu'il y a, en effet, des femmes comme Francesca qui ne voudraient jamais se séparer de l'homme qu'elles aiment, pas même dans les terribles lieux de désolation dont parle le livre extraordinaire de Dante.

—C'est une croyance bénie ! exclama Pierre.

Et il pensa :

—Vous êtes une de ces femmes, et celui que vous aimerez sera éternellement aimé !

Ensuite il ajouta tout haut :

—Un pareil amour est inutile et perdu, car personne ne peut le mériter.

—Je ne sais pas, fit-elle. Cet amour, c'est Dieu qui nous le donne; nous pouvons bien le donner aussi... Il ne vaut que ce que vaut notre cœur, et il ne demande pas autre chose que d'être accepté !

—Amélie ! s'écria Philibert, en se tournant vers elle tout à fait, mais les yeux fixés sur le sol, Amélie, c'est un pareil amour que j'ai toujours rêvé, toujours demandé ! je ne l'ai peut-être jamais trouvé, ou je n'en suis peut-être pas digne...mais je le veux ou je mourrai ! je le veux où je le cherche et pas ailleurs ! Amélie de Repentigny, pouvez-vous me dire où il se trouve ?

Amélie sentit un frisson de plaisir et de terreur courir dans ses veines. Elle souriait et pleurait: elle ne s'apercevait guère, dans son trouble, que sa main venait d'être saisie par une main brûlante. Elle ne songeait pas à la retirer; elle n'était pas capable de parler.

Philibert comprit que cet instant allait décider de sa vie. La main tremblante qu'il tenait allait le repousser pour toujours ou l'enchaîner à jamais.

L'ombre s'épaississait sous les arbres, et les teintes roses du couchant s'étaient effacées. Comme une lampe qui éclaire les amours, l'étoile du soir étincelait encore près de l'horizon bruni, mais elle allait disparaître bientôt pour renaître plus brillante, à l'orient, et devenir cette étoile du matin qui nous annonce un beau jour.

Pierre ne disait rien. Il regardait Amélie et son ivresse ne se lassait point. Il la regardait avec le respect que l'on aurait pour un ange. Il ne savait pas ce qu'elle allait répondre, et le doute, par moments, traversait sa félicité, cruel comme un dard aigu. Et pourtant, la main de l'ange restait dans la sienne, comme un oiseau dans le nid doux et chaud d'où il ne veut plus sortir.

—Pierre, commença enfin la jeune fille...

Elle voulait lui dire qu'il fallait rejoindre les autres amis. Elle n'en eut pas la force, ou les paroles furent trop lentes à venir.

—Le bon Dieu lui permet de m'aimer, pensait-elle, puis-je demeurer insensible ?

Elle fit un effort cependant, un effort léger pour se lever et se diriger vers le lac. Ainsi font toutes les femmes qui ne veulent point paraître aimer trop.

—Pierre, dit-elle enfin, allons rejoindre nos compagnons: ils vont remarquer notre absence.

Elle ne bougea point, toutefois. Un fil de la vierge aurait suffi pour l'enchaîner là à jamais...Elle avait les yeux baissés. Sa bouche pouvait se taire, mais ses yeux, ils ne pouvaient déguiser leur flamme.

Pierre devenait plus hardi.

—Amélie, fit-il, tournez vers moi ces beaux yeux et voyez si les miens sont menteurs. Mieux que mes paroles ils vous diront, Amélie, comme je vous aime!

Elle tressaillit soudain, mais ce ne fut point de surprise; cet aveu devait venir. Elle ne répondit rien, le regarda avec des larmes dans les paupières et comme instinctivement se rapprocha de lui.

—Amélie, continua Pierre, c'est votre amour que j'ai toujours demandé au ciel, c'est votre amour que je vous demande ! oh ! dites ! voulez-vous, pouvez-vous m'aimer ?

—Oui ! répondit-elle, et elle se mit à pleurer comme dans une grande douleur, tant son allégresse était vive.

—Vous pleurez, Amélie ? vous pleurez ?

—C'est de bonheur... pardonnez-moi. Je vous laisse voir trop vite, peut-être, comme vous m'êtes cher.

—Vous pardonner ? vous pardonner ces paroles divines qui viennent de tomber de vos lèvres ? cet aveu charmant que le doigt de Dieu vient d'écrire pour l'éternité dans mon âme ! Ah ! mon Amélie, c'est une vie d'affection et de dévouement que je vous dois ! Mon dernier jour sera, comme le jour où je vous aperçus pour la première fois, comme tous les jours qui se sont écoulés depuis cet heureux moment, tout rempli de votre pensée !

—Je ne comprenais pas la vie sans vous, non plus, et votre souvenir ne me quittait jamais... Désormais nous n'aurons qu'une existence à deux.

Philibert eut un frémissement de joie :

—Vous m'aimiez, Amélie ? s'écria-t-il.

—Depuis le premier moment où je vous ai vu, mais surtout depuis le jour où vous avez sauvé la vie à Le Gardeur.

—Et durant ces longues années de couvent, alors que nous paraissions à jamais perdus l'un pour l'autre ?

—Je priais pour vous, Pierre ! je priais pour que vous fussiez heureux : je n'espérais rien, je n'espérais pas surtout de voir jamais une heure de bénédiction comme l'heure qui vient de sonner !... Oh ! vous me trouvez bien hardie, n'est-ce pas, Pierre ?...Je ne sais point déguiser, moi ! Et puis, vous m'avez donné le droit de vous aimer sans honte et sans crainte.

—Amélie ! Amélie ! que puis-je donc faire pour mériter ou récompenser un pareil bonheur ?

—M'aimer, Pierre, m'aimer toujours !... je ne veux pas autre chose.

—Et vous me donnez votre main ?

—Et mon cœur à jamais !

Il porta la main d'Amélie à ses lèvres avec respect.

—La vie de l'homme est remplie d'amertume et de trouble, mais voilà un délicieux moment.

—Notre vie à nous, sera calme et belle; c'est déjà la félicité du ciel qui commence.

Elle le regarda doucement, une minute, releva d'une main timide les cheveux épais qui s'emmêlaient un peu devant sa figure.

—Vous direz tout à ma tante et à Le Gardeur, fit-elle d'un air câlin... Ils vous aiment bien, et ils seront contents d'apprendre que je serai un jour votre..votre..

—Ma femme ! Amélie, ma femme ! O nom trois fois béni ! Dites-le, ma femme !

—Oui, Pierre, votre femme ! votre femme aimante et fidèle pour toujours !

—Pour toujours ! Oui, un amour comme le vôtre est impérissable comme l'âme et partage l'immortalité de Dieu de qui il vient. Mme de Tilly trouvera en moi un fils digne d'elle et Le Gardeur un frère dévoué.

—Et vous, Pierre, parlez à votre tour ! Je ne l'ai pas encore entendu ce nom béni que je dois vous donner.

Elle le regarda comme pour scruter le fond de son âme.

—Moi, je serai votre mari ! votre mari constant et plein d'amour...

—Oui, mon mari !... La Sainte Vierge a écouté mes prières... Dieu soit béni ! Oh ! que je suis heureuse !..

Et de nouveau enveloppant d'un chaste regard l'homme généreux qui devait être son premier et dernier amour, elle versa encore d'abondantes mais bien douces larmes.

Un coup de tonnerre retentit soudain dans le ciel, et des souffles brûlants passèrent dans le feuillage et sur la surface des eaux.

La lune se cacha et des vagues ténébreuses remplacèrent les reflets argentés qui jouaient sur les cimes des rochers et le gazon des prairies. De longs éclairs parurent couvrir tout entière la forêt lointaine d'un manteau de flamme.

Amélie eut peur et elle se mit à trembler.

—Oh ! Pierre, dit-elle, il me semble que c'est une voix prophétique qui nous annonce des malheurs; serait-il possible que Dieu ne voulut pas notre union ? Oh ! dites-moi que rien ne nous séparera plus maintenant !

—Rien, Amélie ! Ne craignez pas : mon amour, c'est l'orage qui gronde là-bas. Le Gardeur va sans doute accourir au-devant de nous. Nous allons partir un peu plus tôt, voilà tout. Le ciel ne peut que bénir notre amour, ô ma bien-aimée !

—Je vous aimerais toujours, quand même, murmura Amélie.

Un bruit de voix se fit entendre, suivi aussitôt du battement vif et dru des avirons dans l'eau. Les canots arrivèrent au rivage comme une volée de cygnes qui cherchent un refuge contre la tempête.

Les préparatifs du départ se firent à la hâte. On éteignit le feu avec grand soin, de peur qu'une étincelle oubliée ne consumât la forêt. Les paniers furent entassés dans les embarcations.

Philibert et Amélie montèrent dans le canot de Le Gardeur. Ils prétendirent qu'ils auraient bien aimé à faire le tour du lac avec les autres, aux accords des flûtes et de la guitare, et que c'était par malice qu'ils avaient été oubliés au pied d'un grand chêne.

Les nuages montaient à l'horizon du sud; il n'y avait pas de temps à perdre. Les canots s'élancèrent à la fois sur la rivière sombre. Les rameurs silencieux étaient courbés sur leurs avirons comme pour une lutte sans merci.

L'obscurité devenait de plus en plus épaisse. Le vent traînait des lambeaux de ténèbres sur la terre endormie; les éclairs déchiraient la nuit et montraient aux canotiers un chemin de feu.

La pluie se mit à tomber; quelques gouttes larges d'abord; mais bientôt, ce fut un torrent. Le vent la poussait avec rage pour la rendre plus insupportable. Puis, un nuage de grêle creva. Ce fut un fracas épouvantable. On eut dit que les arbres de la forêt se cassaient en éclats, et que des balles rougies pleuvaient dans les flots.

Amélie tenait le bras de Philibert. Elle songeait à Francesca da Rimini qui se cramponnait à Paulo, dans la tempête de vent et la mouvante obscurité qui les emportaient.

—O Pierre, quel présage ! murmura-t-elle. Dira-t-on de nous aussi :

Amor condusse noi ad una morte !

L'amour nous a conduits dans le même tombeau !

—Dieu le veuille ! répondit Philibert. Mais ce sera quand nous l'aurons mérité par une longue vie d'affection et de dévouement.

Les canots arrivèrent au terme de leur course. Les jeunes gens sautèrent sur la rive et coururent à travers la pelouse, en passant sous les grands arbres protecteurs, vers le seuil hospitalier où les serviteurs les attendaient.

XXX

VOS PAROLES MIELLEUSES NE VOUS SERVIRONT DE RIEN

Grâce à l'actif espionnage de Lisette, Angélique des Meloises connut bientôt ce qu'avait fait Le Gardeur, dans cette nuit fatale où elle avait froidement désespéré son amour; elle savait ce qu'il était devenu, depuis que par égoïsme et par ambition, elle avait refusé de lui accorder sa main.

Elle l'aimait encore et ressentait une peine amère de s'être montrée aussi impitoyable envers lui; cependant, elle cherchait toujours une consolation dans sa vanité. La conduite qu'il avait tenue à la taverne de Menut l'affligeait un peu et la flattait beaucoup. Elle éprouvait un certain orgueil à la pensée qu'il l'aimait jusqu'à se faire mourir de désespoir... et pourtant, elle n'aurait pas voulu sa mort. Tous les autres sacrifices; mais celui-là, c'était réellement un peu trop !

Elle ne voulait pas le perdre entièrement. Elle espérait le tenir enchaîné dans ses filets de soie, le fasciner toujours par son étrange beauté. Ce n'était pas sa faute si elle ne pouvait l'oublier tout à fait. Cet amour était dans son cœur à côté de l'ambition; il devait y rester. C'était le ciel ou l'enfer qui l'y avait mis: n'importe ! Elle n'était pas obligée, assurément, de renoncer aux brillantes joies de l'avenir qu'elle voyait étinceler devant ses yeux, comme les millions de lucioles des prairies dans les nuits d'été !

Elle n'aurait pas voulu aimer un autre homme ainsi; elle n'aurait pas voulu, non plus, le sacrifier pour un autre que pour Bigot l'intendant royal !...l'intendant royal valait bien cela ! Elle voulait aller à l'intendant et nulle barrière, fut-elle d'eau ou de feu, ne pourrait l'arrêter. A l'un sa main, à l'autre son cœur !

Elle accomplirait ce dessein. Il le fallait. Le Gardeur ne manquait pas de qualités, l'intendant n'en possédait aucune; il y avait donc du mérite à sacrifier le premier. Il fallait presque de l'héroïsme pour accomplir un acte de pareille abnégation. Où sont les femmes qui font taire leur amour quand parle l'ambition ? Mais Le Gardeur serait à jamais inconsolable et nulle autre femme ne la ferait oublier, elle, Angélique !

Quelles délices !

Les jours qui suivirent cette nuit de séparation furent, pour la jolie coquette, des jours orageux. Tantôt elle s'irritait contre elle-même, tantôt contre Le Gardeur. Elle regrettait qu'il se fut montré si impatient; il n'aurait pas dû la prendre au mot ! Elle se fâchait surtout parce qu'elle ne recueillait pas immédiatement le prix de sa trahison.

Elle ressemblait à un enfant méchant qui ne veut donner ni garder l'objet qu'il tient. Le départ de Le Gardeur pour Tilly la blessait, éveillait sa jalousie. Elle n'aurait pas voulu qu'Amélie eût assez d'influence sur lui pour l'emmener à la campagne.

Ce qui la froissait davantage, c'était de voir que l'intendant brûlait d'amour pour elle et ne lui parlait point de mariage. Il venait la voir chaque jour, et chaque jour elle déployait, pour le fasciner, toutes les ressources de la coquetterie. Elle revêtait les plus riches toilettes, les toilettes les plus propres à faire ressortir sa beauté; elle amenait la conversation sur les sujets qu'il affectionnait, et causait avec cette familiarité qu'il aimait de préférence. Elle riait aux éclats quand il faisait de l'esprit, écoutait de pied ferme ses paroles à double sens et ses plaisanteries grossières, lancées dans le délicat langage de Paris, mais grossières quand même ! Tout cela ressemblait, pour le résultat, à ce qui reste d'un feu d'artifice. Elle voyait bien qu'elle se faisait admirer, qu'elle éveillait des passions, mais c'était tout. La question sérieuse, le mariage, demeurait toujours un problème sans solution.

Vainement elle amenait la conversation sur l'important sujet, en riant, par badinage, mais au fond sérieusement; l'intendant riait avec elle, parlait plus qu'elle, voltigeait comme un papillon dans un jardin, à l'aise, sans gêne, puis s'échappait elle ne savait comment.

Elle se fâchait alors, et quand il était sorti, elle jurait qu'elle allait épouser Le Gardeur.—Elle ne jurait pas mal dans ses colères !—Après tout, Le Gardeur valait bien l'intendant !

Mais son orgueil reprenait le dessus. Jamais encore un homme n'avait résisté à Angélique des Meloises quand Angélique des Meloises avait voulu triompher !.. L'intendant, ce fier intendant ne lui échapperait point non plus !

Alors elle réunissait ses forces pour une nouvelle attaque.

Depuis plusieurs semaines, la haute société de la capitale ne s'occupait que du grand bal de l'intendant. Il était attendu avec une fiévreuse impatience. Quand il arriva, il étonna et ravit tout le monde par sa splendeur extraordinaire, et quand il fut passé l'on en parla avec orgueil. Longtemps après, les femmes que les années avaient flétries et les douairières poudrées racontaient, en hochant la tête, à leurs filles, à leurs nièces, à leurs petites filles, ce grand événement de leur jeunesse, cette fête merveilleuse de Ancien Régime où elles avaient eu l'honneur de danser le menuet et le cotillon avec un intendant français.

Elles n'oubliaient pas de dire, dans leur vanité toujours jeune, comme il les avait trouvées belles et gracieuses. Plusieurs même avouaient qu'il les avait embrassées, comme cela se pratiquait à la cour, à leur première présentation, et leur avait dit les plus gracieux compliments.

Les filles et les petites filles d'alors riaient, et se faisaient des clins d'œil. Elles ne s'étonnaient pas du tout de ce que les dames du vieux temps fussent capables de s'entre-déchirer pour les faveurs d'un intendant aussi galant.

Elles se souvenaient aussi, ces vieilles douairières, des noms de presque tous les gentilshommes qui assistèrent à ce bal fameux. C'étaient pour la plupart, les riches associés de la grande compagnie, des millionnaires; aussi, il fallait voir avec quelle ardeur les jeunes filles se disputaient leur conquête ! Jusqu'au sieur Maurin, le bossu, qui fut l'objet d'une poursuite acharnée de la part d'une vingtaine d'entre elles ! Ce fut une fille de Saint-Roch, une bien belle fille, qui le gagna. Il est vrai qu'il était cousu d'or, ce bossu. Toute sa bosse était d'or !

Les officiers de l'armée de terre et de la marine ne furent pas oubliés alors. Ils ne furent pas, non plus, les moins admirés avec leurs habits chamarrés, leurs cols de soie, leurs boucles et leurs épaulettes d'or, ce brillant costume de Versailles que n'avait point encore remplacé le froid uniforme de St. James.

Mme de Grand'Maison, qui avait vieilli comme les autres femmes, et bien malgré elle aussi, disait alors d'une voix chevrotante et noblement indignée :

—Non ! en ces temps-là, la bourgeoisie n'était pas toujours sur les talons de la noblesse comme aujourd'hui, et les bourgeois qui furent admis au grand bal de l'intendant, durent rester dans les galeries. Ils étaient les spectateurs jaloux de nos plaisirs enivrants !

Angélique fut universellement acclamée comme la reine du bal. Par sa toilette, par sa beauté, par ses grâces elle était la première, et nulle ne songea à lui disputer le premier rang. Elle ne craignait aucune rivale. La seule qu'elle redoutât était à Beaumanoir. Elle sentait sa supériorité et trouvait ses délices à faire naître l'envie et la jalousie. Elle se souciait fort peu de l'opinion et du jugement des femmes et recherchait hardiment les hommages des hommes.

Cependant, nonobstant les sourires charmants et les badinages agréables qu'elle semait à profusion autour d'elle, son cœur n'était point satisfait, son esprit n'était point calme, et un vif mécontentement la torturait. Elle était fâchée contre elle-même, ce qui rendait son dépit plus amer. Elle ne regrettait pas absolument d'avoir rejeté les vœux de Le Gardeur; elle avait agi délibérément; mais elle attendait encore le prix de son action, et rien ne faisait prévoir qu'elle allait bientôt le recevoir.

Elle avait agi à sa guise avec tous les hommes, ne suivant que sa fantaisie, et maintenant, elle se trouvait en face d'un homme qui agissait de même envers toutes les femmes, même envers elle.

Elle essayait de lire dans la figure de l'intendant, mais elle y perdait ses peines; c'était un livre indéchiffrable. Elle s'efforçait de sonder ses pensées, ses intentions, et c'était inutile, comme ces pierres que les voyageurs jettent dans une mystérieuse caverne de l'ouest pour en atteindre le fond. Les pierres tombent, tombent, et ils entendent, sur les parois ténébreuses, les chocs de plus en plus légers, mais jamais ils ne savent quand elles touchent le fond de l'abîme.

Bigot l'admirait, bien sûr, et la recherchait beaucoup. Il avait pour elle toutes sortes d'attentions et le miel coulait de ses lèvres. Les autres jeunes filles lui portaient envie; c'était visible. Toutefois cette admiration ne revêtait pas le caractère étrange et sauvage de l'amour qu'elle avait inspiré à tant d'autres, et elle pressentait qu'il ne deviendrait jamais fou d'elle, cet intendant volage, tout fasciné qu'il parut être.

Pourquoi ? pourquoi ?

Elle se fit souvent cette question tandis qu'il lui roucoulait des paroles de douceur; et le doute torturait son âme.

Pendant qu'elle se promenait appuyée à son bras, sous le feu des lustres et sous les regards brûlants des jalouses filles ou des galants évincés, radieuse, gaie, parleuse, en apparence, elle éprouvait intérieurement de cuisants regrets, des déchirements cruels. Elle se rappelait Le Gardeur, comme divinement transfiguré par l'amour, et prêt à tous les sacrifices ; Le Gardeur qu'elle avait repoussé, dans sa voluptueuse ambition, pour se jeter dans les bras de cet autre homme égoïste qui se moquait de toutes les femmes et les rejetait comme un jouet brisé...

Elle ne retiendrait pas plus Bigot, dans ses mailles de soie, que l'araignée ne tient l'oiseau dans la toile légère qu'elle a tendue, un matin d'été, d'un buisson à l'autre.

Et puis, Le Gardeur ne devrait-il pas être là, parmi ses adorateurs ? Quand a-t-elle souffert qu'il manquât un dévot à son culte, dans ces grandes fêtes mondaines où il faut écraser ses rivales ?

—Pourquoi, se demandait-elle toujours, pourquoi ne puis-je mettre Bigot à mes genoux comme j'en ai mis tant d'autres ?

Et de son pied finement chaussé de satin, elle froissait le parquet. Une réponse, toujours la même, venait alors à son esprit.

—Le cœur de l'intendant est à Beaumanoir !... Cette pleurnicheuse figure de cire se dresse entre lui et moi, comme un spectre, et elle me barre un chemin qui me coûte cher ! pensait-elle...

—Il fait très chaud ici, Bigot, fit Angélique; je ne puis supporter plus longtemps cette atmosphère de feu. Je ne danserai plus. J'aime autant aller sur la terrasse, prendre des lucioles, que poursuivre ici, sans pouvoir le rattraper, l'oiseau qui s'est échappé de mon âme.

L'intendant lui offrit son bras et la conduisit au jardin.

Ils se promenèrent longtemps ensemble, dans les grandes allées bordées de roses, et sous les flots de lumière qui tombaient des lampes partout suspendues.

—Quel est donc cet oiseau favori, Angélique, qui s'est échappé de votre âme ? demanda Bigot.

—Le plaisir que j'espérais goûter au bal, répliqua Angélique. Je ne m'amuse pas du tout !

Elle savait cependant que ce grand bal avait été donné à cause d'elle surtout.

—S'il fallait en juger par votre gaieté, Angélique, je croirais vraiment que vous avez eu Momus pour père et Euphrosine pour mère, repartit l'intendant. Si vous n'avez pas de plaisir c'est que vous le laissez tout aux autres... Mais je sais où s'est envolé l'oiseau que vous regrettez et je vais vous le rendre, continua-t-il.

—Chevalier, un roi met son bonheur dans la loyauté de ses sujets; une femme, dans la loyauté de celui qui l'aime !

Elle attacha sur Bigot un regard qui en disait plus que les plus éloquentes paroles.

Bigot sourit en pensant qu'elle était jalouse. Il dit tout haut :

—C'est un aphorisme auquel je crois de tout mon cœur; et si la femme trouve le bonheur dans la loyauté de son amoureux, vous êtes la plus heureuse personne que je connaisse, Angélique des Meloises ! Pas une femme en Nouvelle-France ne peut se vanter d'être aussi fidèlement servie que vous !

—Mais je ne crois pas à la fidélité de mon amoureux, et je ne suis pas heureuse; loin de là, répondit-elle vivement comme dans un élan de franchise, mais toujours avec artifice.

—Pourquoi donc ? reprit Bigot; le plaisir ne s'éloigne jamais de vous que si vous le chassez. Toutes les femmes envient votre beauté et tous les hommes se disputent vos sourires. Quant à moi je voudrais avoir tous les trésors du monde pour les mettre à vos pieds, si vous me le permettiez.

—Je ne vous en empêche point, chevalier, fit-elle en souriant, mais vous n'en faites rien. Des paroles de politesse ! Je vous ai dit, chevalier, quel est le plus grand bonheur d'une femme, dites-moi donc, maintenant, quel est celui d'un homme?

—Oh ! oui. Le plus grand bonheur d'un homme se trouve dans la beauté et la tendresse de sa bien-aimée. Du moins, c'est mon avis.

—Sont-ce là encore des paroles de politesse ? demanda-t-elle froidement.

—Je voudrais que votre amabilité égalât votre beauté, je serais le plus heureux des mortels.

Bigot ne connaissait pas bien Angélique des Meloises, car il n'aurait pas osé parler ainsi.

Elle le regarda d'une façon dédaigneuse: elle était fâchée.

—Mon amabilité ! chevalier, fit-elle lentement, jusqu'où n'a-t-elle pas été mon amabilité à votre égard, quand vous m'avez solennellement promis de renvoyer de votre demeure la dame de Beaumanoir?...Elle est encore chez vous, cette femme, chevalier, en dépit de vos promesses.

Bigot eut envie de nier, mais il vit que cela ne lui servirait de rien. Angélique paraissait trop sûre de ce qu'elle disait.

—Elle possède tout mon secret, je pense, se dit-il en lui-même. Argus avec ses cent yeux est un aveugle, comparé à cette fille jalouse.

Il répondit :

—Je me repens sincèrement de toutes les fautes dont peut m'accuser la dame de Beaumanoir. C'est vrai, j'ai promis de la renvoyer et je le ferai. Mais enfin, elle est femme, et elle m'a demandé de la protéger, de la traiter avec douceur. Mettez-vous à sa place, Angélique...

Angélique lui lâcha le bras et le regarda en face. Elle était furieuse. Elle ne lui laissa pas le temps d'achever.

—Me mettre à sa place ! moi ? Bigot !... comme si jamais je pouvais m'avilir ainsi ! Vous osez me parler de la sorte ?

Bigot recula. Il crut voir briller un poignard dans sa main. C'était l'éclair de ses diamants quand elle leva le bras.

—Voyons ! reprit-il avec douceur, en lui prenant le poignet d'une main ferme, il faut me pardonner les infidélités dont je me suis rendu coupable avant de vous connaître, Angélique ! J'adore la beauté où je la trouve. Maintenant, c'est à vos pieds que je me prosterne, et le voudrais-je, que je ne pourrais point vous être infidèle!

Bigot avait la foi des païens et il croyait fermement que les dieux s'amusent des amours parjures.

—Bigot, vous vous moquez de moi ! riposta Angélique; et vous êtes le premier qui osez se moquer de moi deux fois !

—Comment cela, s'il vous plaît ? fit-il avec un air d'innocence offensée...

—A l'instant même et quand vous m'avez juré de renvoyer la dame de Beaumanoir ! Deux fois, n'est-ce pas ? Je vous admire, chevalier, continua-t-elle, de vouloir me tromper et d'espérer y réussir !...Mais, je vous en préviens, ne me parlez plus d'amour tant que ce spectre blême hantera les chambres du château !

—Elle partira, Angélique, puisque vous l'exigez ! mais quel mal vous fait-elle ? Je vous jure qu'elle ne m'empêche nullement de vous aimer et de vous être fidèle.

Il s'irritait à son tour, et chez lui, il n'y avait pas de feinte.

—Il vaudrait mieux que cette femme fut morte, gronda Angélique tout bas.

Puis elle affirma d'une voix ferme :

—Vous me devez cela, Bigot; vous savez ce que j'ai perdu pour l'amour de vous.

—Oui, je sais que vous avez renvoyé Le Gardeur de Repentigny, quand il eut mieux valu le retenir dans les rangs de la grande compagnie. Pourquoi n'avez-vous pas voulu l'épouser, Angélique ?

Cette question choqua l'ambitieuse fille.

—Pourquoi je n'ai pas voulu l'épouser ! Bigot ? répéta-t-elle en scandant chaque mot. Est-ce sérieusement que vous me faites cette question ? Ne m'avez-vous pas dit que vous m'aimiez, vous ? et n'avez-vous pas tout fait pour me le prouver, tout, excepté m'offrir votre main ? Ne m'avez-vous pas fait entendre que je possédais votre foi, que vous m'aviez choisie entre toutes ? Ah ! j'aurais aimé mieux mourir et être enterrée sous la plus pesante des pyramides d'Egypte, sans espoir de ressusciter jamais, que de faire ce que j'ai fait à cause de vous ! Vous êtes un misérable pécheur, ou vous m'avez crue une misérable pécheresse !

Bigot était bien accoutumé aux reproches des femmes, mais il ne savait pas trop comment répondre à cette passion indignée qui se dressait devant lui.

Il avait parlé tendresse à Angélique; certes ! il s'était montré le plus empressé des amoureux; mais la pensée du mariage ne lui était pas venue un seul instant. Il n'avait jamais desserré les lèvres à ce sujet. Il avait un peu deviné la vaste ambition d'Angélique, de même qu'elle entrevoyait son astuce et sa perversité, à lui. Pour dire vrai, ils se ressemblaient pas mal. Deux caractères qui se valaient. Défiants tous deux, tous deux pleins d'ambition, sans principes, et nullement scrupuleux sur les moyens. L'un fasciné par les séductions de l'amour, l'autre éblouie par l'esprit, l'argent et les promesses de l'ambition.

—Vous avez raison de m'appeler un misérable pécheur, dit Bigot en souriant. Misérable, non pourtant, mais pécheur ! S'il y a péché à aimer une jolie femme, oui, je suis un grand pécheur ! Et là, à cet instant même, Angélique, je pèche assez gravement pour attirer la malédiction sur tous les anges et les saints qui m'entourent.

—C'est sur moi que vous avez attiré la malédiction, Bigot, répondit Angélique en déchirant par lambeaux, sans s'en apercevoir, le superbe éventail qu'elle tenait. Vous aimez tellement toutes les femmes que vous ne pouvez fixer votre choix.

Une larme de dépit brilla sous ses longs cils.

—Venez, Angélique, venez, reprit l'intendant d'une voix mielleuse, voici des promeneurs qui entrent dans la grande allée. Descendons vers la terrasse. La lune fait étinceler les vagues du grand fleuve. Venez, je vous le jure par saint Picaut, mon patron, que je n'ai jamais trompé; l'amour dont mon cœur n'a pu se défendre jusqu'à présent ne saurait m'empêcher de reporter pour jamais toutes mes affections sur vous.

Angélique ajoutait presque foi à ces protestations. Elle supposait difficilement qu'une autre femme put lui être préférée, quand une fois elle avait dit à un homme qu'elle l'aimait.

Ils s'aventurèrent dans une longue allée brillamment éclairée par des lanternes de couleurs diverses, attachées aux arbres comme les diamants, les rubis et les émeraudes du jardin enchanté d'Aladin.

A chaque angle des sentiers couverts de brillants coquillages, s'élevait une statue de marbre: une nymphe, un faune, une dryade, dont la main tenait un flambeau qui versait des flots de lumière sur des vases débordants de fleurs.

Bien des couples s'enfonçaient joyeusement dans ces allées profondes pareilles aux somptueux corridors des palais.

Bigot et Angélique passèrent au milieu des invités et furent salués avec une grande déférence. C'était pour Angélique comme un avant-goût de la royauté.

Elle avait vu souvent les jardins du palais, mais jamais aussi magnifiquement illuminés. Elle ne put s'empêcher de ressentir de l'admiration pour celui qui pouvait ordonner tant de splendeurs, et elle se dit qu'elle aurait, n'importe à quel prix, sa part des hommages qu'il recevait, non seulement comme sa partenaire durant un bal, mais, de droit, comme étant la première dame de la Nouvelle-France.

Elle rejeta son voile en arrière, afin que chacun put la bien voir. Elle voulait exciter la jalousie des femmes et l'admiration des hommes en se montrant mollement appuyée sur le bras de Bigot qu'elle regardait dans les yeux avec une adorable effronterie, en gazouillant de la façon la plus charmante.

Elle comprenait qu'elle n'avait qu'un moyen de réussir dans son projet: rendre l'intendant fou d'amour. Aussi avec quel art, quelle habileté, quelle apparence de passion elle lui peignit son âme, ses espérances brisées, ses désespoirs inconsolables...Il fut plus d'une fois sur le point de lui demander sa main, et pourtant il était accoutumé à ces luttes de l'amour.

Angélique suivait avec une fiévreuse inquiétude tous ses mouvements, épiait ses paroles, écoutait, haletante, quand il semblait s'approcher des pièges artificieux qu'elle avait tendus sous ses pas. Si elle voyait la flamme de la volupté s'allumer dans ses regards, elle baissait la tête modestement ou répondait par un éclair de ses yeux noirs qui était un avertissement. Elle comprenait au frémissement de cette main qui serrait la sienne, aux inflexions molles de cette voix qui la caressait, elle comprenait que le mot de sa destinée était là, sur les lèvres de Bigot, tremblant, prêt à s'échapper, et cependant, il n'arrivait jamais, ce mot tant désiré qu'elle aurait payé de son âme. La main fatale de l'ombre de Beaumanoir, si légère et si faible qu'elle fut, semblait le clouer toujours sur les lèvres qui voulaient le prononcer.

Les galants et légers discours de l'intendant semblaient de gracieux oiseaux qui voltigeaient autour d'elle, mais ne venaient point s'abattre sur le sol où elle avait tendu ses filets. Elle les écouta longtemps avec espoir et patience, mais à la fin, elle sentit des effluves de colère monter du fond de son cœur. Pourtant, elle se contint encore; elle sourit et badina comme le faisait Bigot. Elle versait sur lui une rosée rafraîchissante au lieu de l'écume des flots que la tempête soulevait dans son âme.

Elle cherchait à surprendre quelques lambeaux de ses pensées, insaisissables comme les fantômes qui passent et repassent dans les rêves, et elle finit par ne plus voir que la pâle et plaintive figure de la captive de Beaumanoir.

Ce fut une révélation. Bigot l'aimait trop, cette intéressante victime, pour jamais épouser, tant qu'elle vivrait, Angélique des Meloises.

Et, alors, dans cette promenade au bras de Bigot, au milieu du plus ravissant des jardins, parmi les fleurs qui déversaient leurs parfums comme des encensoirs célestes, sous l'éclat scintillant des lampes et sous les rayonnements des étoiles de Dieu, Angélique murmura sinistrement :

—Bigot l'aime trop cette face blême ! Il ne m'épousera pas, tant qu'elle sera à Beaumanoir... tant qu'elle sera quelque part !

Et cette pensée ne la quittait plus. Elle s'appuya plus amoureusement sur le bras de Bigot. Ils suivirent en silence le sentier éclatant de blancheur qui aboutissait à la terrasse. Les replis soyeux de sa longue robe balayaient les roses et les lis des bordures, et son pied léger semblait glisser sur les coquillages blancs comme des flocons de neige.

Elle devint le jouet de son imagination malade. Plus d'une fois elle crut apercevoir, de l'autre côté de Bigot, presque appuyée sur son cœur, l'ombre plaintive de cette femme de Beaumanoir.

Le fantôme s'évanouissait, puis apparaissait de nouveau. La dernière fois, il prit la figure et le regard de Notre-Dame de Sainte-Foy, s'élevant au ciel triomphante après d'indicibles souffrances, et pourtant, c'était encore le regard et la figure de la captive du château.

Les deux promeneurs sortirent du blanc sentier et s'avancèrent dans une avenue magnifiquement illuminée, au milieu de laquelle une fontaine faisait pleuvoir ses ondes en gerbes de diamants. La vision se fondit dans la lumière.

Angélique s'assit sur un siège ingénieusement sculpté, au pied d'un sorbier. Elle était très fatiguée et très vexée.

Un serviteur en pompeuse livrée vint apporter un message à l'intendant. C'était une invitation à danser.

—Je n'irai pas, Angélique; je veux rester avec vous, dit-il, à sa compagne.

Mais elle lui répondit qu'elle ne détesterait pas de se reposer un peu; que le jardin était bien intéressant à voir; qu'elle s'amuserait auprès de la fontaine. Elle aimait cette pluie de perles et ce gai bruissement; cela rafraîchissait. Il pourrait revenir dans une demi-heure, il la retrouverait là. Elle avait besoin d'être seule. Au reste pourquoi demeurer avec elle lorsque d'autres désiraient le voir et qu'il désirait en voir d'autres.

L'intendant insista encore, de la façon la plus courtoise et la plus galante, mais quand il vit qu'elle désirait réellement demeurer seule, il la quitta, en lui promettant de revenir au bout d'une demi-heure. Il pensait aussi qu'il ne fallait pas trop sacrifier à une seule idole, quand il y en avait une centaine d'autres toutes belles et magnifiquement parées qui attendaient ses hommages.

Angélique s'assit en face de la fontaine, et ces gouttelettes brillantes qui s'élançaient sans cesse pour retomber toujours, lui parurent comme les vains artifices qu'elle déployait pour captiver l'intendant.

Elle était grandement inquiète. Elle ne pouvait toujours pas comprendre cet homme qu'elle s'était flattée de mettre si vite à ses pieds, et c'est elle, peut-être, qui allait devenir son esclave. Elle cherchait ses chemins et partout, comme un obstacle infranchissable, se dressait l'ombre de Caroline.

—C'est donc cette vile créature qui est plus forte que moi ! pensait-elle dans sa colère. C'est elle qui excite la pitié de Bigot et le fait se souvenir d'un amour déjà vieux ! Elle sera cause de la ruine de mes espérances !.. Ah ! me voilà bien avancée maintenant que j'ai rejeté Le Gardeur ! Bigot l'aime cette femme ! A elle les prémices de son cœur; à moi les cendres de ses amours ! à elle les épanchements d'une tendresse sincère, à moi les paroles de mensonge ! Il m'outrage en prétendant m'aimer. Il ne m'épousera jamais tant qu'elle sera là, elle, entre lui et moi !

Ces pensées noires étaient comme une volée d'oiseaux de mauvais augure, corbeaux, chouettes et hiboux, qui hantaient l'âme d'Angélique. Elle ne les chassa point, mais leur permit d'y séjourner et d'y faire leurs nids.

Pendant qu'elle s'abandonnait ainsi à la tristesse et au mécontentement, elle entendit des éclats de rire.

Elle leva la tête pour voir d'où venait cette joie insolente, et elle aperçut l'intendant, qu'une bande de jeunes filles venaient d'assaillir avec des fleurs et des compliments, au moment où il arrivait à l'escalier de la terrasse.

Il riait, badinait, gesticulait de l'air le plus heureux du monde, et paraissait l'avoir bien complètement oubliée.

Elle ne tenait pas à le garder près d'elle alors, et elle ne se sentit pas blessée comme elle l'aurait été d'un manque d'attention de la part de Le Gardeur; mais elle avait la preuve une fois de plus de l'inconstance de cet homme et de la courte durée de ses impressions. Ni elle, ni aucune de ces jolies jeunes filles qui le captivaient alors, ne pouvaient se flatter de rester longtemps dans sa mémoire.

Le bal avait un moment de réveil; les invités rentraient après avoir savouré les aromes du jardin, et la danse recommençait plus vive et plus animée que jamais. Les instruments à cordes remplissaient l'immense salle de leurs voluptueuses harmonies, et, dans leurs chaînes cadencées, les danseurs passaient et repassaient vis-à-vis des grandes fenêtres ouvertes sur la terrasse, comme les météores flamboyants du ciel.

Bigot n'avait pas oublié Angélique. Il ne s'oubliait pas lui-même. Il voulait continuer à la voir, à l'aimer, sans pour cela jamais l'épouser. Il était assez habile pour la dompter et la mettre à ses pieds. Il le croyait du moins.

XXXI

LE BAL DE L'INTENDANT

L'essaim de jolies filles que nous avons vu tout à l'heure, entourait encore Bigot; quelques-unes d'entre elles s'appuyaient d'une manière tout à fait gracieuse sur la balustrade.

Les rusées connaissaient bien les goûts artistiques de l'intendant, et, tout en répondant prestement à ses propos, elles marquaient de leurs pieds mignons la mesure de l'orchestre.

En voltigeant d'un sujet à un autre, l'intendant vint à parler de Le Gardeur, son bon ami. Il le savait au manoir de Tilly.

On disait, comme cela, sans rien garantir, qu'il était fiancé à sa cousine Héloïse de Lotbinière. Il allait sans doute la rencontrer à Tilly.

Il y eut, à cette nouvelle, un mouvement de surprise et de curiosité chez les jeunes filles. Plusieurs affirmaient que ce n'était point le cas; il était trop attiré ailleurs. On savait où. D'autres, remplies de compassion, de dépit ou d'envie peut-être, dirent qu'elles croyaient bien cela. Elles l'espéraient du moins. Il avait été le jouet d'une coquette bien connue dans la ville.

—On sait qui ! ajouta l'une d'elle—une rieuse et pétulante fille.—Et elle fit un mouvement superbe en glissant un coup d'œil autour d'elle.

La mimique fut parfaite sans doute, car toutes se mirent à rire en pensant à Angélique des Meloises; et elles dirent que Le Gardeur ferait bien de ne pas l'épouser pour la punir de sa coquetterie, et montrer aux gens comme il se souciait peu d'elle.

—Or, comme il s'en soucie fort, observa Mme Latouche,—une veuve qui ne manquait ni d'expérience, ni de gaieté, — je pense que s'il se marie avec Héloïse de Lotbinière, on dira que c'est par désespoir, par dépit et non par amour. Cela s'est vu déjà, se marier par dépit.

Les jeunes filles chuchotèrent entre elles que cela lui était arrivé. Elle s'était mariée avec le sieur Latouche par malice, parce qu'elle n'avait pas pu avoir le sieur de Marne qui lui préféra une femme riche et lui permit à elle, la pauvre délaissée, d'aller mettre le feu à d'autres cœurs.

L'intendant se félicitait d'avoir lancé cette nouvelle. Elle allait faire son chemin.

Déjà une couple des plus intimes amies d'Angélique étaient rendues près de la fontaine, et assises de chaque côté de la grande coquette qu'il fallait punir, les mains sur son épaule, elles lui racontaient à l'oreille l'histoire, joliment allongée déjà, du mariage de Le Gardeur avec Héloïse de Lotbinière.

Angélique n'eut pas de peine à les croire; c'était la suite toute naturelle de son infidélité. Pouvait-elle espérer qu'il lui resterait dévoué, cet homme qu'elle avait trahi ? Elle l'aimait toujours cependant, et sa jalousie se réveilla soudain à la pensée qu'une autre allait être aimée de lui.

Ses deux amies étudiaient avec curiosité les impressions qu'elle ressentait: elles étaient ravies de voir comme cette nouvelle la piquait au vif; mais le malin plaisir se déguisait parfaitement sous la sympathie. Elles ne se laissèrent pas tromper par l'apparente indifférence et le rire forcé de leur jalouse compagne, et elles entendirent l'orage qui grondait dans son sein.

Elles revinrent toutes deux retrouver leurs intimes pour leur raconter comment Angélique avait reçu la grande nouvelle. Ce dernier récit ne fut pas moins embelli que l'autre. Il aurait fallu entendre ce plaisant babillage et voir ces petits plis moqueurs des lèvres roses. Elles se flattaient d'avoir les premières annoncé la mauvaise nouvelle. Elles se trompaient. Angélique savait déjà que Héloïse de Lotbinière, son ancienne compagne du couvent, était au manoir de Tilly.

Elle pressentait un danger. Héloïse aimait beaucoup Le Gardeur, et elle le ferait tomber dans ses pièges, sans doute, maintenant qu'il était repoussé ailleurs.

Elle osait appeler des pièges, le caractère aimable et la beauté chaste de sa rivale !

Elle se laissait aller au ressentiment sans raison aucune, et elle le savait bien; cela même l'irritait davantage de n'avoir pas de motif. Bigot revint la trouver dès que la demi-heure fut écoulée. Elle lui dit à brûle-pourpoint :

—Vous m'avez demandé quelque chose, Bigot, au château Saint-Louis, vous en souvenez-vous ? Nous étions appuyés sur la galerie qui domine la falaise.

—Je m'en souviens. Peut-on oublier ce que l'on demande à une jolie femme ? Peut-on oublier, surtout, la réponse qu'elle nous a fait ?

—Cependant, vous me semblez avoir oublié la demande et la réponse. Voulez-vous que je vous les répète ? ajouta-t-elle avec un faux air de langueur.

—Inutile, Angélique. Et pour vous prouver la ténacité de ma mémoire, de mon admiration, devrais-je dire, je vais vous demander encore ce qu'alors je vous ai supplié de m'accorder. Je vous ai demandé, cette nuit-là—ô la belle nuit!—pendant que nous regardions le fleuve qui étincelait comme un ciel étoilé, que la lune nous inondait de ses clartés suaves, et que vos regards étaient plus brillants que les astres, je vous ai demandé votre amour, Angélique ! Je vous l'ai demandé alors et je vous le demande encore...

Angélique connaissait la futilité de ces agréables protestations et pourtant elle éprouvait du bonheur à les entendre.

—Vous m'avez suppliée de vous aimer, c'est vrai, Bigot, et vous avez dit un tas de charmantes folies que j'ai écoutées avec plus de plaisir alors que je ne le ferais ce soir. Vous disiez que j'étais le port tant désiré où votre barque longtemps battue des flots allait trouver le salut. Ces paroles étaient poétiques, énigmatiques sans doute, mais elle ne manquaient pas de charmes. Que signifiaient-elles donc ? J'en ai souvent cherché le sens depuis ce jour-là.

Elle fixa sur lui ses deux yeux pleins de flammes, comme pour fouiller jusqu'au fond de son cœur le secret de ses intentions.

—Il n'y a pas de mystère, Angélique, repartit l'intendant, et mes paroles sont claires; vous êtes cette perle d'un prix infini que je ne donnerais pas pour un trône si je la possédais.

—C'est ce qu'on appelle expliquer une énigme par une autre énigme, riposta Angélique. Cette perle, elle faisait l'orgueil de son premier maître, et vous l'avez trouvée avant qu'elle ne fut perdue. Qu'en avez-vous fait ?

Bigot voyait venir l'orage, mais il ne craignait pas de sombrer. Le mépris qu'il professait pour les femmes était sa planche de salut dans les tempêtes que soulevaient leurs colères.

—Je l'ai portée, tout près de mon cœur, cette perle précieuse, et je l'aurais enfermée dedans, si j'en avais été capable, répondit-il, d'une voix mielleuse et en souriant avec complaisance.

Angélique ne souriait pas du tout. Elle en avait assez de cette galanterie banale qui pouvait s'adresser à toutes les femmes; c'était quelque chose de plus positif qu'il lui fallait. Et cette parole si âprement attendue qui aurait lié Bigot, cette parole pourtant si facile à dire, ne venait toujours pas !

La semence de jalousie que ses deux jeunes amies avaient jetée dans son âme tout à l'heure, germait prodigieusement. Elle ne savait plus que dire ni que faire. Un mouvement de fureur l'emporta soudain et elle frappa Bigot en pleine poitrine :

—Vous mentez, Bigot, hurla-t-elle, vous ne m'avez jamais portée dans votre cœur !... C'est la dame de Beaumanoir que vous avez gardée là, précieusement !... Vous lui avez donné la place que vous m'aviez promise ! ...Si je suis une perle de prix, vous me donnez à cette femme pour qu'elle se pare davantage. Mon abaissement est son triomphe !...

Angélique était superbe à voir dans sa fureur.

Bigot recula tout stupéfait devant cette main mignonne qui le frappait. S'il eut été touché au visage, il n'aurait jamais pardonné. Ainsi le veut la dignité de l'homme. Frappé à la poitrine, il éclata de rire et saisit la jolie main qui s'oubliait ainsi. Angélique la retira violèmment.

Elle regarda Bigot d'une façon menaçante. Il lui dit qu'il n'était pas plus effrayé qu'offensé. De fait, cette violente jalousie lui plaisait; il en était tout fier. Il aimait ces tempêtes de l'amour; ces nuages sombres sur des fronts de vingt ans, ces éclairs dans des yeux tendres, ces tonnerres sur des lèvres roses, et finalement, ce torrent de larmes qui tombait sur lui et à cause de lui !

Jamais il n'avait vu une aussi belle Furie qu'Angélique des Meloises.

—Angélique, dit-il, c'est de la folie toute pure, cela; que signifie cette explosion de rage ? Doutez-vous donc véritablement de ma sincérité ?

—Oui ! j'en doute ! plus que cela, je n'y crois pas du tout. Tant que vous garderez une maîtresse à Beaumanoir, je considérerai vos promesses comme des mensonges et votre amour comme un outrage !

—Angélique, vous êtes un peu trop violente, un peu trop impérieuse. Je vous ai promis qu'elle partirait de Beaumanoir, et elle en partira.

—Quand partira-t-elle ? Où ira-t-elle ?

—Dans quelques jours; elle viendra à la ville. Elle pourra y vivre dans un complet isolement. Il ne faut toujours pas que je sois cruel à son égard.

—Non ! mais vous pouvez l'être envers moi ! et vous le serez en effet, si vous n'exercez le pouvoir dont le roi lui-même vous a revêtu.

—Quel pouvoir ? Confisquer ses biens si elle en possède ?

—Non, Bigot; confisquer sa personne ! L'envoyer à la Bastille. Avec une lettre de cachet ça peut se faire vite.

Cette proposition irrita l'intendant. Angélique l'épiait et elle s'en aperçut.

—J'aimerais mieux y être envoyé moi-même, répliqua-t-il. Au reste, personne excepté le roi ne peut émaner des lettres de cachet. C'est une prérogative royale dont on ne se prévaut que dans l'intérêt de l'Etat.

—Et dans l'intérêt de l'amour, riposta Angélique, car en France, l'amour est une question d'Etat. Comme si je ne savais pas que le roi délègue ses pouvoirs et donne des lettres de cachet en blanc à ses courtisans et même aux dames de sa cour ! Est-ce que la marquise de Pompadour n'a pas fait mettre à la Bastille Mlle Vaubernier, parce qu'elle avait eu l'audace de sourire au roi ? Voyons, Bigot, je ne soumets pas, après tout, votre sincérité à une si grande épreuve; ce que je vous demande est peu de choses; vous ne pouvez pas me refuser...

Elle s'était tout à coup transformée. De la froideur, de la tempête, elle était passée comme par enchantement au soleil et à la chaleur. Bigot repartit :

—Je ne puis pas faire cela; je ne veux pas le faire. Ecoutez, Angélique, je n'ose pas ! Quelque puissant que je sois, je craindrais de m'attaquer à la famille de cette dame. Je serais heureux de vous obliger, mais, en le faisant de cette façon, je commettrais une impardonnable folie.

—Eh bien ! si vous ne voulez pas l'envoyer à la Bastille, enfermez-la dans le couvent des Ursulines. La place nous conviendra à l'une et à l'autre. Nulle part la discipline ne produit sur les esprits indociles de meilleurs effets. Je suis sûre qu'elle se trouvera chez elle, là. Elle est bien pieuse: elle priera et fera pénitence. Elle doit avoir bien des gros péchés à se faire pardonner !

—Oui, mais est-ce que je puis la forcer à s'enfermer dans un cloître ? Elle ne se jugera pas assez bonne pour habiter une aussi sainte maison. Sans compter que les religieuses auraient peut-être quelques scrupules à la recevoir.

—Non, si vous demandez son admission à Mère de la Nativité. La Mère supérieure accueillerait favorablement votre demande. Essayez.

—La Mère de la Nativité me tient pour un réprouvé, Angélique, et, une fois que j'étais entré au parloir, elle a lu, comme pour m'exorciser, une couple de ses meilleures homélies. C'était, disait-elle, pour me remettre dans le droit chemin. Mère de la Nativité n'aime pas les affronts, Angélique, je vous l'assure...

—Je la connais, je suppose ! riposta Angélique qui s'impatientait de nouveau. Elle ne se gêne pas pour étendre, aussi large qu'elle peut, sa haute protection sur la tête de Varin, son coquin de neveu. Rien ne la choque comme d'entendre parler mal de lui; et bien qu'elle connaisse sa mauvaise conduite comme son livre d'heures, elle la nie avec acharnement. Les sœurs converses de la buanderie ont été condamnées au pain et à l'eau pendant toute une semaine, pour avoir répété un bruit qui courait sur le compte de cet homme.

—Oui, mais cela prouve seulement que Mère supérieure n'aime pas que l'on touche à sa famille. Je ne suis pas son neveu, moi, voilà la différence, comme dit la chanson.

—Vous êtes le maître et le protecteur de son neveu, et pour l'amour de ce neveu, elle obligera l'intendant de la Nouvelle-France, ou bien. . .Je la connais !

—Que voulez-vous que je fasse alors, demanda Bigot ?

—Je veux,—puisqu'il ne vous plaît pas d'émaner des lettres de cachet,—je veux que vous placiez la dame de Beaumanoir entre les mains de Mère de la Nativité, avec la condition qu'elle soit admise à faire ses vœux dans le plus court délai possible.

—Très bien ! Angélique. Mais si je ne connais pas la Mère supérieure, vous ne connaissez pas la dame de Beaumanoir, vous. Pour des raisons que je sais, moi, les religieuses ne voudraient pas, ne pourraient pas la recevoir dans leur maison. Maintenant, je vous promets que je vais lui trouver une retraite convenable, ici, quelque part; mais, de grâce, ne me parlez plus d'elle.

—Je ne vous promets rien ! La loger en ville c'est pis que la garder à Beaumanoir, répliqua Angélique, qui s'irritait de voir échouer son astucieux projet.

—Avez-vous peur de cette pauvre fille, Angélique, questionna Bigot, vous qui surpassez en beauté, en grâces et en esprit tout ce qui vous entoure ? Elle ne peut pas vous faire de mal.

—Elle m'a fait du mal, déjà !. . .car vous l'aimez, Bigot ! Les hommes ne se moquent point de moi impunément. Vous l'aimez trop pour la renvoyer, et cependant vous me parlez d'amour ! que dois-je penser ?

—Pensez que les femmes sont capables de nous rendre fous.

Bigot voyait l'inutilité de la discussion. Il aurait voulu en finir; mais elle n'était pas décidée à le lâcher.

—C'est ce que vous dites, et c'est ce qui arrive quelquefois, Bigot, reprit-elle; mais ici les rôles sont intervertis; c'est moi qui vais être la victime si je ne réussis point à obtenir ce que je sollicite. . .j'en deviendrai folle !

—Ayez donc confiance en moi, mon Angélique ! Ecoutez ! je vous jure que des raisons d'Etat se mêlent à cette affaire d'amour. Le père de cette femme a de puissants amis à la cour et je ne saurais agir avec trop de prudence. Donnez-moi votre main; soyons amis, je ferai tout en mon pouvoir pour que vos désirs aient une prompte réalisation. Je ne puis rien faire de plus.

Angélique lui donna la main. Elle avait perdu la partie, cette fois, et elle cherchait déjà, dans son esprit fertile en expédients, un autre chemin pour arriver à son but.

—Je regrette beaucoup, Bigot, commença-t-elle, de m'être si vilainement emportée, tout à l'heure, et d'avoir osé vous frapper de cette main...si faible pourtant.

Et elle sourit en étendant, comme pour la faire admirer, sa main fine et nerveuse.

—Pas si faible que cela ! riposta Bigot, joyeusement; peu d'hommes touchent aussi bien. Vous m'avez frappé au cœur, Angélique.

Il lui saisit la main et la porta à ses lèvres. Si la malheureuse Didon avait eu une main pareille, jamais l'insensible Enée n'aurait pu trahir ses serments et s'enfuir.

—Parjure ! voyez comme je vous tiens !

De ses gentils doigts de fer elle essayait de rompre la main de son amoureux.

—Si vous étiez femme, je crois que je vous tuerais, continua-t-elle; mais vous êtes homme et je vous pardonne...et je me fie à vos promesses ! Pauvres folles que nous sommes ! c'est toujours ainsi que nous faisons.

Quand ils se taisaient, la musique du bal et le bruit cadencé de la danse arrivaient à eux en vagues mélodieuses.

Ils se levèrent et regagnèrent le palais. Lorsqu'ils parurent dans la salle, l'orchestre suspendit ses accords, mais pour une minute seulement. Il recommença pour eux la plus vive et la plus délirante des symphonies.

Ils s'élancèrent dans le tourbillon de la danse. Angélique oubliait son ressentiment; le plaisir la domptait. Le passé n'existait plus, l'avenir n'était rien, le présent seul avait du prix, un prix énorme !

Les yeux la suivaient, les esprits lui portaient envie, les cœurs devenaient jaloux pendant qu'elle volait au bras de son noble cavalier. Elle sentait peser sur elle tous les regards envieux des femmes, toutes les pensées voluptueuses des hommes et cela l'enivrait comme un vin généreux.

Obéissant aux entraînements de la musique, elle glissait sur le parquet luisant comme une sylphide dans l'air. Sa robe longue se déployait comme des ailes, et une tresse de sa chevelure blonde, échappée au nœud de diamant, voltigeait gaiement sur ses épaules. Bigot la regardait avec ravissement.

Il se disait alors, dans sa folle passion, qu'une femme aussi belle valait bien tout un monde. Et il fut plus d'une fois sur le point de mettre à ses pieds toutes ses richesses et toutes ses espérances.

Quand ils eurent fini de danser, il la conduisit à son siège qui fut aussitôt entouré d'admirateurs, et il passa dans une autre pièce pour se reposer un peu.

XXXII

QUE LA DANSE CONTINUE !

Bigot aimait la variété dans les plaisirs. Sa volupté n'était pas sans exigence, et il se lassait vite d'une jouissance, si ardente qu'elle fut. Il vit Angélique s'en aller, toute souriante au bras de Péan, quelques instants après la danse, et il en éprouva de la satisfaction. Il dit à Cadet qui se trouvait près de lui dans la petite chambre:

—Après tout, il ne me déplaît pas de m'éloigner un peu des femmes et de me montrer homme.

Cadet l'approuva.

Il était là, Cadet, avec deux ou trois amis, à conter des histoires piquantes et à rire à gorge déployée, sur le compte des dames qui se risquaient à passer devant leur porte.

Angélique, par ses pressantes instances pour faire enfermer à la Bastille l'infortunée Caroline, avait quelque peu fatigué Bigot; elle l'avait un peu désenchanté même.

Elle passa, et, avec son mouchoir, lui fit un coquet salut.

—Pour les beaux yeux de cette fille, pensa-t-il, je couperais la gorge à n'importe quel homme; mais qu'elle ne me demande plus de faire du mal à cette pauvre captive de Beaumanoir. Par saint Picaut ! elle est assez malheureuse déjà; je ne veux pas qu'Angélique la torture à son tour.

Il se tourna vers Cadet et ajouta tout haut:

—Hélas ! que les femmes se montrent impitoyables les unes pour les autres !

Cadet, tout rouge d'indignation déjà, lui répondit :

—Impitoyables, dites-vous, Bigot! Prenez tous les chats de Caen et vous n'aurez pas encore assez de griffes pour déchirer comme les ongles d'une femme jalouse!... et comme la langue donc !

—Et ma foi ! reprit Bigot en riant, je crois qu'elles sont toutes un peu jalouses ou envieuses.

—Envieuses ou jalouses ! Dites envieuses et jalouses! Elles ont les deux qualités. Dans leur sotte affection, elles sont là près de vous qui roucoulent, minaudent, caressent; dans leur dépit, elles crient, menacent, égratignent jusqu'au sang. La fable de la femme qui saute en bas de la couche nuptiale pour aller prendre une souris est superbe. Cette femme avait été chat, dit le spirituel Esope...

—Tous les chats de Caen réunis n'auraient pas une griffe comme Pretiosa, n'est-ce pas, Cadet ? fit l'intendant en jetant un éclat de rire.

Il faisait allusion à une aventure dont Cadet s'était tiré comme Fabius, *distinctâ tunicâ*. Pretiosa était un exemple de ce que peut faire la griffe d'une femme jalouse. Cadet, qui se glorifiait de toutes les hontes, trouva l'histoire bien drôle.

—Sauve qui peut ! ajouta-t-il, en se tenant les côtés pour rire plus à son aise. J'ai laissé quelques-uns de mes cheveux en souvenir, mais il m'en reste encore. Ma tonsure improvisée était presque aussi belle que celle de l'abbé de Reims. Attendez, Bigot, vous allez voir ce que c'est. Si votre Pretiosa vous attrape quand vous serez en train de vous ruiner...Ne me tiraille pas, Martel, tu es ivre ! Bigot ne se choque pas de ce que nous disons.

Il s'adressait à l'un de ses compagnons qui craignait de déplaire à l'intendant. Or, avec ses intimes, Bigot était le plus libre et le plus jovial des hommes. Il aimait les allusions piquantes, portait et recevait les coups de la meilleure grâce du monde.

Il fit entendre un rire sonore et vint s'asseoir à la table en présentant pour la faire emplir une large coupe de Beauvais.

—Vous n'avez jamais dit plus vrai, Cadet, bien que vous parliez sans savoir, répondit-il à son ami. Ma Pretiosa que voilà—il porta son regard vers Angélique qui s'était remise à danser,—peut mettre dans ses intérêts les meilleurs joueurs de Paris, pour gagner la partie ...*sans compter les honneurs*..

—Mais elle l'a perdue, Bigot; c'est vous qui la gagnerez sans vous occuper *des honneurs*, ou je ne m'y connais plus en femmes, riposta Cadet hardiment. Elles sont toutes pareilles, les femmes; seulement, il y en a qui nous plaisent davantage. Angélique des Meloises désespérerait les flûtes et les pipeaux de Poitiers. Elle est infatigable. Regardez donc comme de Péan a l'air heureux avec elle. Elle le rend fou, complètement fou! Il s'imagine qu'elle danse avec lui, quand c'est avec vous plutôt qu'elle danse. Je le parierais, Bigot.

—J'admire vraiment sa façon de le conduire, répliqua l'intendant. Elle voit bien que je m'aperçois de son adorable malice. Pauvre de Péan, se faire jouer ainsi!

—Je vous dis qu'elles sont toutes comme cela, les femmes: pleines de fourberies comme les œufs du diable. Un homme n'est pas un homme tant qu'il n'a pas rompu complètement avec elles.

—Cadet, vous êtes un peu cynique, fit l'intendant en riant. Diogène vous appellerait son frère et vous offrirait une place dans son tonneau. Avouez, tout de même, qu'Athènes n'a jamais produit une pareille beauté. Aspasie et Thaïs ne seraient pas dignes de porter le flambeau devant elle.

—Elle peut marcher sans lumière ou je me trompe fort, Bigot. Mais notre langue se dessèche; un autre verre de champagne, dit Cadet.

Et il remplit les coupes de ses compagnons. Le vin adoucit peu à peu ce qu'il y avait de trop rude dans son opinion sur les femmes.

— Je sais par expérience, Bigot, reprit-il, que tous les hommes sont fous des femmes, au moins une fois dans leur vie, et Angélique est réellement si belle que l'on peut vous excuser si elle vous fait tourner la tête. C'est tout ce que j'ai à dire. Buvons, maintenant.

Angélique, emportée par le tourbillon de la danse, passa devant eux sans regarder, sauf du coin de l'œil, mais si vivement, si subtilement qu'Ariel même n'aurait pas saisi son regard. Elle s'aperçut cependant que l'intendant la suivait, qu'il observait ses mouvements, épiait ses charmes, et elle en frémit de joie.

— Observez donc l'intendant, Mme Couillard ! exclama alors Mme de Grand'Maison. Depuis dix minutes il n'a pas cessé de regarder Angélique des Meloises; et elle le sait bien qu'il la dévore des yeux... La prétentieuse ! Elle ne danserait pas avec tant de goût...tant de passion pour de Péan. Elle le déteste. Il me semble que Bigot ferait mieux de venir danser avec quelques-unes de nos aimables jeunes filles, que de boire du vin et de couver des yeux cette beauté qui ne cherche pas à lui échapper.

—Vous avez raison, Mme de Grand'Maison, repartit Mme Couillard; mais il paraît que l'intendant est fou des pieds petits et bien faits.

Mme Couillard pouvait parler à son aise, elle n'avait pas de filles à pousser. Son amie riposta sèchement.

—On le devine sans peine; il ne les quitte point, les pieds d'Angélique...Elle n'a pas l'air de vouloir contrarier ses goûts, non plus. Elle les montre ses pieds ! Elle en est aussi fière que de sa figure. Au couvent, un jour, elle fit rougir d'indignation tout le monde: les élèves, les novices, les mères. Elle voulait parier qu'elle avait le plus beau pied. La mère de la Nativité la menaça d'une punition sévère si elle osait dire des choses aussi inconvenantes. Des punitions, elle s'en moquait bien ! elle se mit à rire cyniquement.

—Et maintenant elle provoque le monde comme elle provoquait la communauté, répondit Mme Couillard, tout à fait scandalisée. Voyez donc cet abandon !... et comme tous les jeunes gens l'admirent !...Les jeunes filles d'aujourd'hui ne connaissent plus la pudeur...Je suis bien contente de n'avoir point de filles, Mme de Grand'Maison.

C'était une pierre dans le jardin de Mme de Grand'-Maison. Mme Couillard visait volontiers ses amis quand elle n'en voyait pas d'autres.

—Nos nièces ne valent pas mieux que nos filles, Mme Couillard, riposta la première.

Tout en lançant ce trait, elle redressa la tête et jeta un regard dédaigneux sur un groupe de joviales jeunes filles assises avec des garçons, sur des sièges éloignés au fond de la galerie. Elles s'amusaient bien, les coquines, et se croyaient à l'abri des regards de leurs chaperons. Mais les chaperons pouvaient tout voir. Ils ne regardaient cependant que juste ce qu'il fallait pour l'acquit de leur conscience. Au reste, les jeunes demoiselles étaient en bonne compagnie.

Mme Couillard, pour être plus tranquille, avait confié ses deux turbulentes nièces au jeune de la Roque et au sieur de Bourget. Elle ne trouvait pas mauvais qu'elles prissent du plaisir.

Elles étaient fort gaies, les deux jeunes filles, et leurs yeux noirs pétillaient d'esprit. Mais elles avaient quelque chose de la méchanceté de leur tante. Elles amusaient leurs cavaliers aux dépens d'Angélique. Elles contrefaisaient pour les faire rire, ses gestes et ses manières. Elles la haïssaient, disaient-elles, à cause de ses airs singuliers: et malgré cela elles essayaient de l'imiter en toute chose.

—Angélique aime à danser avec le chevalier de Péan, reprit Mme Couillard qui voulait ramener la conversation sur un terrain moins personnel. Elle trouve sans doute que ses grâces ressortent mieux à côté de ce magot.

—Elle peut bien le trouver. Il n'y a pas, en toute la Nouvelle-France, un homme aussi laid que de Péan; c'est l'opinion de mes filles, repartit madame de Grand'-Maison avec malice.

Le laid mais riche chevalier de Péan avait dédaigné ses filles.

—Oui, pensa Mme Couillard, elle peut le trouver laid ! il n'a pas fait attention à ses filles ce soir; et pourtant, elles l'ont joliment poursuivi de leurs regards suppliants.

Après cette pensée peu charitable, elle dit avec une politesse affectée :

—Mais il est fort riche, assure-t-on; aussi riche que Crésus, et il a une grande influence sur l'intendant. Je ne connais guère de jeunes filles, aujourd'hui, qui ne le trouveraient point fort acceptable avec ses écus. Angélique sait qu'en dansant avec lui elle attire les regards de Bigot, et cela lui suffit. Pour montrer à l'intendant ses pas agiles, elle danserait avec un revenant.

—C'est une effrontée ! exclama Mme de Grand'-Maison, et si mes filles osaient provoquer en dansant, une admiration aussi honteuse, je leur couperais les pieds !

Elle accompagna cette énergique déclaration d'une moue dédaigneuse et d'un regard chargé de mépris. Elle continua :

—J'ai toujours enseigné à mes filles des manières chastes et modestes. Je les ai formées jeunes ! J'employais le moyen des créoles; je leur attachais le bas de la jambe avec un ruban deux fois long comme la main; pas davantage ! Et je ne leur permettais point de faire les pas plus longs. C'était à la maison que je faisais cela, comme de raison ! C'est ce qui leur a donné cette démarche un peu légère, un peu sautillante que tous les messieurs admirent chez elles, et chez moi aussi. C'est aux Antilles que j'ai appris ce secret, Mme Couillard, aux Antilles où les femmes marchent comme des anges.

—Vraiment ! fit Mme Couillard avec une ironie parfaitement déguisée. J'ai souvent remarqué les pas légers et gracieux de vos demoiselles et je ne pouvais pas deviner où elles avaient appris à si bien se tenir. Je ne savais pas qu'elles avaient suivi un cours de démarche.

—N'est-ce pas que c'est admirable ? Les hommes voyez-vous, Mme Couillard, s'éprennent d'un beau pied comme d'un beau visage.

—Quand les pieds sont mieux que la figure, Mme de Grand'Maison, j'oserai dire... Mais ces pauvres hommes, continua-t-elle, sont dupes si souvent ! Celui-ci aime un œil, celui-là, un nez; l'un devient fou d'une boucle de cheveux, l'autre d'une main; un troisième se pâme devant une joue, un quatrième, devant un pied, comme vous le dites...Bien peu s'occupent du cœur, car on ne le voit pas. J'ai connu un homme qui est devenu amoureux parce qu'une robe lui avait frôlé le genou.

Mme Couillard se mit à rire à ce souvenir du temps éloigné de ses amours probablement.

—Un beau marcher, affirma Mme de Grand'Maison, pour conclure, un beau marcher est le complément de l'éducation d'une jeune fille. C'est une grande leçon de morale et la base de la vertu de la femme. J'ai fort insisté auprès des dames Ursulines pour qu'elles donnent à cet art l'une des premières places dans leur programme et j'ai lieu de croire qu'elles approuvent hautement mon idée. S'il en est ainsi, madame, nos petites filles marcheront sur la terre comme des anges sur les nuages, et non pas à la façon des chevaux de course, comme Angélique des Meloises.

Pendant que Mme de Grand'Maison moralisait ainsi, ses filles s'évertuaient à copier la belle Angélique.

Comme pour jeter le défi aux deux matrones, ou se moquer d'elles, Angélique passa sous leurs yeux vive et palpitante, la main sur l'épaule de Péan, aux accords d'une musique de plus en plus entraînante.

Elle avait une raison pour danser avec de Péan, et elle dissimulait à merveille son dégoût, sous les sourires et les œillades, sous les badinages et les plaisanteries. Si Le Gardeur se fut trouvé là, au bal, tant de bonne humeur n'aurait surpris personne.

—Chevalier, dit la capricieuse fille, en réponse à une parole galante, la plupart des femmes mettent leur honneur à se sacrifier pour celui qu'elles aiment; moi je préfère sacrifier celui que j'aime. Mon amour se mesure d'après ce qu'il reçoit et non d'après ce qu'il donne ; c'est un aveu candide, n'est-ce pas ? mais vous aimez la franchise. Je le sais.

La franchise et le chevalier de Péan ne se connaissaient guère; mais le chevalier était désespérément épris d'Angélique et il pouvait tout souffrir de sa part.

—Vous avez quelque chose à me demander ? répliqua-t-il, tout excité; parlez, j'empoisonnerais ma grand-maman, s'il le fallait, pour obtenir le prix que je convoite.

—Oui, mais ce n'est pas la mort de votre grand-mère que je veux. . . Dites-moi pourquoi vous avez permis à Le Gardeur de Repentigny de sortir de la ville.

De Péan n'aimait pas à l'entendre parler de Le Gardeur. Il fit une grimace :

—Je n'ai pas permis à Le Gardeur de laisser la ville, répondit-il. J'aurais bien voulu le garder ici. L'intendant de même aurait bien voulu le retenir. Il a absolument besoin de lui. Il nous a été filouté par sa sœur et le colonel Philibert.

Angélique reprit méchamment:

—Je ne prendrais pas la peine de me boucler un cheveu pour venir à un bal où n'est pas Le Gardeur. Chevalier, promettez-moi de le ramener ici, ou je ne danserai plus avec vous.

Elle rit d'un si bon cœur en disant cela, que celui qui ne l'aurait pas connue aurait pensé qu'elle plaisantait. De Péan serra les dents avec rage et renouvela sa grimace.

—Je ferai mon possible, mademoiselle, pour le faire revenir, répondit-il; je ferai mon possible ! L'intendant veut le voir pour les affaires de la grande compagnie et il lui a envoyé plus d'un message déjà.

—Je me soucie bien de la grande compagnie, moi ! Dites-lui que je désire qu'il revienne. Si vous êtes galant, c'est à moi que vous allez obéir et non à l'intendant.

Angélique ne partageait son autorité avec personne, et celui qui voulait la servir devait se donner à elle corps et âme.

Elle était, ce moment-là, tout à fait indépendante, tout à fait volontaire.

Son rire était l'expression d'un ardent ressentiment, plutôt que d'une gaieté sincère. Bigot l'avait humiliée en lui refusant une lettre de cachet, et il l'avait froissée; elle se vengeait en rappelant Le Gardeur.

—Pourquoi désirez-vous le retour de Le Gardeur? demanda de Péan, d'une voix hésitante.

—Parce qu'il est le premier qui m'ait aimée, et que je n'oublie jamais un véritable ami.

Elle prit un ton singulièrement attendri pour dire cela.

De Péan lui répliqua avec une vivacité qu'il croyait séduisante :

—Il ne sera toujours pas le dernier ! Vous le savez ? dans le royaume de l'amour comme dans le royaume des cieux, les premiers seront les derniers et les derniers seront les premiers. Puissé-je être le dernier, mademoiselle !

—Vous le serez, je vous le promets, de Péan, fit-elle avec un éclat de rire.

Bigot l'observait. Elle s'en aperçut: c'est ce qu'elle voulait. Elle commençait à trouver qu'il la négligeait un peu, cependant, et qu'il s'amusait bien dans la compagnie de Cadet.

—Merci, mademoiselle, mais j'envie tout de même la place de Le Gardeur, répondit de Péan, qui ne savait pas trop comment interpréter cet éclat de rire.

Angélique venait de faire tomber la menteuse espérance qui miroitait aux yeux de Péan. Le renard de la fable, en décidant, par ses flatteries, le corbeau à chanter, n'avait pas mieux réussi à faire tomber le morceau de fromage qu'il tenait dans son bec.

—Dites-moi donc, de Péan, reprit-elle, est-ce vrai que Le Gardeur trouve des consolations avec sa cousine Héloïse de Lotbinière, dans les forêts de Tilly ?

De Péan eut sa revanche.

—C'est vrai, mademoiselle, répondit-il, et rien d'étonnant en cela, puisque Héloïse de Lotbinière est sans exception la plus aimable demoiselle de la Nouvelle-France, si elle n'en est la plus belle.

—Sans exception ! répéta Angélique d'un air dédaigneux. Les femmes, dans tous les cas, n'en croiront rien, chevalier. Moi pour une, je ne le pense pas, et vous, qu'elle est votre opinion ? ajouta-t-elle en riant.

—Certes, si vous lui contestez la palme de la beauté, elle n'a qu'à s'avouer vaincue.

—Je n'entre en lice avec elle pour rien, chevalier. Mais, tenez ! prenez ce bouton de rose pour votre compliment. Savez-vous ce que pense Le Gardeur, lui, de cette étonnante beauté ? Est-il question de mariage ?

—Il est, en effet, sérieusement question d'un mariage.

De Péan mentait. Il eut mieux fait de dire la vérité.

Angélique bondit comme sous la piqûre d'une guêpe. Elle cessa de danser et se hâta de prendre son siège.

—De Péan, recommença-t-elle, vous m'avez promis de ramener Le Gardeur à Québec, voulez-vous le ramener ?

—Si vous le désirez, mademoiselle, je le ferai revenir mort ou vif; mais donnez-moi un peu de temps. Cet intraitable de Philibert est avec lui. Sa sœur aussi. Elle se cramponne à lui comme un ange à un pécheur. Mais puisque vous le voulez, il reviendra; je ne sais pas, par exemple, si ce sera pour son bien ou pour le vôtre.

—Que voulez-vous dire, de Péan ? Pourquoi cette appréhension ? Quelqu'un lui veut-il du mal ? riposta Angélique avec des flammes dans les yeux.

—Il n'a personne à craindre que lui-même, mademoiselle, et par saint Picaut ! c'est bien assez !

De Péan s'apercevait qu'il tirait la charrue pour labourer le champ de sa belle amie au profit d'un autre.

—Etes-vous sûr qu'il n'a pas d'ennemis, de Péan ? demanda-t-elle ?

—Parfaitement sûr. Tous les associés de la grande compagnie ne lui sont-ils pas dévoués ? Pas un seul, j'en suis certain, ne voudrait lui faire du mal.

—Chevalier de Péan, vous affirmez qu'il n'a d'autre ennemi que lui-même. Eh bien, faites-le venir; je le protégerai, moi, entendez-vous ?

De Péan jeta un regard sur l'intendant.

—Pardon, mademoiselle, reprit-il, l'intendant ne vous a-t-il jamais parlé du départ subit de Le Gardeur ?

—Jamais. Mais à vous il en a parlé, et que vous a-t-il dit ?

—Il m'a dit que vous auriez pu le retenir, et il vous a blâmée de ne l'avoir pas fait.

De Péan soupçonnait Angélique d'avoir voulu soustraire Le Gardeur aux griffes de la grande compagnie et en particulier aux siennes, mais il faisait erreur. Angélique aimait Le Gardeur pour elle-même surtout, et elle l'aurait volontiers exposé à tous les dangers de la ville, pour lui faire éviter les dangers bien plus grands de la campagne,—ces dangers, c'étaient les rencontres avec la charmante Héloïse de Lotbinière. Elle ne voulait pas l'épouser, mais elle ne voulait pas davantage le laisser à une autre.

De Péan se trouvait passablement embarrassé. Il allait obéir à la capricieuse fille, pourtant.

Bigot survint alors. Il venait de finir une partie de cartes.

Angélique lui fit une place à côté d'elle. Puis tout à coup, elle redevint vive et joyeuse, comme une fauvette qui chante dans le feuillage.

De Péan se retira discrètement.

Bigot ne songeait plus à la pauvre recluse de Beaumanoir, ni à la querelle qu'il avait eue tout à l'heure. Il oubliait tout devant Angélique, ce démon de femme qui voulait le subjuguer. L'enivrement dont il jouissait mettait comme un rayon de lumière sur sa figure. Angélique pensa que son triomphe était proche et elle déploya toutes les ressources de sa coquetterie.

—Angélique, commença l'intendant, en lui offrant le bras pour la conduire au buffet, vous êtes heureuse, ce soir, n'est-ce pas ?...Pourtant le bonheur n'est parfait que s'il est composé d'un mélange du ciel et de la terre. Venez, trinquons ensemble avec ce vin plus beau que l'or, et demandez-moi la faveur que vous voudrez.

—Et vous me l'accorderez ? fit-elle en dardant sur lui des regards avides.

—Comme le roi de je ne sais plus quel beau conte, je vous donnerai ma fille et la moitié de mon royaume... répliqua-t-il en riant.

—Merci bien de la moitié du royaume !...Quant à la fille...j'aimerais mieux le père. Je ne tiens pas cependant à avoir un roi ce soir. Accordez-moi la lettre de cachet, et ensuite...

—Et ensuite ?

—Vous n'aurez pas lieu de le regretter; c'est tout ce que je vous dis. Donnez-moi cette lettre de cachet.

—Impossible ! Demandez son bannissement, demandez sa vie même...Mais une lettre de cachet pour l'envoyer à la Bastille, je ne peux pas, je ne veux pas !

—C'est cela que je demande, cependant, répliqua l'ardente et entêtée jeune fille. Quel mérite avez-vous à aimer, si vous avez peur de la moindre chose ? continua-t-elle. Vous voulez que je fasse des sacrifices, moi, et vous n'osez lever le doigt, vous, pour écarter un obstacle qui est dans mon chemin. En voilà un amour, chevalier ! Si j'étais homme, moi, je braverais pour ma bien-aimée, la terre, le ciel et l'enfer... Mais qui est-elle donc, au nom du ciel ! cette dame de Beaumanoir que vous entourez d'une si vive sollicitude ou que vous craignez tant ?

—Je ne peux pas vous le dire, Angélique. Peut-être une brebis égarée, peut-être la fille de l'homme au masque de fer, peut-être...

—Peut-être une autre ! n'importe qui, excepté elle-même ! Un fantôme, un mensonge, un rien, comme l'amour que vous avez pour moi !...riposta Angélique d'une voix pleine d'ironie et de colère...

—Ne vous fâchez pas, Angélique ! Voyons ! soyez calme, dit Bigot tout chagrin de ne pouvoir concilier ses amours avec ses intérêts.

Il avait lâché, par inadvertance, un mot malheureux qu'Angélique méditait déjà : sa vie ! Il avait dit qu'il sacrifierait la vie de la recluse. Etait-ce sérieusement ? Angélique savait ce que voulait dire ce mot terrible. Il était déjà venu à son esprit comme un éclair lugubre, et pourtant comme il paraissait bien plus redoutable, maintenant qu'il tombait de la bouche de Bigot !... Ce n'était plus son ressentiment à elle, ce n'était plus sa jalousie qui l'évoquaient ce mot fatal ! C'était lui ! Non, il ne voulait pas cela...C'était une de ces exagérations que les hommes débitent aux femmes pour les flatter, les tromper plus sûrement...

—N'importe ! se dit-elle, je ne lui demanderai pas de s'expliquer. Je trouverai bien moi-même le sens de cette parole.

Elle pencha la tête comme pour se soumettre à la volonté de l'intendant. Elle semblait calme maintenant; à l'intérieur l'orage grondait toujours. Bigot reprit :

—Angélique, vous êtes la plus adorable femme, mais le plus mauvais politique. Vous n'avez jamais entendu le tonnerre de Versailles. Vous l'entendriez si je me rendais à vos désirs. Je vous offre mes hommages et tout ce que je possède jusqu'à la moitié de mon royaume.

Angélique avait des éclairs dans les yeux.

—C'est un beau conte, après tout, que vous me faites là ! dit-elle. Et la lettre de cachet, vous ne me l'offrez point ?

—Comme je viens de vous le dire, Angélique, c'est impossible. Demandez-moi toute autre chose.

—Vous n'osez pas ! Vous, le plus intrépide des intendants que la France ait jamais envoyés ici, vous n'osez pas ? Un homme qui est un homme peut tout faire pour la femme qu'il aime, et cette femme devrait baiser la trace de ses pas et mourir à ses pieds s'il le voulait !

—Pour Dieu ! Angélique, vous allez, je crois, jusqu'à l'héroïsme ! N'importe ! je vous aime mieux ainsi qu'autrement.

—Bigot, vous feriez mieux de m'accorder ce que je demande !

Elle joignit les mains en disant cela, mais il y avait de l'acier dans ses petits doigts frémissants. Elle eut un regard cruel, un regard perçant qui traversa les murs de Beaumanoir. Bientôt, toutefois, elle réprima ce mouvement dangereux qui pouvait la trahir, et elle reprit en souriant :

—Eh bien, n'y pensons plus ! Je vois que je n'y entends rien dans la politique; je ne suis qu'une pauvre femme incomprise... Mais je souffre ici dans cette salle où l'air manque, où la chaleur augmente toujours. Heureusement, le jour commence à poindre ! Les danseurs se préparent à sortir et mon frère m'attend. Ainsi, chevalier, je vous quitte. Au revoir !

—Ne partez pas maintenant, Angélique ! insista Bigot, attendez le déjeuner.

—Merci, chevalier, je ne puis attendre. Votre bal a été magnifique... pour ceux qui aiment les bals.

—Et vous les aimez, n'est-ce pas ?

—Sans doute. Seulement il a manqué quelque chose à mon bonheur; mais, que voulez-vous ? il faut bien se résigner.

Elle prit un air moqueur pour dire cela. Bigot sourit en la regardant, mais il n'osa pas lui demander ce qui avait manqué à son bonheur. Il ne voulait plus faire de scène.

—Permettez-moi de vous accompagner jusqu'à votre voiture, Angélique, demanda-t-il, en l'aidant à se couvrir de son manteau.

—Très volontiers; mais le chevalier de Péan doit m'accompagner jusqu'à la porte du cabinet de toilette. Je lui ai promis cela.

Ce n'était pas tout à fait vrai; mais elle lui fit signe de venir. Elle avait un dernier mot à lui dire en secret. De Péan accourut et ils s'éloignèrent ensemble.

—De Péan, recommanda-t-elle, souvenez-vous de ce que je vous ai dit au sujet de Le Gardeur.

—Je ne l'oublierai pas, répondit de Péan, brûlé par la jalousie. Le Gardeur sera ici dans quelques jours, ou j'aurai perdu toute mon influence, toute mon habileté.

—Merci ! fit Angélique, en lui accordant un sourire.

Une foule de dames se préparaient à laisser le palais. Elles allaient, venaient, riaient, parlaient, tout en ajustant leurs mantilles et leurs chapeaux. Ce bruit, ce frémissement, cette agitation ressemblaient aux flots ou aux épis que le vent secoue.

Les cheveux étaient ébouriffés, les guirlandes pendaient, les souliers s'écarquillaient, les robes cachaient avec des épingles leurs déchirures. Tous les accidents d'une longue nuit de danse.

Et les chevaliers attendaient les jolies Québécoises pour les conduire chez elles.

Les musiciens fatigués et pris de sommeil ne tiraient plus de leurs violons que des accords languissants. Les lampes pâlissaient devant les clartés du matin.

Un bruit de roues se fit entendre; les cris des valets et des cochers retentirent jusque dans les somptueux corridors. C'étaient les carrosses qui arrivaient pour ramener les invités chez eux.

Bigot se tenait à la porte, remerciant tout le monde et disant à chacun un adieu courtois. Quand Angélique arriva avec le chevalier de Péan, il lui offrit le bras et la conduisit à sa voiture.

Elle les salua tous deux, lui et de Péan, et s'enfonça dans les coussins moelleux. Elle ne dit pas un mot à son frère, et s'abandonna à une morne rêverie.

XXXIII

LA CORRIVEAU

Angélique dit adieu à son frère quand il la quitta dans le vestibule de la maison. Jusque-là elle semblait ne l'avoir pas vu. Elle monta l'escalier qui conduisait à sa chambre. Son œil était fixe et sa démarche, hardie, signes de colère et de résolution.

C'était dans cette chambre qu'elle avait reçu Le Gardeur, et scellé sa destinée ! c'était là qu'elle avait rompu le dernier lien qui pouvait la retenir dans le sentier de l'honneur et de la vertu. L'amour de Le Gardeur pouvait la sauver, elle le rejeta !

Lisette, qui l'avait vue monter éprouvait une sorte de crainte et n'osait l'aborder. Elle entrouvrit la porte, puis la referma, décidée à attendre dans l'antichambre.

Angélique détacha son manteau et se laissa choir dans un fauteuil. Le manteau resta à ses pieds. Elle avait les cheveux sur les épaules et comme en désordre. Elle se prit le front dans ses mains et fixa un œil hagard sur la flamme du foyer qui s'éveillait de moment en moment, et jetait un reflet clair dans la pièce et sur les peintures suspendues aux murailles. Les portraits paraissaient revivre et l'inviter par leur sourire à l'espérance et à la gaieté. Mais elle ne les regardait point; elle n'aurait pas voulu les regarder.

Elle avait oublié de faire allumer sa lampe, mais elle aimait le demi-jour; et les pensées sombres qui l'obsédaient se seraient peut-être évanouies à la lumière: elles venaient des ténèbres et se complaisaient dans les ténèbres. Nous sommes instinctivement portés à nous assimiler ce qui nous entoure. Si nous sommes lumière et joie, il faut que tout soit joie et lumière comme nous; si nous sommes tristesse et obscurité, le sombre seul nous plaît.

Angélique aurait détesté le joyeux éclat de la lampe; la mystérieuse lumière de l'âtre qui se perdait dans les angles noirs et lui permettait de remplir la chambre de tous les fantômes de son imagination, lui était plus agréable.

Tout à coup, elle joignit les mains et leva les bras au-dessus de sa tête :

—Par Dieu ! il faut que cela se fasse ! il le faut ! murmura-t-elle entre ses dents.

Elle se tut aussitôt.

—Quoi donc ? se demanda-t-elle ensuite. Et elle se prit à rire comme pour se moquer d'elle-même.

—Il m'a dit : sa vie ! Il n'avait pas cette intention, non ! il ne l'avait pas. Il m'a traitée comme un enfant gâté. Il me donne sa vie et me refuse une lettre de cachet ! Un don que sa bouche menteuse m'a fait; mais non son cœur ! N'importe ! il tiendra sa promesse! ...il la tiendra malgré lui !...Il n'y a pas d'autre moyen !...Il faut que cela se fasse, il le faut !

Alors, elle crut voir son vieux confesseur, le P. Vernout, qui la menaçait du doigt, comme il avait coutume de faire quand elle s'accusait de quelque faute légère; mais ses yeux étaient pleins de larmes. Elle se détourna vivement, comme pour se débarrasser de l'importune vision. Elle ne voulait pas voir, même en songe, la main bénie qui se levait pour lui montrer l'abîme où elle courait.

Angélique venait d'entrer dans un monde nouveau, un monde de pensées mauvaises et de tentations caressées, un chaos, un gouffre lugubre, où des sifflements de démons lui répétaient sans cesse cette parole fatale: sa vie ! sa vie ! sa vie !

Et la pensée de haine qui l'avait terrifiée naguère reprenait une forme plus séduisante. Sa rivale, comme elle appelait l'infortunée captive de Beaumanoir, sa rivale venait d'être condamnée par celui qui était son maître !

Mais comment accomplir cette chose qu'elle n'osait nommer ? La question était épineuse pour une personne nullement habituée au crime. Le forfait se présenta à ses esprits sous mille formes terribles; elle trouva mille genres de mort différents. Elle choisit le premier, puis le rejeta pour un autre, puis pour un autre encore; dans son trouble, elle ne put s'arrêter à aucun.

Elle se leva et tira vivement le cordon de la sonnette. La porte s'ouvrit, et Lisette parut avec son œil vif et sa bouche rieuse. Ce n'était pas Lisette qu'elle voulait. La malheureuse Angélique repoussait sa dernière planche de salut. Sa résolution était prise.

—Ma chère maîtresse, commença Lisette, vous devez être fatiguée, vous devez avoir besoin de sommeil. Il est presque jour. Puis-je vous être utile ?

Le petite parleuse ne donnait seulement pas le temps à sa maîtresse de dire ce qu'elle voulait.

—Non, Lisette, je ne m'endors point: je ne me déshabille point maintenant: j'ai beaucoup à faire encore. Il faut que j'écrive. Envoyez-moi Fanchon Dodier.

Angélique comprenait qu'il fallait tromper Lisette d'abord. La servante sortit sans dire un mot, mais un peu froissée, et elle alla prévenir Fanchon.

Fanchon monta aussitôt. Elle avait dans les yeux un malicieux reflet de plaisir. Elle savait bien que Lisette était un peu de mauvaise humeur, mais elle ne pouvait pas deviner pourquoi elle la remplaçait auprès de Mlle Angélique. Elle jugeait que c'était tout de même pour elle un assez grand honneur.

—Fanchon Dodier, fit Angélique, j'ai perdu mes joyaux au bal, et j'en suis désespérée. Vous êtes plus sagace que Lisette: dites-moi comment faire pour les retrouver et je vous donnerai une belle robe neuve.

Angélique, rusée qu'elle était, se doutait bien de la réponse. Fanchon bondit de joie. C'était une grande marque de confiance qu'elle recevait là.

—Oui, madame ! répondit-elle vivement, je saurais bien quoi faire si je perdais mes bijoux... Mais les dames qui savent lire et écrire et qui ont, pour les aviser, les plus habiles gentilshommes, n'aimeraient pas à recourir aux moyens que les pauvres filles d'habitants emploient quand elles sont dans la peine et l'inquiétude.

—Et que feriez-vous Fanchon, si vous étiez dans la peine et l'inquiétude?

—Eh bien ! madame, si j'avais perdu mes bijoux...

Elle appuya singulièrement sur ce mot; la rusée comprenait qu'Angélique n'avait rien perdu.

—Si j'avais perdu mes bijoux, dit-elle, j'irais trouver ma tante Josephte Dodier. C'est la plus habile femme de tout Saint-Vallier. Si elle ne vous dit pas tout ce que vous voulez savoir, personne ne vous le dira.

—Comment ! Josephte Dodier, la Corriveau, c'est votre tante ?

Angélique le savait, mais elle pensait en imposer plus aisément à la soubrette, en feignant de l'ignorer.

—Oui, répondit Fanchon, les gens grossiers l'appellent la Corriveau; mais elle est ma tante quand même. Elle est mariée avec mon oncle Louis Dodier. Elle appartient à une bonne famille, et sa mère était une dame qui venait de France, une dame qui connaissait intimement toutes les dames de la cour. Elle est partie de France secrètement, mystérieusement, paraît-il, mais je n'ai jamais su pourquoi. A Saint-Vallier, les gens avaient coutume de branler la tête et de se signer quand ils parlaient d'elle. Ils font la même chose aujourd'hui quand ils parlent de ma tante Josephte, la Corriveau, comme ils l'appellent, et ils ont peur de son mauvais œil noir, comme ils disent. C'est une femme redoutable que ma tante Josephte, madame ! mais elle peut vous dire la passé, le présent et l'avenir... Si elle poursuit le monde de ses injures et de son mépris, c'est parce qu'elle connaît tout le mal qu'il fait. Le monde lui rend bien ses outrages, mais il a peur d'elle en attendant.

—Mais est-ce que ce n'est point mal, est-ce que ce n'est pas défendu par l'Eglise, de consulter une pareille créature, une sorcière ? demanda Angélique.

—Oui, madame, Cependant, les jeunes filles la consultent quand même, dans leurs peines et si elles perdent quelque objet. Il y a aussi bien des hommes qui vont l'interroger pour savoir l'avenir, et ce qu'ils doivent faire en certaines circonstances. Puisque les prêtres ne peuvent pas dire à une jeune fille si son amoureux lui est fidèle, je ne vois point pourquoi il serait défendu d'aller le demander à la Corriveau.

—Je n'oserais pas consulter votre tante, Fanchon; les gens riraient de moi.

—Mais, il n'est pas nécessaire que le monde le sache, madame. Au reste, il paraît que ma tante possède des secrets qui feraient pendre ou brûler la moitié des femmes de Paris, s'ils étaient divulgués. Elle les tient de sa mère et les garde fidèlement. Son plus proche voisin n'en a jamais entendu souffler mot. Elle n'aime point les bavards, n'a pas d'amis et n'en a nul besoin. Si vous voulez la consulter, ne craignez rien, elle est la discrétion même.

—J'ai entendu dire qu'elle est, en effet, bien habile et bien redoutable, votre tante; mais je ne saurais me rendre à Saint-Vallier pour la voir; je ne puis sortir sans attirer l'attention, comme le fait une simple fille d'habitant.

—Savez-vous bien, madame, répliqua Fanchon qui se rappelait probablement quelque incident personnel, savez-vous bien qu'une fille d'habitant n'est pas plus capable d'échapper à l'attention qu'une grande dame ? Si elle va à l'église et regarde de côté seulement : Tiens! elle est venue à l'église pour voir les garçons ! Si elle se tient éloignée des jeunes gens: elle a peur ! Si elle rend visite à un voisin : elle veut le rencontrer ! Si elle reste à la maison : elle attend son voisin !...Mais les filles de la campagne se moquent bien de cela, madame ! Si c'est vrai qu'elles tendent leurs filets, elles prennent du poisson, parfois ! Ainsi, nous ne nous occupons nullement de ce que les autres disent, et nous en disons plus que tout le monde. Mais, madame, continua la servante babillarde, je comprends qu'il ne convient guère que vous alliez voir ma tante Josephte. Je l'amènerai ici. Elle sera enchantée de venir à la ville et d'être utile à une aussi grande dame.

—Oh ! non, Fanchon; non ! Ce n'est pas bien, cela; c'est mal !...Pourtant, il faut que je retrouve mes joyaux... C'est bon ! allez la chercher; ramenez-la avec vous. Mais, attention, Fanchon ! Si vous dites un mot de cela à qui ou à quoi que ce soit: aux hommes, aux animaux ou aux arbres que vous verrez sur votre chemin, je vous coupe la langue.

Fanchon eut peur du regard terrible de sa maîtresse.

—J'y vais, madame, dit-elle d'une voix tremblante, et ne parlerai pas plus qu'un poisson. Vais-je partir immédiatement ?

—Tout de suite si vous le voulez. Il est bientôt jour et il vous faut aller loin. Je vais dire au vieux Cujon, le sommelier, de louer un canot sauvage. Je ne veux pas vous faire conduire par des Canadiens, car ils ne feraient pas la moitié du chemin avant de vous arracher votre secret. Vous descendrez en canot et vous remonterez par terre avec votre tante. Comprenez-vous bien ? Amenez-la ici au retour, mais pas avant minuit. Je laisserai la porte entrouverte, afin que vous ne fassiez point de bruit. Vous la conduirez immédiatement à ma chambre. Soyez prudente ! allez vite ! et pas un mot à qui que ce soit.!

—Soyez tranquille, madame; nous ne ferons pas assez de bruit pour effrayer une souris, seulement ! affirma Fanchon toute radieuse et fière de l'entente secrète qui existait maintenant entre elle et sa maîtresse.

—Encore une fois, Fanchon, gare à votre langue! Si vous me trahissez, aussi sûrement que vous êtes en vie, je vous la couperai !

—Oui, madame !...

Sa pauvre langue, paralysée par la crainte, lui resta entre les dents et elle la mordit cruellement, comme pour l'avertir de son devoir.

—Vous pouvez partir, dit Angélique. Voici de l'argent. Vous donnerez cette pièce d'or à la Corriveau, pour lui prouver que j'ai besoin d'elle. Les canotiers chargeront probablement le double pour la traverser.

—Non, madame; généralement ils ne lui chargent rien du tout, répliqua Fanchon. Ce n'est pas l'amour qui les rend si généreux, je pense bien; mais la crainte. Antoine Lachance, l'un des canotiers, dit, lui, qu'elle porte à la piété autant qu'un évêque, et qu'il se récite plus d'*Ave Maria* dans le canot où elle embarque, que dans tout Paris, le dimanche.

—Je devrais, moi aussi, réciter mes *Ave Maria*, dit Angélique, quand Fanchon fut sortie; mais ma langue se dessèche et ma bouche est une fournaise d'où les mots de la prière ne sortent plus !... Cette fille, Fanchon, n'est pas une fille de confiance; mais je n'ai pas autre chose à faire dire à sa tante. Il faut que je sois prudente avec la Corriveau, et que je l'amène à me suggérer ce que je veux faire... Madame de Beaumanoir, votre destinée n'est pas, comme vous le croyez, entre les mains de l'intendant ! Il eut mieux valu, pour vous, obéir à des lettres de cachet que tomber entre les mains de la Corriveau !...

Le soleil parut. Il inonda de ses douces clartés la fenêtre près de laquelle Angélique venait de s'approcher. Angélique se retourna, comme pour ne pas voir la lumière du ciel. Elle aperçut son image qui se dessinait vive et nette dans la grande glace vénitienne. Elle se trouva pâle, l'air dur, l'œil plein d'un feu sombre. Elle se prit à trembler, se détourna encore, pour ne plus se voir et s'avança lentement, péniblement vers son lit. Il lui semblait qu'elle avait vieilli, que la rage grondait dans son âme, et qu'elle s'était déshonorée pour l'amour de cet intendant infidèle, qui l'oubliait, et lui reprochait maintenant de s'être avilie comme nulle femme au monde.

—C'est sa faute ! c'est sa faute ! s'écria-t-elle en se tordant les mains... Si elle meurt, c'est sa faute à lui et non la mienne ! Je l'ai supplié de l'éloigner, et il n'a pas voulu ! C'est sa faute ! C'est sa faute !

Elle tomba dans un sommeil fiévreux, pénible, fatigant, plein de songes affreux, qui dura jusqu'au milieu du jour.

Les dernières années du règne de Louis XIV, règne si long, si plein de gloire et d'infortunes, furent déshonorées par la corruption des mœurs et marquées du signe fatal de la décadence. Des crimes de toutes sortes se commettaient chaque jour, mais l'empoisonnement surtout jetait la terreur dans la population. C'est qu'il avait atteint le raffinement d'un art cultivé avec amour, et que la science lui prêtait ses lumières.

Antonio Exili, un Italien, avait, comme beaucoup d'autres alchimistes de cette époque, passé plusieurs années à chercher la pierre philosophale et l'élixir de vie. Mais à force d'essayer à changer en or les métaux communs, il tomba dans la misère. La nature de son travail le conduisit toutefois à étudier sérieusement les poisons et leurs antidotes. Il fréquenta les grandes universités et les écoles célèbres du continent, puis vint terminer ses études sous un fameux chimiste allemand nommé Glaser.

Mais ce fut une femme, Béatrice Spara, de Sicile, qui lui révéla le terrible secret de *l'aqua tofana* et de la *poudre de succession.* Il fut lié avec cette femme, une de ces incompréhensibles créatures dont l'amour des plaisirs ou du pouvoir n'est égalé que par la cruauté avec laquelle elles se débarrassent de tout ce qui les gêne. Béatrice Spara avait reçu, comme un héritage lointain et maudit, des antiques sorcières de la race impériale, la manière de préparer ces subtils poisons.

L'empoisonnement était étudié comme un suprême moyen de la politique,. dans les fastueux palais des Borgia, des Orsini, des Scaliger, des Borroméo. Et non seulement dans les palais, mais dans les faubourgs des villes; dans les tours sombres, dans les solitudes des Apennins on pouvait trouver de ces enfants perdus de la science qui savaient composer des poisons subtils, terribles, mortels dont les traces étaient invisibles, et qui donnaient à la mort de la victime l'apparence d'une mort tout à fait naturelle.

Pour échapper à la vengeance de Béatrice Spara, qu'il avait trompée, Exili quitta Naples et vint à Paris. Il trouva, dans cette grande ville, plus d'une occasion d'exercer son art infernal et de montrer avec quelle habileté il préparait les poisons.

Malgré toutes ses précautions, il fut enfin soupçonné, et la police eut les yeux sur lui. Il fut arrêté, puis envoyé à la Bastille. Là, le hasard lui donna pour compagnon de cellule, Gaudin de Sainte-Croix, un jeune noble, l'ami de la marquise de Brinvilliers. De Sainte-Croix apprit de lui le secret de la *poudre de succession*.

Ils furent tous deux libérés faute de preuves. De Sainte-Croix organisa un laboratoire dans sa maison et se mit à l'œuvre. Il révéla son secret à la marquise de Brinvilliers qui se proposa d'en faire son profit. Elle voulait devenir la femme de ce jeune noble, car elle l'aimait à la folie. Alors elle ne vit rien de mieux à faire que d'empoisonner son mari. Après son mari, ce fut le tour de son père; après son père, son frère. Et puis, prise de vertige, aveuglée, folle du besoin de tuer, elle versa de tout côté le fatal poison, sema partout la mort, et jeta l'épouvante dans tout le royaume.

La *poudre de succession* était une poudre légère, presque impalpable, sans goût, sans odeur; *l'aqua tofana*, un liquide aussi limpide qu'une goutte de rosée. Ce poison pouvait tuer instantanément ou petit à petit, et dans un nombre de jours, de semaines ou de mois marqué d'avance. La mort était aussi certaine dans un cas que dans l'autre, et la victime qui souffrait longtemps croyait mourir de la paralysie, de la phtysie ou de quelque fièvre dévorante, selon la manière dont la préparation était faite.

L'aqua tofana causait d'ordinaire la mort sur-le-champ; la *poudre de succession* y mettait certains apprêts, des formes, du temps. Elle brûlait la poitrine; le feu gagnait les yeux, qui devenaient horriblement éclatants, pendant que tout le reste du corps vivait à peine.

A l'apparition de ce poison terrible, la mort se glissa comme un esprit implacable, morne et silencieux au foyer de maintes familles. L'amitié, la sollicitude veillaient inutilement; les êtres les plus chers étaient mystérieusement frappés. L'homme aujourd'hui florissant de santé se demandait anxieusement s'il ne serait pas le lendemain, cloué dans son tombeau. La science des médecins s'avouait vaincue.

Malheur aux heureux du monde ! Malheur aux riches, à ceux qui occupaient des positions lucratives, à l'homme qui possédait une belle femme !...à la femme qui pouvait faire des jalouses !...Le poison servait les déshérités, les envieux, les esclaves de la luxure ! Le soupçon, la crainte, la terreur venaient s'abattre sur le seuil des plus tranquilles maisons ! la défiance troublait les cœurs des époux; les enfants ne savaient plus si le respect filial les rendait justes aux yeux des parents, et les parents tremblaient pour leurs cheveux blancs.

A Paris, la terreur dura longtemps. Les mets restaient intacts sur les tables; personne n'osait vider sa coupe de vin. Chacun allait sur le marché, faire sa provision de denrées; chacun cuisait ses aliments, mangeait seul, dans sa chambre...Mais, vaines précautions!

la fatale poudre était semée sur l'oreiller qui vous invitait au sommeil, *l'aqua tofana* versée comme une rosée fraîche et subtile sur les bouquets de fleurs... que dis-je ? le pain des hôpitaux, la table frugale des couvents, les hosties consacrées, le vin du sacrifice, tout! tout fut sali, profané, souillé, par le diabolique poison !

Un jour, une petite fiole *d'aqua tofana* fut trouvée sur la table de la duchesse de la Vallière. De là, grande agitation à la cour. Une rivale jalouse qui voulait hâter la chute de l'infortunée Louise, déjà quelque peu délaissée, avait apporté secrètement cette fiole mortelle. Elle espérait que le soupçon s'élèverait implacable contre la plus douce des créatures.

L'étoile de la Montespan resplendissait à l'orient. Son lever était glorieux. L'étoile de la Vallière se couchait au milieu des nuages de l'occident. Mais le roi devina la ruse infâme, et continua à honorer de sa confiance la seule maîtresse qui l'ait aimé sincèrement et pour lui-même. Tout en lui gardant son estime, cependant, il recherchait de nouvelles amours. Louise sut alors prouver la vérité de son attachement en renonçant aux honneurs, aux richesses, aux splendeurs de la cour, pour se vêtir de bure et s'enfermer dans le cloître austère des carmélites.

Le roi, irrité de ces lâches moyens de la jalousie, alarmé à l'aspect du poison qui se glissait jusque dans son palais, institua sans délai la *Chambre Ardente*.

Cette *Chambre Ardente* était un tribunal chargé de découvrir, de juger et de faire brûler les assassins et les empoisonneurs. *La Régnie* fut le président de ce tribunal. C'était un cœur dur, un esprit soupçonneux, mais un homme habile et d'une impitoyable justice. Les empoisonneurs et les assassins se jouèrent de lui et le réduisirent au désespoir.

On voit, dans les annales criminelles de cette époque, que le disciple d'Exili, Gaudin de Sainte-Croix, fut trouvé mort dans son laboratoire, près de son creuset.

Le masque de verre qu'il portait pour se garer des exhalaisons vénéneuses, tomba et se brisa pendant qu'il surveillait une opération chimique, et les vapeurs empoisonnées qu'il aspira le tuèrent sur-le-champ. Ce fut un fil d'Ariane entre les mains de Desgrais, le chef de la police de Paris.

La correspondance de Sainte-Croix fut saisie et ses relations avec la marquise de Brinvilliers et ses rapports avec Exili furent aussitôt connus. Exili reprit le chemin de la Bastille. La marquise comparut devant la *Chambre Ardente*. Alors, dit l'abbé Pirol, son confesseur, la beauté remarquable de ses traits, l'azur de ses yeux, la blancheur de son teint, la grâce de sa démarche, lui attirèrent les vives sympathies de la populace qui trouvait incompatibles tant de charmes et tant de cruauté.

Mais *La Régnie* fut inflexible. Il la condamna à une mort affreuse. Elle subit la torture, elle eut la tête tranchée, son corps fut brûlé sur la place de Grêve et ses cendres jetées aux quatre vents du ciel. Ainsi finit la plus belle et la plus méchante des dames de la cour de Louis XIV.

Exili fut condamné à être brûlé vif, mais comme il se rendait au lieu de l'exécution, la populace l'arracha du tombereau et le mit en pièces.

Alors, pendant quelque temps, le crime eut peur, et le peuple honnête respira en paix. Ce ne fut pas long; l'arbre de la science du mal renaquit plus vivace que jamais, comme l'indestructible upas. La Voisin parut. Elle était une élève d'Exili. Sorcière et diseuse de bonne aventure, elle pratiqua de concert avec Le Sage et Le Vigoureux la magie, la nécromancie et l'empoisonnement. Sa maison fut achalandée et sa renommée se répandit au loin. La duchesse de Bouillon et la comtesse de Soissons, mère du prince Eugène, accusées d'avoir eu des rapports avec cette femme scélérate, furent bannies du royaume.

La *Chambre Ardente* reprit son œuvre de juste vengeance. Desgrais découvrit les crimes de la Voisin et de ses associés, et les bûchers s'allumèrent de nouveau sur la place de Grêve.

La coupable Voisin laissa une fille, Marie d'Exili; cette enfant, jetée sur le pavé de Paris, fut recueillie par la charité. Sa grâce était remarquable, son esprit pervers. Elle échappa bientôt à la surveillance de ses protecteurs et se mit à vivre de sa beauté. Plus tard, quand les ans commencèrent à flétrir ses charmes, elle se souvint de l'art diabolique de ses parents et se fit à son tour empoisonneuse à gage.

Elle fut enfin soupçonnée. Mais elle avait à la cour une protectrice puissante qui l'avertit du danger, et elle s'enfuit déguisée en paysanne. Elle s'embarqua pour la Nouvelle-France, sur un vaisseau qui amenait des filles honnêtes destinées à devenir les femmes des braves colons.

Elle fut accueillie avec bienveillance. Personne ne soupçonnait, sous son modeste costume et son air ingénu, la redoutable héritière de l'art maudit d'Antonio Exili et de la sorcière Voisin.

Marie Exili garda bien son secret.

Le sieur Corriveau, un riche habitant de Saint-Vallier, avait besoin d'une servante. Il la vit, la trouva parfaitement convenable, bien jolie, sans doute, et l'amena dans sa maison.

Peu de temps après, Mme Corriveau mourait. Ni le médecin, ni le curé ne purent comprendre sa maladie ou deviner la cause de sa mort.

Corriveau, devenu veuf, convola avec sa servante. Il mourut, lui aussi, dans un espace de temps bien court. Il laissait tous ses biens à sa femme. Il lui laissait aussi une petite fille qui était le portrait fidèle de sa mère.

Marie Exili, la veuve Corriveau, se consola de ses splendeurs passées et de l'amitié des grands de la cour, dans la paix profonde de sa retraite, et dans l'affection sincère de sa fille. La petite Marie Josephte avait l'instinct du mal, et elle surprit peu à peu tous les secrets que l'amour maternel aurait voulu taire.

Elle apprit à composer des poisons comme son aïeul Exili, et à faire des sortilèges comme la Voisin, sa grand-mère.

Elle se fit raconter plus d'une fois la mort de cette sorcière, et il lui semblait alors qu'elle sentait les morsures des flammes qui montaient du bûcher vengeur; elle se sentait prise de rage contre la société qu'elle accusait d'injustice.

Sortie d'une pareille source, en possession de si terribles secrets, Marie-Josephte Corriveau ne pouvait guère ressembler aux naïves paysannes de son village.

Les années suivirent les années, la jeunesse s'envola, et la petite fille d'Exili demeura seule et solitaire à son foyer déjà redouté. Elle se consumait dans l'ennui.

Alors, il circula dans la paroisse une rumeur étrange: il y avait un trésor quelque part et la Corriveau savait où le trouver. Elle seule le savait. C'était elle, la rusée commère, qui avait lancé cette menteuse rumeur. Le truc réussit.

Un habitant un peu simple et fort cupide, Louis Dodier, crut faire preuve de flair et de tact en épousant la femme qui possédait un tel secret.

Le mariage fut peut-être béni, mais il demeura stérile. Nul ange ne vint tendre ses petits bras comme pour exciter la tendresse maternelle, et amollir la dureté de ce cœur. La femme Dodier maudit sa stérilité, et livra son âme à toutes les passions mauvaises. Mais elle fut aussi adroite que méchante, et sut longtemps déjouer les soupçons. Elle faisait une aumône par ostentation, et les bonnes gens l'attribuaient à la charité; elle disait la bonne aventure aux jeunes filles, et les jeunes filles la trouvaient aimable; elle avait des paroles vides comme des bulles d'air, mais parées des plus vives couleurs de l'amitié.

Elle était haïe et redoutée de ses voisins.

Néanmoins, bien qu'on fit le signe de la croix sur la chaise où elle s'asseyait, on lui souhaitait la bienvenue quand elle entrait, et le bonsoir quand elle sortait. Elle allait chez le riche et chez le pauvre; elle faisait des dupes partout, et partout, au lieu de la maudire, on lui donnait de l'argent ou des remerciements.

Elle se croyait au-dessus de tous les gens qui l'entouraient, à cause des horribles secrets de famille qu'elle savait, et elle se disait avec une superbe étrange, qu'ils ne vivaient tous que par sa permission. Elle pouvait les anéantir en un clin d'œil. Il y avait quelque chose de sublime dans cette satanique vanité.

Pour elle, l'amour ne fut qu'un moyen d'arriver à ses fins cupides. Elle ne le ressentit jamais et ne s'occupa jamais de l'inspirer, excepté par intérêt. Tous les sentiments nobles s'étaient éteints dans son âme comme la flamme d'une lampe où il n'y a plus d'huile. Seules au fond de son cœur grouillaient l'avarice sordide avec la haine de la société.

Sa mère, Marie Exili, sur le point d'expirer, l'avait appelée auprès d'elle pour lui commander de ne point se livrer à la pratique des sciences occultes, mais de s'attacher à son mari, et de vivre comme une honnête femme, afin de ne pas mourir de la mort désespérée de ses aïeuls.

Marie-Josephte écouta patiemment sa mère, mais agit à sa guise. Le sang d'Antonio Exili et de la Voisin qui coulait dans ses veines ne pouvait se calmer à la voix tardive de cette moribonde. Puis, elle voulait se venger de quelques ennemis. La société de son mari l'ennuyait, elle ne trouva plus assez d'émotions dans la pratique de la magie et de l'horoscope et elle se souvint qu'elle était née sorcière et empoisonneuse.

Telle était la femme qu'Angélique des Meloises appelait à son secours, à l'heure des sombres perplexités où elle se trouvait.

Angélique n'était pas encore sans éprouver des craintes et des remords. Sa conscience se réveillait toujours, et c'est en vain qu'elle s'efforçait de l'étouffer.

Elle avait, la malheureuse fille, caressé le crime dans sa pensée, mais jamais encore elle ne l'avait touché de sa main vierge. Elle s'aveuglait sur l'énormité du forfait qu'elle préparait, et se faisait accroire qu'elle serait moins coupable s'il était accompli par une autre main que la sienne. Elle prenait Dieu à témoin qu'elle ne voulait pas persévérer dans le mal. Elle commettrait cette faute, mais rien que celle-là, jamais d'autres ! Sa rivale disparue, elle vivrait saintement et ferait pénitence. Elle n'aurait plus de tentations. Elle se purifierait par son mariage avec Bigot, par sa position de grande dame dans la colonie, par son ascension au ciel de la cour de Versailles !...

Beaumanoir et ses souvenirs odieux disparaîtraient dans la distance et la nuit du temps. Hélas ! c'est toujours ainsi que l'esprit malin s'efforce de nous abuser. Une faute, c'est peu de chose, un pas à côté de la voie droite, ce n'est pas aller loin. Il y a encore du mérite à s'arrêter là; l'entraînement est si vif, la Providence, réellement, nous devra récompenser de notre bonne volonté !

Fanchon Dodier partit de bonne heure pour aller trouver la Corriveau, comme le voulait Mlle des Meloises. Elle ne traversa pas le fleuve pour suivre ensuite la route trop fréquentée de Lévis à Saint-Vallier, mais elle se rendit au quai de la Friponne où l'attendait un canot avec deux Indiens.

Elle évitait ainsi des rencontres qui pouvaient devenir un sujet d'embarras. Il fallait tout prévoir, et Angélique n'avait rien oublié.

Elle n'avait pas oublié, non plus, que si la Corriveau la servait pour de l'argent, pour de l'argent elle pouvait aussi la trahir. Il était donc sage de la rendre solitaire.

Sur la grève de Stadacona, comme on appelle encore la batture de la rivière Saint-Charles, il y avait toujours un certain nombre d'Indiens demi-civilisés, mais profondément corrompus. C'étaient des canotiers, et jamais sur la mer ou les rivières, nul homme ne sut conduire un canot et manier une pagaie comme eux. Si les passagers étaient nombreux et la recette bonne, ils fumaient, jouaient aux dés et buvaient joyeusement; si la fortune se montrait revêche, ils s'enveloppaient dans leur couverte de laine blanche pour dormir paresseusement. Ils exerçaient leur métier honnêtement, toutefois, et se sentaient fiers de la confiance que l'on mettait en leur parole.

Fanchon les connaissait un peu. Elle s'embarqua sans crainte et s'assit sur la peau d'ours, tendue comme un tapis, au fond du canot d'écorce.

Les Indiens poussèrent au large. Mornes, silencieux, suivant leur habitude, ils répondaient à peine aux éternelles questions de la jeune messagère qu'ils avaient ordre de conduire à Saint-Vallier. La mer commençait à baisser et leur canot glissait comme une feuille sur le courant rapide. Ils se mirent bientôt à chanter en langue sauvage, et d'une voix sourde, ce refrain monotone et cadencé :

Ah ! ah ! Tenaouich tenega !
Tenaouich tenega, ouich ka !

et tout en le chantant, ils plongeaient tour à tour leurs pagaies dans les vagues du fleuve et la lumière du soleil.

Fanchon pensa :

—C'est à mon sujet qu'ils chantent, bien sûr. Mais je m'occupe bien de cela ! Il n'y a pas de chrétiens qui parlent jargon ! C'est assez pour faire sombrer le canot. Puisqu'ils ne veulent pas causer avec moi, je vais réciter des *Pater* et des *Ave*, je vais me recommander à la bonne sainte Anne pour qu'elle m'obtienne la grâce de faire un bon voyage.

Et elle commença une série de prières toujours interrompues par de nouvelles distractions.

Toujours ramant, toujours chantant, les deux Sauvages passèrent les vertes collines de la rive sud et les bords de l'île d'Orléans couronnée de forêts et baignée de lumière, et bien avant midi, ils vinrent s'arrêter au fond de l'anse de Saint-Vallier.

Fanchon sauta sur la grève. Elle se mouilla un pied en sautant ainsi, et cela lui fit perdre un peu sa bonne humeur. Ses conducteurs ne l'avaient pas aidée. Dans l'opinion des Indiens, c'est la femme qui doit aider l'homme, et elle n'a besoin de personne.

La galanterie des Français envers les femmes leur a toujours paru une chose absurde, incompréhensible, et rien jamais n'a pu modifier leur manière de voir à ce sujet.

—Ce n'est pas que je tienne à toucher ces mains de Sauvages, murmura Fanchon, mais ils auraient dû quand même se montrer mieux élevés ! Puis elle continua, en relevant le bord de sa robe pour montrer un pied gentiment fait, mais trempé jusqu'à la cheville. Voyez donc ! Ils devraient savoir qu'il y a de la différence entre leurs *squaws boucanées* et une fille de la ville. Si elles ne valent pas la peine qu'on se dérange pour elles, nous, c'est différent. Mais ces Sauvages ne sont bons qu'à tuer des chrétiens ou à se faire tuer. J'aimerais autant faire la révérence à un ours qu'à un Indien.

Les Sauvages laissèrent tomber sur son pied humide un regard profondément indifférent, prirent leur pipe, s'assirent sur le bord du canot et se mirent à fumer en silence.

—Vous pouvez vous en retourner, leur dit Fanchon, sèchement. Je reste ici; je ne remonte pas avec vous autres. Je prie le bon Dieu qu'il vous blanchisse !

C'est toujours bien comme rien d'attendre quelque chose de bon d'un Sauvage.

—Marie-toi avec moi, sois ma *squaw*, Ania, répliqua l'un des canotiers en riant finement, le bon Dieu blanchira nos pappooses (enfants) et leur donnera les belles manières des visages pâles.

—Ouais ! je ne t'épouserais pas pour tout l'or du roi ! Comment ! prendre un Sauvage pour porter les fardeaux comme Fifine Pérotte ! j'aimerais mieux mourir ! je te trouve bien hardi, Paul Lacrosse, de me parler de mariage. Retourne à la ville. Je n'oserais plus remettre les pieds dans ton canot. Il fallait du courage pour y venir d'abord; mais c'est Mademoiselle qui vous a choisis, ce n'est pas moi. Je ne vois pas pourquoi je n'aurais pas préféré les frères Belleau, les plus beaux garçons de Québec, qui étaient là, à flâner sur la batture avec leur embarcation.

—Ania est la nièce de la vieille femme à la médecine, qui reste à Saint-Vallier, dans le wigwam de pierre. Elle va la voir, hein ? demanda l'autre Indien avec un brin de curiosité.

—Oui, je m'en vais voir ma tante Dodier: pourquoi pas ? Il y a des pots remplis d'or enterrés dans sa cave, Pierre Ceinture. Je puis bien te dire cela.

—Des pots pleins d'or ! ho ! oui ! Ania va en demander à la Corriveau, de l'or, hein ? fit Paul Lacrosse.

—La Corriveau a de la médecine et tout; apportes-en, hein ? ajouta Pierre Ceinture.

—Je ne vais chercher ni or, ni médecine, je vais voir ma tante; si cela te regarde, Pierre Ceinture, je ne vois pas trop quelle chose au monde ne te regarde pas, riposta Fanchon, un peu aigrement.

—Mlle des Meloises donne de l'argent à Ania pour aller à Saint-Vallier, mais pas pour revenir, hein ? demanda Paul Lacrosse.

—Mêle-toi de tes affaires, Paul, et je m'occuperai des miennes. Mlle des Meloises vous paie pour me conduire à Saint-Vallier et non pour me débiter des impertinences. C'est assez. Voici votre argent; maintenant, vous pouvez retourner à la rue du Sault-au-Matelot et vous saouler comme il faut, si le cœur vous en dit.

—Ça, c'est bon ! dit l'un des Sauvages. J'aime à me saouler, et cette nuit on boira ! Tu aimerais à me voir, hein ? Ce serait mieux que d'aller voir la Corriveau... Les habitants disent qu'elle parle au diable, la Corriveau, et qu'elle envoie des maladies sur les wigwams des hommes des bois. Ils disent, les habitants, qu'elle est capable de tuer les Blancs rien qu'à les regarder. Les Indiens ne sont pas si aisés à tuer que cela, eux ! C'est l'eau de feu qui les tue, l'eau de feu, le tomahawk ou le fusil.

—C'est encore bon qu'il se trouve quelque chose pour vous détruire, race mal élevée ! riposta Fanchon. Regardez donc mes bas ! Ah ! si je raconte à la Corriveau ce que tu dis d'elle, Pierre Ceinture, il y aura de la peine dans ta cabane.

—Ne fais pas cela, Ania, hein ! supplia le Sauvage en faisant le signe de la croix. Si tu le contes, vois-tu, la Corriveau fera une figure de cire qu'elle appellera Pierre Ceinture, et elle la mettra devant le feu pour la faire fondre; et à mesure qu'elle fondra, moi, vois-tu, je dépérirai. Ne fais pas cela, hein !

Pierre Ceinture croyait sincèrement à cette folle superstition qu'il avait recueillie chez les habitants.

—C'est bon ! laissez-moi; retournez à la ville et dites à Mlle des Meloises que je me suis rendue heureusement.

Les deux Indiens ressentirent une certaine inquiétude. L'air de Fanchon ne les rassurait point ; au contraire. Ils songeaient à la Corriveau dont le pouvoir surnaturel pouvait les atteindre sous les bois les plus épais, et dans les retraites les plus éloignées. Ils firent un salut à la jeune fille, puis sans parler, ils poussèrent leur canot dans le fleuve et remontèrent vers la ville.

Fanchon Dodier se trouvait au pied d'une colline en pente très douce, où soufflait une brise fraîche, où s'étendaient des prairies et des champs de blé. Une longue file de maisons blanches, traversant la campagne, se découpait sur le fond vert des prés et tout à coup, au loin, devenait plus drue , comme pour former un petit village autour de l'église paroissiale. L'église s'élevait à l'intersection de deux ou trois chemins. L'un de ces chemins, assez étroit et couvert de gazon usé par les voitures, conduisait à la maison de pierre de la Corriveau, dont la cheminée apparaissait au moment où l'on perdait de vue le clocher. Le grand chemin, avec des maisons échelonnées de chaque côté se prolongeait loin, en se rétrécissant toujours jusqu'à ce qu'il parut comme un fil blanc dans la forêt sombre.

La maison de la Corriveau était bâtie dans un trou; on ne la voyait pas de l'église, et c'est à peine si le son de la cloche bénite ondulait jusque-là. Elle était incommode et sombre, avec ses étroites fenêtres et sa porte inhospitalière. Elle s'appuyait à la forêt. Un ruisseau tapageur se repliait comme un serpent pour l'enlacer. Devant la porte, un petit clos de verdure en désordre, mal cultivé ; des plantes aromatiques avec des mauvaises herbes: de la barbane, du fenouil odorant, des chardons, du stramonium infect. Tout cela, entouré d'un petit mur de cailloux entassés au hasard et sans mortier. Au milieu de ce clos s'élevait un arbre et sous cet arbre, dans un vieux fauteuil, une vieille femme morose et songeuse. C'était Marie-Josephte Dodier surnommée la Corriveau.

La Corriveau était grande, droite, basanée. Elle avait les cheveux et les yeux extrêmement noirs. Ses traits n'étaient pas repoussants; elle avait été belle un jour; ses regards n'avaient rien de désagréable, au repos, quand ils n'étaient point chargés de haine. Ses lèvres minces et cruelles ne riaient jamais, excepté à l'aspect du gain.

Lorsque Fanchon arriva dans le petit enclos, la Corriveau portait une robe d'étoffe brune, découpée avec un goût remarquable. Elle tenait de sa mère ce reste d'amour de la toilette et de la propreté. Des souliers assez petits la chaussaient presque coquettement comme une dame, disaient les habitants. Elle ne traînait jamais de sabots et n'allait jamais nu-pieds comme la plupart des autres femmes. Elle était fière de ses pieds et se disait avec amertume et regret qu'ils auraient pu faire sa fortune, ailleurs qu'à Saint-Vallier.

Elle était là, la tête basse et songeuse, ne s'apercevant pas de la présence de sa nièce, qui la regardait et n'osait parler. Elle avait un air dur, redoutable. Ses doigts, pendant qu'elle songeait ainsi, obéissaient à des mouvements vifs, nerveux, comme si elle eut joué à la mora avec quelque mauvais génie. Exili, son aïeul, faisait aussi cet involontaire mouvement des doigts, et les gens disaient qu'il jouait à la mora avec le diable son fidèle compagnon.

Elle marmottait quelque chose. Elle aimait à outrager son sexe dans le refrain d'une sale chanson de Jean de Meung qu'elle fredonnait alors:

> Toutes vous êtes, serez ou fûtes,
> De fait ou de volonté putes!

—Ce n'est pas joli, tante, de dire cela, exclama Fanchon en se précipitant pour embrasser la vieille, ce n'est pas joli cela, et ce n'est pas vrai...

La Corriveau fit un bond à la vue de sa nièce.

—Si ce n'est pas joli, c'est vrai, affirma-t-elle. Il n'y a rien de bon à dire de notre sexe, et les hommes qui le vantent sont des fous. Mais, continua-t-elle, en la regardant avec des yeux perçants comme des vrilles, quel vent mauvais ou quelle diabolique affaire t'amène aujourd'hui à Saint-Vallier, Fanchon ?

—Ni vent mauvais, ni diabolique affaire, tante ! je viens de la part de ma maîtresse pour vous demander de monter à Québec. Elle veut vous consulter au sujet de certaines choses et elle se ronge les ongles d'impatience en vous attendant.

—Et comment se nomme cette personne qui ose ainsi, sans plus de gêne, donner des ordres à la Corriveau ?

—Ne vous fâchez pas, tante, c'est moi qui l'ai conseillée de vous mander près d'elle, et je me suis offerte pour venir au-devant de vous. Ma maîtresse est une grande dame qui s'attend bien de monter encore; c'est Mlle Angélique des Meloises.

—Mlle Angélique des Meloises ! On la connaît !... Une grande dame, en effet... qui finira par descendre assez bas ! Une mijaurée aussi vaine que belle qui voudrait épouser tous les hommes de la Nouvelle-France et tuer toutes les femmes qui se trouvent sur son chemin. Au nom du sabbat, que peut-elle vouloir de la Corriveau !

—Elle n'a pas dit un mot contre vous, tante, et je vous prie de ne pas la traiter de cette façon; vous me faites peur et je n'oserai pas m'acquitter de mon message. Mlle des Meloises m'a chargée de vous donner cette pièce d'or, comme garantie de l'importance de ma mission et de son sincère désir de vous voir.

Fanchon défit un nœud dans le coin de son mouchoir et tira un beau louis d'or qu'elle glissa dans la main de sa tante. La Corriveau saisit de ses doigts crochus comme un pied de harpie, le précieux métal et le fit miroiter avec délice.

—Il y a trop longtemps, dit-elle, que je n'ai vu pareille pièce d'or pour ne pas la tenir comme il faut !

Et elle cracha dessus pour la chance.

Fanchon, toute rassurée, lui dit alors qu'il y en avait bien d'autres louis d'or comme celui-là, dans la maison d'où elle venait.

—Mademoiselle pourrait en remplir votre tablier, tous les jours, si elle le voulait, ajouta-t-elle... Elle va se marier avec l'intendant.

—Se marier avec l'intendant ! exclama la Corriveau,

vraiment !... C'est peut-être pour cela qu'elle veut me voir tout de suite... Je comprends... Se marier avec l'intendant !... Si l'affaire réussit la Corriveau aura de l'or... beaucoup d'or !...

—Peut-être que c'est cela, en effet, tante; je le voudrais bien. Aujourd'hui cependant elle désire vous consulter pour autre chose. Elle a perdu ses bijoux au bal et elle désire que vous l'aidiez à les retrouver.

—Elle a perdu ses bijoux, dis-tu ? Est-ce qu'elle t'a recommandé de me dire cela, qu'elle a perdu ses bijoux ?

—Oui, ma tante, c'est ce qu'elle m'a chargée de vous dire.

La Corriveau devina qu'un autre motif se cachait derrière celui-ci.

—Une histoire bien vraisemblable ! murmura la Corriveau. Croire qu'une femme aussi riche va prendre la peine de m'envoyer chercher à Saint-Vallier, pour que je l'aide à retrouver quelques bijoux ! N'importe, laissons faire. Fanchon, je vais aller à la ville avec toi. Je ne refuse pas une si bonne offre. Il y a de l'or pour toutes les femmes. J'en ai toujours eu moi. Tu en auras aussi toi, à ton tour, si tu sais ouvrir les mains à propos.

—Ce serait le temps, maintenant, ma tante ; mais comment voulez-vous ? des pauvres filles en service n'ont pas beaucoup d'avantages. Nous sommes heureuses encore d'accepter la main... même quand elle est vide. Les hommes sont si rares aujourd'hui, à cause de la guerre, qu'ils pourraient avoir autant de femmes qu'ils ont de doigts si cela était permis. J'ai entendu dire à la mère Tremblay—et je crois qu'elle avait raison —que l'Eglise ne considérait pas la moitié assez notre position.

—La mère Tremblay ! la charmante Joséphine du lac Beauport, cette vaurienne qui aurait voulu se faire sorcière et n'en fut pas capable ! s'écria la Corriveau. Satan n'en voudrait pas, ajouta-t-elle, avec un air de mépris profond. Est-elle encore ménagère et chambrière à Beaumanoir ? demanda-t-elle.

Fanchon était assez honnête pour ne pas aimer ce langage injurieux.

—Ne parlez pas ainsi, tante, observa-t-elle, la mère Tremblay n'est pas méchante. Bien que je l'aie quittée pour aller servir Mlle des Meloises, je n'ai rien de mal à dire contre elle.

—Pourquoi as-tu quitté Beaumanoir ? demanda la Corriveau.

Fanchon réfléchit un moment, et elle crut qu'il valait mieux ne pas dire tout ce qu'elle savait. La Corriveau en apprendrait assez long d'Angélique. Dans tous les cas, Mlle des Meloises dirait ce qu'elle voudrait.

—Pour dire la vérité, ma tante, répondit-elle, je n'aimais pas dame Tremblay, j'aimais mieux demeurer dans la compagnie de Mlle Angélique. Mlle Angélique est une beauté, vous savez, et les toilettes qu'elle porte sont encore plus belles que celles des livres de modes de Paris. Je les vois ces livres, ils sont toujours sur sa table. Puis elle me permet de copier des patrons et de porter les robes qu'elle ne met plus; des robes plus belles encore que les robes neuves des autres dames.

La Corriveau donna quelques petits coups de tête en signe d'approbation.

—Elle est assez libérale, fit-elle, elle donne ce qui ne lui coûte rien et prend tout ce qu'elle peut avoir. Tiens, Fanchon, elle est comme les autres ! Toutes les femmes seraient bonnes, parfaites, s'il n'y avait dans le monde ni hommes, ni argent, ni toilettes!

—Vous parlez trop mal, s'écria Fanchon, irritée, je ne vous écouterai plus...j'entre voir mon vieil oncle Dodier. Il me regarde par la fenêtre depuis dix minutes et n'ose pas venir me parler. Vous êtes un peu trop dure pour le pauvre vieux, tante... Pourquoi donc l'avez-vous épousé si vous ne pouvez pas l'aimer un peu ?

—Pourquoi ? parce que je voulais avoir un mari, et qu'il voulait avoir mon argent... Voilà ! Le marché a été conclu de part et d'autre franchement...

Et la vieille se mit à rire ! à rire ! Et il y avait quelque chose d'horrible, d'infernal dans sa joie.

—Je croyais qu'on se mariait pour être heureux, reprit Fanchon.

—Heureux ! quelle sottise ! C'est le diable qui fait les mariages pour augmenter le nombre des pécheurs et nourrir le feu de l'enfer.

—Ma maîtresse dit qu'il n'y a rien comme une union bien assortie pour assurer le bonheur, et je le crois; aussi, je ne manquerai pas la première occasion, tante, je vous l'assure !

—Tu es folle, Fanchon ! Ta maîtresse mérite de porter l'anneau de Cléopâtre et d'être la mère d'une race de sorciers et d'arlequins... Pourquoi m'a-t-elle envoyé chercher ? dis, sérieusement.

Fanchon se signa en disant :

—Dieu la préserve tante; elle ne mérite pas cela !

La Corriveau cracha cyniquement à ce nom sacré.

—Mais que veux-tu que j'y fasse ? répondit-elle, c'est en elle, cela, Fanchon, c'est en nous tous ! Si elle n'est pas méchante aujourd'hui, elle le sera demain. Mais, tiens, entre; va voir ton imbécile d'oncle; je vais faire mes préparatifs de voyage. Nous partirons immédiatement. Des affaires comme celles d'Angélique des Meloises ne se retardent point.

XXXIV

LES PARQUES

Fanchon se dirigea vers la maison pour aller voir son oncle. Alors, dès qu'elle fut seule, la Corriveau prit une expression épouvantable, et ses yeux, pleins d'un feu sombre, se fixèrent sur le sol comme pour regarder les abîmes intérieurs.

Elle demeura ainsi pendant quelques minutes, les bras croisés sur la poitrine, morne, ouvrant et fermant les doigts par une secousse nerveuse, et comme pour accompagner le mouvement mesuré de son pied qui frappait la terre.

—C'est pour tuer, ce n'est pas pour chercher des bijoux que cette fille a besoin de moi, grinça-t-elle.

Et l'ivoire de ses dents parut comme un éclair livide entre ses lèvres minces et cruelles. Elle continua:

—Elle a une rivale et elle veut que je l'en débarrasse charitablement, en lui servant de la manne de l'aïeul Nicolas. Angélique des Meloises est audacieuse, fausse et rusée comme vingt femmes, et elle est discrète comme une nonne. Elle est riche, ambitieuse et elle empoisonnerait volontiers la moitié du genre humain pour arriver à ses fins. Elle est une femme selon mon cœur et mérite que je m'expose avec elle... Si elle réussit dans son projet, elle aura des richesses immenses... et moi, en possession de son secret, je la tiendrai bien ! moi, je serai sa maîtresse et la maîtresse de toute sa fortune ! de tout son or ! de tout son or ! Et puis...

Elle revit d'un coup d'œil la destinée fatale de ses aïeux...

—Et puis, ajouta-t-elle, j'aurai peut-être besoin, un jour de la protection de l'intendant...qui sait ?

Un frisson étrange lui passa dans les veines, mais elle se remit aussitôt.

—Je sais ce qu'elle veut, reprit-elle, je vais en emporter ! Elle connaîtra le secret de Béatrice Spara; ce sera ma sauvegarde ! Elle est digne de le savoir, tout aussi digne que la Brinvilliers !

La Corriveau entra dans sa chambre, ferma la porte sur elle, tira de son sein un paquet de clefs et se dirigea vers un meuble de forme singulière rangé dans un coin. Ce meuble était d'un bois noir importé d'Orient. Un vieil ouvrier italien, fort habile, y avait sculpté des figures étranges, d'après des dessins étrusques, et l'avait muni de tiroirs secrets et de cachettes invisibles.

Il avait appartenu à Antonio Exili, qui le fit confectionner, pour y serrer, disait-il, ses formules cabalistiques et ses préparations alchimiques, quand il cherchait la pierre philosophale et l'élixir de vie; mais en réalité, pour y cacher les drogues d'où ses alambics tiraient *l'aqua tofana*, et ses creusets la *poudre de succession*.

Dans le coin le mieux dissimulé de ce meuble, se trouvaient quelques petites fioles remplies d'un liquide cristallin, dont chaque goutte pouvait détruire une existence. La Corriveau prit ces fioles et les plaça soigneusement dans un coffret d'ébène pas plus grand qu'une main de femme. Il y avait déjà dans ce coffret plusieurs petits flacons de pilules, semblables à de la graine de moutarde. C'étaient des essences de poisons qui, mêlés à *l'aqua tofana*, donnaient au meurtre infâme toute l'apparence d'une mort naturelle.

Dans ce coffret d'ébène se trouvait aussi le sublimé d'une poussière noire, mortelle, qui servait à tempérer les rougeurs ardentes de la fièvre et à faire pourrir la racine de la langue. Là encore, la fétide poudre de stramonium, qui s'attache aux poumons et fait râler comme l'asthme; la quinine qui glace et fait trembler comme les miasmes des marais pontins; l'essence de pavot dix fois sublimé qui tue comme l'apoplexie; et enfin cette plante sardonique qui donne à la victime le rire douloureux de la folie.

La connaissance de toutes ces plantes, de toutes ces herbes maudites, avec le moyen de s'en servir et de pratiquer les enchantements, venaient d'abord de Médée de Colchide, qui s'enfuit avec Jason. La Grèce et Rome ensuite furent en possession de la fatale science. Puis une longue succession d'empoisonneurs et de sorciers la fit descendre, après des siècles, jusqu'à Exili, et à Béatrice Spara qui la léguèrent à la Corriveau.

Mais la Providence ne cessa jamais de s'élever contre les projets des méchants. Elle sait tirer le bien du mal et désire la réhabilitation de l'homme. En face des actions coupables elle place les bonnes œuvres, en face du mensonge la vérité.

Les recherches des alchimistes et des empoisonneurs conduisirent à des découvertes chimiques importantes, et des hommes de bien utilisèrent, pour sauver leurs semblables, ces drogues redoutables qui, jusque-là, n'avaient servi qu'à les tuer. L'axiome *similia similibus curantur* devint l'étendard ou le cri de ralliement des plus illustres écoles de médecine.

La Corriveau ouvrit un autre tiroir secret et en tira, d'une main hésitante, comme si elle n'eut pas été tout à fait décidée, un petit stylet luisant, aigu, dont la seule vue faisait passer du froid dans les veines. Elle en toucha la pointe avec son pouce, machinalement, par habitude, et le cacha dans sa robe.

—Cela peut servir, murmura-t-elle. . . pour me défendre, ou pour achever mon œuvre. Béatrice Spara aimait mieux ce stylet que le poison.

Elle se révéla satisfaite d'avoir tout prévu, plaça le coffret dans sa poitrine et sortit de sa chambre.

L'avenir lui souriait en ce moment-là. D'abord, il y avait l'appât de l'argent, puis l'honneur d'essayer son habileté et d'exercer son art sur une grande dame, comme le faisaient Exili et la Voisin, au temps glorieux de Louis XIV.

Elle était prête et ne demandait plus qu'à partir.

Le bonhomme Dodier amena la calèche à la porte de la maison.

C'était une lourde voiture à deux roues, portée sur des ressorts de frêne. Le cheval, un vigoureux poney normand, lisse, lustré, bien harnaché, était évidemment l'objet des prédilections de son maître, et paraissait fort sensible à ses caresses.

La Corriveau monta dans la calèche avec une agilité remarquable pour son âge, s'assit à côté de Fanchon, et donna du fouet au cheval qui partit comme une flèche.

—Pourquoi du fouet ? murmura le bonhomme en branlant la tête... un cheval si vigoureux !

Bientôt les deux femmes furent hors de vue.

Angélique ne sortit pas de la journée. Les heures lui parurent longues et la pensée de sa confiante rivale fut sans cesse comme un fardeau pesant qui l'écrasait.

La nuit arriva. Les lampes furent allumées et la flamme de l'âtre prit une teinte de sang dans l'obscurité.

Angélique avait défendu sa porte. Pas d'exception !

Elle avait donné congé à Lisette pour jusqu'au lendemain, et elle attendait la Corriveau avec anxiété.

Sa magnifique robe de bal gisait toujours négligemment sur le plancher où la veille, elle l'avait laissé tomber comme sa robe d'innocence !

Elle était belle, mais son expression cruelle rappelait Médée jurant de se venger de Créuse. Un de ses bras était nu, ses cheveux d'or tombaient jusqu'à terre, ses lèvres serrées indiquaient une résolution inébranlable, ses yeux flamboyaient, ses mains jointes se crispaient comme du fer sur un brasier, et ses pieds semblaient marquer les mesures du chant de mort qui montait du fond de son âme.

Une pensée de pitié se réveilla un instant: elle la chassa.

—Si elle ne meurt pas, se dit-elle, moi, je mourrai !... Nous ne pouvons plus vivre toutes deux. L'une de nous est de trop ! Et je le tuerais lui aussi s'il hésitait dans son choix ! Mais que son sang retombe sur elle-même et sur lui !... Non, ce n'est pas moi qui l'ai voulu.

L'insensée ! elle s'aveuglait au point de rejeter sur ses victimes le crime qu'elle méditait ! au point de se croire presque innocente quand elle aurait payé une main étrangère pour le perpétrer ! Comme si elle pouvait se mentir à elle-même, comme si elle pouvait tromper l'œil de Dieu !

—Pourquoi, se disait-elle, pourquoi cette femme s'est-elle trouvée sur mon chemin ? Pourquoi est-elle allée à Beaumanoir ? Pourquoi Bigot m'a-t-il refusé une lettre de cachet ? Je ne lui aurais pas fait de mal à cette étrangère; je l'aurais seulement envoyée loin d'ici.

Elle s'assit et demeura silencieuse. L'horloge, dans le calme profond, faisait entendre son tic tac régulier, presque lugubre. Le vent soufflait à la fenêtre, un grillon sous le foyer de pierre jetait son cri monotone; dans le bois de la cloison, la vrillette invisible bruissait comme une montre qui aurait marqué les secondes pour les morts. Dehors, la cloche du couvent sonna minuit et le chien se mit à hurler dans la cour.

Aussitôt, Angélique entendit le craquement léger d'une porte qui s'ouvre avec précaution, et le frôlement d'une robe sur les marches de l'escalier. Elle frissonna, puis, se levant comme si elle avait été poussée par un ressort, elle murmura avec terreur :

—La voici ! Elle est venue ! et avec elle tous les démons qui aiment le meurtre !

Un coup fut aussitôt frappé dans sa porte, et d'une voix qui s'efforçait en vain de paraître assurée, elle dit d'entrer.

Fanchon ouvrit la porte, fit une révérence et introduisit la Corriveau qui s'avança d'un pas ferme et se trouva bientôt en face d'Angélique.

Les deux femmes se regardèrent instinctivement, curieusement, profondément, comme pour surprendre leurs plus intimes pensées. Elles se devinèrent et comprirent qu'elles pouvaient compter l'une sur l'autre, pour le mal sinon pour le bien.

Ce fut un pacte entre elles, avant qu'une parole fut prononcée, et les esprits mauvais qui les possédaient se serrèrent la main.

Et cependant, comme ces deux créatures étaient différentes l'une de l'autre aux yeux des hommes ! Mais comme elle se ressemblaient aux yeux de Dieu qui sonde les cœurs et les reins !

Angélique, rayonnante de jeunesse et de beauté, avec sa chevelure d'or comme une couronne de lumière autour de la tête, avec ses grâces parfaites, faisait aimer l'œuvre du Créateur et bénir sa puissance.

La Corriveau, sévère, noire, anguleuse, la figure sillonnée de lignes cruelles, perverses; la Corriveau, sans pitié dans le regard, sans pitié sur les lèvres, sans pitié dans le cœur, de glace pour la vertu, de feu pour le mal faisait haïr l'humanité.

Et cependant, ces deux femmes étaient comme deux esprits nés du même souffle.

L'une aurait pu être l'autre. L'orgueilleuse beauté ne possédait pas un meilleur cœur que la Corriveau, et la sorcière de Saint-Vallier n'aurait pas été moins séduisante, ni moins ambitieuse qu'Angélique, si elle fut née riche et belle.

La Corriveau salua Mlle des Meloises. Celle-ci fit signe à Fanchon de se retirer. Fanchon sortit à regret, car elle avait espéré assister à l'entrevue de sa tante avec Angélique. Elle soupçonnait quelque chose de plus intéressant que la perte des bijoux.

Angélique invita la Corriveau à ôter son chapeau et son manteau; puis elle s'assit près d'elle dans sa chaise moelleuse, et la conversation commença. Une conversation banale, insignifiante, qui dura longtemps. Elles semblaient avoir peur l'une et l'autre d'aborder le sujet véritable qui les réunissait à cette heure de la nuit.

—Madame est bien la plus belle que j'aie vue, toutes les femmes l'admettent, tous les hommes le jurent, commença enfin la Corriveau.

Et sa voix âpre et dure grinça comme la porte de l'enfer qu'elle entrouvrait avec cette parole flatteuse.

Angélique sourit pour toute réponse. Un compliment, même de la Corriveau, c'était toujours un compliment; mais elle éprouvait une poignante anxiété; elle marchait au bord de l'abîme. Encore une minute et il lui faudrait s'y précipiter. L'explication allait venir.

La Corriveau continua avec cette intonation captieuse qu'elle prenait pour faire des dupes :

—Vous pouvez tout espérer en ce monde, mademoiselle, vous pouvez aspirer à la plus haute fortune : et pour cela, nul besoin de sorciers, ni de sortilèges, vos charmes incomparables suffisent ! Les plus belles perles de la mer ne pourraient rien ajouter à la richesse et à l'éclat de votre étonnante chevelure !...Permettez-moi de la toucher un peu, mademoiselle.

La Corriveau souleva une tresse épaisse et la mit en regard de la lumière; les cheveux eurent des reflets d'or. Angélique se retira vivement, comme sous la morsure du feu, arracha sa tresse des mains de la sorcière, et frémit d'horreur et de honte.

C'était le dernier avertissement de son ange gardien.

—Ne touchez pas à mes cheveux ! s'écria-t-elle avec vivacité. J'ai joué mon âme et ma vie sur un coup de la fortune, mais j'ai consacré ma chevelure à Notre-Dame de Sainte-Foy. Elle n'est plus à moi; n'y touchez pas, Mme Dodier.

Angélique, toute jeune, s'était en effet agenouillée devant la niche de la Madone, à Sainte-Foy, pour faire le sacrifice de sa plus belle parure.

—Je veux la garder pure, continua-t-elle; je dois la garder pure, vous le comprenez. Ainsi, bonne dame

Dodier, pardonnez-moi ce mouvement un peu vif; ne soyez pas fâchée.

—Bah ! riposta la Corriveau avec une moue dédaigneuse, je ne me fâche pas pour si peu, et je suis accoutumée à ces bizarreries d'humeur. Ceux qui réclament mes services se brouillent toujours avec eux-mêmes avant de s'accorder avec moi.

—Savez-vous pourquoi je vous ai fait venir, à pareille heure, bonne dame Dodier ? demanda Angélique, brusquement.

—Appelez-moi la Corriveau; je ne suis pas la bonne dame Dodier ! Mon nom est maudit et je l'aime à cause de cela ! Et vous aussi, mademoiselle, vous devriez le préférer, car ce n'est pas pour une œuvre sainte que vous m'avez mandée. Du moins, les gens qui prient ne l'appelleraient point ainsi. Vous voulez que je vous aide à retrouver vos bijoux ? Est-ce bien cela ?

La Corriveau n'en croyait rien, c'était visible.

—C'est ce que j'ai dit à Fanchon. Il fallait un prétexte. Je savais bien que vous devineriez un motif plus sérieux. On ne fait pas venir une femme de Saint-Vallier à Québec, pendant la nuit, pour chercher quelques misérables joyaux.

—C'est bien ce que je pensais, fit la sorcière, en montrant dans un sourire sardonique, une rangée de dents blanches aussi menaçantes que celles des fauves. C'est bien ce que je pensais ! Le joyau que vous avez perdu, c'est le cœur de votre bien-aimé, et vous espérez que la Corriveau va vous le rendre au moyen de quelque charme. N'est-ce pas cela ?

Angélique se dressa soudain, puis, fixant audacieusement la vieille femme :

—Oui, exclama-t-elle, c'est cela !... c'est plus que cela !... Ne devinez-vous point ? Vous êtes sagace, pourtant, et vous n'avez pas coutume d'avoir besoin qu'on vous en dise si long...

—Ah ! ah ! murmura la Corriveau, en la regardant à son tour avec des yeux verts où s'allumait la cupidité, ah ! ah ! vous avez une rivale !. . .je comprends ! Une femme plus puissante que vous, malgré votre beauté et les séductions de votre esprit, a charmé les yeux et ravi le cœur de celui que vous aimez, et vous voulez que je vous aide à triompher de l'impertinente et à ramener l'infidèle. N'est-ce pas cela, cette fois ?

—Oui, c'est cela, vous dis-je, mais c'est plus encore ! Ne pouvez-vous pas deviner ? Voyons, devinez donc !

Et, appuyant lourdement sa main gauche sur l'épaule de la méchante vieille, elle se pencha à son oreille et lui murmura quelques paroles horribles. La Corriveau l'entendit et la comprit cette fois. Elle la regarda sérieusement.

—Oui, je le sais, répondit-elle, vous voulez vous débarrasser de votre rivale. Vos yeux, votre bouche, votre cœur, demandent sa mort; mais votre main a peur et n'ose obéir ! Vous voulez que la Corriveau fasse votre ouvrage. . . Tuer sa rivale, c'est sans doute, pour une femme, une tâche agréable. Mais pourquoi me mêler de cela, moi ? Qu'ai-je à y gagner ? que m'importent votre amoureux et vos amours, Mlle des Meloises ?

Angélique écoutait avec terreur, tomber de la bouche d'une étrangère, les paroles de mort qu'elle méditait elle-même et n'osait prononcer. Elle fut sur le point de nier, de se révolter; elle tremblait; cependant elle persista dans sa résolution

—Je comprends, reprit-elle, que mes amours vous occupent peu, mais ne négligez point vos intérêts. Ecoutez, la Corriveau, vous aimez l'or. Eh bien ! je vous en donnerai tant que vous en voudrez, si vous venez à mon secours. Aidez-moi et vous ne le regretterez pas; c'est moi qui vous le dis. Votre fortune est faite ! mais si vous refusez, vous aurez lieu de vous en repentir. Entendez-vous, la Corriveau ? vous vous en repentirez ! Vous serez brûlée comme sorcière et vos cendres seront répandues sur Saint-Vallier ! par Dieu ! je vous le jure !

A ce moment, la Corriveau cracha sur le plancher, comme elle avait déjà fait. C'était pour dire qu'elle crachait à la face du Seigneur.

—Vous êtes folle de me parler ainsi, Angélique des Meloises ! répliqua-t-elle ensuite. Savez-vous bien qui je suis ? Savez-vous qui vous êtes ? Vous êtes un pauvre papillon qui vient battre de l'aile contre la Corriveau. N'importe, j'aime votre audace. Les femmes de votre temps sont rares. Le sang d'Exili n'était peut-être pas plus vaillant que le vôtre ! Vous demandez la mort d'une femme qui n'a pas craint d'allumer dans votre âme l'enfer de la jalousie, et vous voulez que je vous indique le moyen de vous venger !

—Je veux que vous me vengiez vous-même ! affirma Angélique d'une voix impatientée.

Elle était fatiguée de tous ces détours; il fallait en finir. Elle ajouta sur un ton plus conciliant :

—Et je vous récompenserai dignement, magnifiquement.

—Tuer un homme ou une femme, c'est toujours un plaisir, même quand ça ne rapporte rien, répondit la Corriveau avec cynisme; mais je ne vois pas pourquoi je me jetterais dans le danger pour vous, Mlle des Meloises. Avez-vous assez d'or pour payer le risque ?

La glace était rompue, complètement rompue; Angélique pouvait parler maintenant, elle pouvait jouer cartes sur table.

—Dame Dodier, assura-t-elle, je vous en donnerai plus que vous ne pensez, plus que vous n'en avez jamais vu.

—C'est possible, mademoiselle, c'est possible; mais, voyez-vous, je suis vieille, et ne me fie à personne. Donnez-moi un gage de votre sincérité, s'il vous plaît, avant d'ajouter un mot de plus. Les affaires sont les affaires !

Elle tendit ses deux mains.

—Un gage ? de l'or ? répliqua Angélique; oui, la Corriveau, oui ! je vais vous lier à moi par une chaîne d'or. Je ne compterai pas; on n'a pas compté avec moi. Vous allez devenir la femme la plus riche de Saint-Vallier, la plus riche paysanne de la Nouvelle-France !

—Je ne suis pas une paysanne ! riposta la Corriveau avec fierté. Je suis d'une race ancienne et redoutable comme les Césars de Rome. Mais, bah ! cela ne vous intéresse nullement. Donnez-moi un gage de votre bonne foi et je suis à votre service.

Angélique se leva aussitôt, ouvrit un écritoire, prit une longue bourse de soie pleine de louis d'or et la jeta à l'âpre sorcière, comme elle eut fait d'un sou.

Le métal précieux étincelait entre les mailles claires de la bourse. La Corriveau saisit avec la rapacité d'une harpie, l'infâme salaire du crime, le porta à ses lèvres et du bout de son doigt maigre le caressa à travers les mailles espacées.

—Ce sont en effet des arrhes magnifiques! s'écria-t-elle. Maintenant, ordonnez, mademoiselle, j'obéis. Seulement je me réserve le choix des moyens. Je devine suffisamment la nature de votre peine et le remède que vous désirez; mais je ne saurais également deviner le nom de l'infidèle qui vous délaisse et celui de la rivale dont le sort vient d'être scellé.

—Je ne vous dirai pas le nom de cet homme qui me trahit... Non ! je ne puis pas vous le dire...

Elle éprouvait de la répugnance à déclarer qu'elle aimait Bigot.

—Je voudrais bien vous nommer ma rivale, ajouta-t-elle, mais je ne la connais aucunement.

—Voilà qui est drôle ! fit la Corriveau, vous voulez frapper une personne que vous ne connaissez point !

—Je ne sais pas son nom, mais je sais où elle est ! Tenez ! la Corriveau, la vie de cette créature, c'est ma mort à moi ! c'est l'anéantissement de toutes mes espérances, le renversement de tous mes projets ! Débarrassez-moi d'elle et je vous donnerai dix fois plus d'or que vous en avez là ! Elle est à Beaumanoir, dans une chambre secrète.

La Corriveau fit un mouvement de surprise.

—La dame de Beaumanoir ? murmura-t-elle... la dame que des Abénaquis ont amenée d'Acadie?...Je l'ai vue dans les bois de Saint-Vallier, un jour que je cueillais de la mandragore. Elle me demanda un peu d'eau au nom de Dieu. Je lui donnai du lait, mais en la maudissant. Je n'avais pas d'eau. Elle me remercia. Oh ! quels remerciements ! quels remerciements! Jamais personne n'avait parlé avec tant de douceur à la Corriveau ! Elle me demanda s'il y avait loin pour aller à Beaumanoir et dans quelle direction ça se trouvait. Je ne pus m'empêcher de lui souhaiter un bon voyage quand elle s'éloigna avec ses guides indiens.

Angélique devint un peu inquiète et se sentit légèrement froissée, en voyant la Corriveau manifester quelque sympathie pour la recluse de Beaumanoir.

—Vous la connaissez, dit-elle; eh bien, c'est très heureux. Elle se souviendra de vous sans doute; vous aurez facilement accès auprès d'elle, et vous gagnerez tout de suite sa confiance.

La Corriveau battit des mains et jeta un étrange éclat de rire, un éclat de rire sinistre et caverneux comme s'il fut monté d'un abîme.

—Je la connais, dites-vous ? pas plus que cela ! Elle m'a remercié avec bonté. C'est ce que j'ai dit, n'est-ce pas ? Ensuite, quand elle fut partie, je la maudis dans mon cœur, parce qu'elle était belle et bonne, deux qualités que j'abhorre.

—Dites-vous qu'elle est belle ? Quant à sa bonté, je m'en inquiète peu; elle ne lui servira de rien auprès de cet homme. Mais est-elle belle ? C'est ce que je veux savoir, la Corriveau ! Est-elle plus belle que moi ? Qu'en pensez-vous ?

La Corriveau arrêta sur Angélique ses yeux perçants et se mit à rire.

—Plus belle que vous ? Ecoutez ! C'est comme une vision que j'ai vue. Elle était extrêmement belle et triste ! j'ai pu me la figurer plus ravissante qu'elle n'était à cause de sa bonté. Ah ! comme elle parlait avec douceur ! Jamais, depuis que je suis au monde, jamais personne ne m'a parlé comme cela !

Angélique des Meloises grinça des dents de colère.

—Qu'avez-vous fait ensuite ? demanda-t-elle. Ne lui avez-vous pas souhaité la mort ? N'avez-vous pas pensé que l'intendant ou n'importe quel homme pouvait oublier et trahir, pour l'amour d'elle, toutes les autres femmes du monde ? qu'avez-vous fait ?

—Ce que j'ai fait ? j'ai continué à cueillir de la mandragore dans la forêt, et j'ai attendu que vous me fissiez appeler auprès de vous. Vous voulez punir l'intendant qui vous néglige pour une autre, une autre plus belle et meilleure que vous ?

C'était hardi de la part de la Corriveau, mais c'était juste. Elle savait toute la vérité maintenant.

Ces paroles rudes mirent le comble à la haine jalouse d'Angélique et l'affermirent dans ses résolutions. Il n'y a rien pour envenimer la jalousie comme ces rapports, ces confidences d'une officieuse amitié ou d'une langue indiscrète.

—Sa vie ou la mienne ! s'écria-t-elle avec véhémence; l'une de nous deux est de trop. Tuez-la ! j'ai de l'or.

Angélique aurait préféré mourir mille fois plutôt que de vivre pour n'avoir que les miettes du festin de l'amour où serait assise une rivale.

—La tuer ! c'est aisé à dire, mademoiselle. N'importe, je ne vous ferai pas défaut; fut-elle la Madone même, je la hais pour sa bonté, comme vous, pour sa beauté... Tiens ! encore une bourse comme celle-ci, et dans trois fois trois jours il y aura deuil au château de Beaumanoir, et personne ne saura comment est morte la concubine du chevalier Bigot.

Angélique s'élança avec l'ardeur d'une panthère sur sa proie, et, poussant un cri de triomphe, elle serra la Corriveau dans ses bras et l'embrassa sur les joues.

—Oui, c'est bien comme cela qu'il faut l'appeler, dit-elle, sa concubine ! Sa femme, elle ne l'est point, elle ne le sera jamais ! Merci ! un million de fois merci! la Corriveau ! si votre prédiction s'accomplit ! Dans trois fois trois jours, à compter de ce moment, vous avez dit ?

La Corriveau ne tenait guère aux caresses et cherchait à se débarrasser; mais Angélique lui entoura le cou avec une de ses longues tresses blondes:

—Tout à l'heure, je ne voulais pas vous permettre de toucher à mes cheveux, fit-elle, mais à présent je vous enchaîne avec, pour vous prouver que je vous aime et que je veux à jamais vous attacher à ma fortune!

—Fi donc ! votre amour ! est-ce que j'en ai besoin, moi ? gardez-le pour les hommes, répliqua la vieille malfaisante, en repoussant Angélique et en dépliant les boucles de la chevelure qui lui faisait un collier d'or.

—Comprenez-moi bien, continua-t-elle, je vous sers pour de l'argent et non pour votre amitié; mais j'ai du plaisir quand même à faire peser ma main sur un monde qui me déteste et que je hais.

Puis elle leva les deux mains en les recourbant, comme pour laisser dégoutter, du bout de ses doigts, le poison mortel.

—La mort, reprit-elle, la mort tombe sur qui je veux la faire tomber. Elle tombe si mystérieusement, si subitement, que les esprits de l'air ne savent point d'où elle vient; *l'aqua tofana* ne laisse jamais de trace !

Angélique écoutait avec terreur. Elle tremblait et cependant désirait en entendre davantage.

—Quoi ! la Corriveau, exclama-t-elle, vous possédez le secret de *l'aqua tofana*?... de *l'aqua tofana* que le monde croyait perdue avec les cendres de ses possesseurs, qui furent brûlés sur la place de Grêve, il y a deux générations !

—De pareils secrets ne se perdent jamais, reprit l'empoisonneuse, ils sont trop précieux. Peu d'hommes, encore moins de femmes refuseraient d'aller écouter aux portes de l'enfer pour les surprendre. Ecrivez le secret de la confection de *l'aqua tofana* sur les lambris des palais, les panneaux des boudoirs, les murs des cloîtres, les planches de la rue, et, pour le lire, le roi superbe, la grande dame, la nonne pieuse, le vil mendiant, monteront s'il le faut, sur un tréteau de feu !... Montrez-moi votre main, Angélique, acheva-t-elle brusquement.

Angélique tendit sa main. Elle la saisit, regarda attentivement ses doigts effilés et sa paume ovale.

—J'en vois assez, reprit la Corriveau, j'en vois assez dans ces splendides mains, pour perdre tout le monde. Vous êtes digne de devenir mon héritière ! de recueillir ma succession maudite ! toute ma science ! toutes mes connaissances ! Ces doigts sont faits pour cueillir le fruit défendu et le présenter aux hommes pour leur malheur. L'occasion seule manque, mais le tentateur n'est jamais loin. Angélique des Meloises, je vous révélerai peut-être un jour le grand secret; en attendant, je vais vous prouver que je le possède.

XXXV

FLACONS TOUT REMPLIS DE DROGUES VENENEUSES

La Corriveau tira de son sein la petite boîte d'ébène et la déposa sur la table avec un geste solennel. Angélique se signa, par distraction ou par effroi.

—Ne faites pas le signe de la croix ! exclama la sorcière d'un ton de colère; nulle bénédiction ne peut descendre ici ! Avec ce qu'il y a dans cette petite boîte, je puis annéantir toute la population de la Nouvelle-France.

Angélique porta sur le coffret un regard avide, anxieux, comme si elle eut voulu pénétrer le mystère de destruction qu'il gardait, puis elle le toucha d'une main caressante, mais effrayée, brûlant de l'ouvrir et n'osant pas.

—Ouvrez-le, lui dit la Corriveau, pesez sur le ressort et vous allez voir apparaître un écrin digne d'une reine. C'était le cadeau de noce de Béatrice Spara. Il a appartenu à la famille Borgia. Lucrèce Borgia le reçut d'un horrible parent, qui l'avait eu du prince des démons.

Angélique pressa le ressort, le couvercle se leva et une lueur éclatante s'échappa tout à coup. Angélique tout éblouie, tout effrayée, repoussa le coffret et fit quelques pas en arrière. Elle avait cru aspirer l'odeur d'un mortel parfum.

—Je n'ose pas m'approcher de ce coffret, dit-elle, son éclat m'épouvante, son odeur me fait mal.

—Bah ! riposta la Corriveau, l'effet d'une imagination malade, et d'une conscience timorée ! Il faut que vous vous débarrassiez de ces deux choses-là, d'abord, si vous voulez ensuite débarrasser Beaumanoir de votre rivale. *L'aqua tofana*, entre des mains timides, est doublement dangereuse: elle tue aussi bien celui qui ne sait pas la verser que celui qui la boit dans sa coupe fatale.

Angélique fit un effort pour vaincre sa répugnance ou dompter sa crainte, mais inutilement. Elle ne voulut plus toucher au coffret.

La Corriveau la regarda un peu curieusement, comme si elle se fut défiée de sa faiblesse. Ensuite, elle approcha le coffret et en tira une fiole dorée, couverte de symboles étranges, pas plus grosse que le petit doigt d'un enfant. Ce qu'il y avait dedans brillait comme des diamants au soleil.

Elle l'agita et des millions d'étincelles s'allumèrent soudain dans l'étrange liquide. C'était de *l'aqua tofana* non diluée, de *l'aqua tofana* que nulle pitié n'avait tempérée, foudroyante, indestructible. Une fois administrée, c'en était fait de la victime: pas plus d'espoir pour elle que pour l'âme du damné ! Une goutte sur la langue d'un Titan et le Titan serait tombé foudroyé comme par le tonnerre des dieux.

C'était le poison de la colère et de la vengeance qui n'attendent point et bravent la justice du monde. C'est avec ce poison que la Borgia tua les convives qu'elle réunit dans son palais, et que Béatrice Spara, dans sa fureur, foudroya la belle Milanaise qui lui avait volé le cœur d'Antonio Exili.

Rarement cette eau formidable était employée pure. Elle servait plutôt de base à une centaine de préparations diverses qui tuaient lentement, prudemment, au gré de l'ambition, de l'avarice, de la crainte et de l'hypocrisie.

Angélique, assise près de la table, la joue appuyée sur sa main et penchée vers la Corriveau, écoutait, buvait pour ainsi dire ces explications, comme le désert brûlant boit l'eau que lui verse un nuage. Elle avisa une petite fiole pleine d'un liquide aussi blanc que le lait et d'une apparence aussi inoffensive.

—Qu'est-ce que ceci ? demanda-t-elle.

—Cela ? fit la Corriveau, c'est du *lait de miséricorde.* Il produit la phtysie et le dépérissement, sans causer de douleurs. Il fait son œuvre dans l'espace d'une lune ou deux. On dit d'un homme alors : l'infortuné ! une consomption galopante l'emporte ! Oui ! parce que la main d'un ennemi le pousse ! Avec ce lait, l'homme fort devient un squelette, la jeune fille rose et fraîche devient blême, maigre, décharnée, et personne ne peut deviner le secret de la tombe qui se ferme; et ni prière, ni sacrement ne sauraient empêcher le fatal résultat de se produire.

Elle sortit une autre fiole du coffret.

—Cette fiole, reprit-elle, en se caressant les lèvres du bout de sa langue de vipère, et avec une évidente satisfaction, cette fiole contient un poison mordicant qui empoigne le cœur comme le feraient les griffes d'un tigre, et fait tomber à l'heure marquée d'avance la victime désignée. Les imbéciles viennent et déclarent emphatiquement : Mort par la visite de Dieu !

—La visite de Dieu! répéta-t-elle d'un ton de mépris, et elle cracha de nouveau, la misérable! comme elle avait coutume de faire à ce saint nom.

—Le Lion, ajouta-t-elle, dans son langage cabalistique, le Lion fait mûrir les fruits de mort du levant; des fruits qui tuent contre la volonté de Dieu. Celui qui possède ce flacon est le maître de la vie !

Elle replaça la petite fiole avec un soin tout particulier. C'était son poison favori.

—Cette autre, continua la Corriveau, après avoir replacé celle qu'elle venait de montrer, pour en tirer une troisième, cette autre cause la paralysie; puis celle-ci allume dans les veines la lente mais inextinguible flamme du typhus. Cette autre encore détruit toute la sève du corps humain et change le sang en eau. Celle-là, une fiole verte comme une émeraude, renferme de l'essence de mandragore, distillée quand le soleil entre dans le Scorpion. Quiconque boit de cette liqueur, ajouta-t-elle, embrassant le petit flocon avec délice, quiconque boit de cette liqueur meurt dans les tourments indicibles de la lubricité.

Il y avait aussi, dans ce coffret, une petite bouteille d'un liquide noir, semblable à de l'huile.

—C'est une relique du passé, ceci, fit la sorcière; c'est un héritage des Untori, les parfumeurs de Milan, qui répandirent avec leur huile embaumée, le deuil et la mort dans toute la grande cité.

L'histoire horrible des parfumeurs de Milan a été écrite, depuis la Corriveau, par la plume magnifique de Manzoni.

—Cela, continua-t-elle, c'est pour venger les chagrins, les déboires, les humiliations des malheureux dont l'amour est dédaigné; et la mort qui frappe l'infidèle ou l'insensible, paraît si naturelle que les plus habiles médecins ne sauraient avoir de soupçons, ou ne pourraient les justifier s'ils en avaient.

—C'est assez ! c'est assez ! cria Angélique, dégoûtée et prise de frayeur, car si cruels que fussent ses désirs, elle mettait toujours de la délicatesse dans ses moyens. A vous entendre, continua-t-elle, on se croirait au sabbat des sorcières. Je ne veux point de ces choses-là; c'est indigne ! Que ma rivale meure, mais qu'elle meure comme une grande dame ! Il ne faut pas festoyer sur son cadavre comme des vampires. Vous devez avoir, dans ce coffret, des fioles d'une meilleure couleur et d'un meilleur bouquet ? Qu'est ceci ?

Elle montrait une petite bouteille rose, d'une forme singulière, cachetée et portant sur son cachet le mystique pentagone. C'est plus beau et d'un effet aussi sûr peut-être que le *lait de miséricorde,* remarqua-t-elle; qu'est-ce que c'est ?

La vieille partit d'un rire sardonique et méchant.

—Votre sagesse n'est que folie, Angélique des Meloises ! répliqua-t-elle; vous voulez tuer votre rivale et en même temps l'épargner ! C'est le parfum que la Brinvilliers avait apporté au grand bal de l'Hôtel de Ville. Elle en versa secrètement quelques gouttes sur le mouchoir de la belle Louise Gauthier, et quand Louise Gauthier le respira, quelques moments après, elle s'affaissa sur le parquet. On voulut la relever, elle était morte. Personne ne put deviner comment ni pourquoi. Elle aimait Gaudin de Sainte-Croix, l'amant de la Brinvilliers, comme la dame de Beaumanoir aime l'intendant que vous aimez aussi.

—Bien! elle a eu sa récompense, observa Angélique froidement. J'aurais fait comme la Brinvilliers. Avez-vous autre chose à dire de ce précieux parfum ?

—J'ai à dire qu'il est incomparable. Trois gouttes sur un bouquet de fleurs et celui qui sentira le bouquet s'évanouira pour ne se réveiller que dans l'autre monde. La victime meurt sans souffrir, le sourire sur les lèvres, comme si le baiser d'un ange recueillait son dernier soupir. N'est-ce pas que c'est un baume précieux, mademoiselle ?

—O flacon béni! s'écria Angélique en le portant à ses lèvres, ô flacon béni ! tu seras l'ange qui prendra dans un baiser le dernier soupir de ma rivale !...Elle s'endormira sur des roses!... La Corriveau, préparez sa couche !

—C'est une mort douce, et qui convient à celle qui meurt d'amour ou par la main d'une rivale généreuse, murmura la sorcière; mais moi, je préfère les breuvages plus amers et aussi infaillibles.

—La dame de Beaumanoir ne sera pas plus malaisée à tuer que Louise Gauthier, répliqua Angélique en faisant rayonner la petite fiole à la lumière de la lampe; les serviteurs du château ne la connaissent même pas, et l'intendant n'osera pas plus faire connaître sa mort que sa vie.

—Etes-vous bien sûre, mademoiselle, que l'intendant n'osera pas faire connaître sa mort ? demanda la Corriveau fort sérieusement.

C'était une considération importante cela, la maille principale de la chaîne qu'elle longeait.

—Si j'en suis sûre ? Oui, bien sûre ! répondit Angélique avec un air de triomphe. Il n'a même pas voulu l'exiler lorsque je l'en suppliais, de crainte que l'on connût son séjour à Beaumanoir. Nous pouvons en toute sûreté courir le risque de lui déplaire; c'est le seul risque, car il me soupçonnera peut-être d'avoir tranché ce nœud qu'il ne sait pas comment défaire.

—Vous êtes hardie ! exclama la Corriveau dans son admiration, vous êtes digne de porter la couronne de Cléopâtre, la reine de toutes les magiciennes, de toutes les enchanteresses ! Je redoute moins vos ordres, maintenant; et j'y obéirai avec moins de regret, car l'esprit qui vous anime est fort.

—C'est bien, la Corriveau ! que le parfum de la Brinvilliers m'apporte la fortune et le bonheur que j'ambitionne et je vous verserai de l'or à pleines mains! Des roses, la Corriveau! Prenez des roses! que la dame de Beaumanoir meure en respirant des roses !

—Oui, mais où trouver des roses maintenant ? elles ont fini de fleurir.

La Corriveau n'aimait pas cette disposition à la clémence et soulevait l'objection avec plaisir.

—Les roses n'ont pas fini de fleurir pour elle, repartit Angélique, et le destin est moins cruel que vous.

Et, tirant un large rideau de pourpre, elle découvrit, dans un enfoncement de la pièce, une foule de vases remplis de fleurs de toutes sortes.

—Les roses fleurissent toujours ici, ajouta-t-elle; vous pourrez en faire un bouquet pour la dame de Beaumanoir.

—Vous êtes d'une rare prévoyance, mademoiselle, et Satan n'a plus rien à vous apprendre, en ruses comme en amour.

—En amour ! repartit Angélique avec vivacité, ne prononcez pas ce mot ! non ! Il y a longtemps que je l'ai sacrifié, l'amour !...Si je ne l'avais fait, je ne consulterais point la Corriveau aujourd'hui...

Angélique eut une pensée de regret pour Le Gardeur en disant cela.

—Non ! ce n'est pas l'amour qui arme mon bras, reprit-elle, mais c'est la duplicité d'un homme devant qui je me suis humiliée ! c'est la vengeance que j'ai jurée à une femme pour l'amour de laquelle je suis bafouée ! Voilà ce qui me pousse au mal ! Mais qu'importe, fermez votre coffret, la Corriveau, nous allons arrêter les détails de l'affaire maintenant.

La Corriveau ferma le coffret, laissant de côté, sur la table, la petite fiole de la Brinvilliers, avec un poison rose qui scintillait comme un rubis sous les rayons de la lampe. Ensuite, elle vint s'asseoir près d'Angélique, et toutes deux, tête contre tête, d'une voix basse, et avec une mutuelle et lugubre sympathie, elles se mirent à discuter la disposition du château. L'une et l'autre avaient adroitement fait parler Fanchon Dodier, et connaissaient toutes les habitudes de Caroline, les chambres qu'elle occupait, ses heures de repos et de travail.

Angélique savait que l'intendant serait absent de la ville pendant quelques jours, en conséquence des nouvelles qui venaient d'être reçues de France. L'infortunée Caroline serait donc privée, pendant ce temps-là, de sa vigilante protection.

Elles causèrent longtemps, toujours assises l'une contre l'autre, de leur diabolique dessein. Mlle des Meloises n'avait plus maintenant le sourire dans la figure; ses ravissantes fossettes qui rendaient les hommes fous d'amour s'étaient effacées; ses lèvres entrouvertes d'ordinaire, comme un calice de fleur, pour laisser couler des paroles douces comme le miel de l'Hymette, ses lèvres se serraient laidement comme celles de la

Corriveau, et paraissaient également cruelles et sans pitié.

Ses cheveux tombaient en désordre sur sa robe blanche. Ils auraient pu orner le front d'un ange; et cependant, à ce moment-là, ils semblaient se hérisser de fureur comme les serpents sur la tête de Méduse. Les pensées mauvaises qui l'obsédaient, en la transfigurant, la faisaient ressembler à la Corriveau, et quand elles se regardaient toutes deux, en nouant leur trame infâme, chacune d'elles se reconnaissait dans la face de l'autre.

Comme pour réveiller leur conscience, l'horloge, dans le fond de la chambre, sonnait les heures fugitives. Elles n'entendaient rien ! L'aiguille marqua pour toujours chacune de leurs mauvaises pensées, chacune de leurs paroles de mort.

La Corriveau enveloppa le coffret dans son tablier, et se penchant davantage vers Angélique, elle lui dit :

—Arrosez bien vos fleurs, mademoiselle, car dans trois jours je viendrai faire un bouquet, et je vous promets qu'avant trois fois trois jours il y aura des chants de tristesse à Beaumanoir.

—Que cela se fasse vite et sûrement ! répliqua Angélique d'un ton rude, et n'en parlez plus ! Votre voix est lugubre comme si elle sortait des sombres galeries qui mènent à l'enfer. Qu'il me tarde que tout soit fini ! Je pourrai alors en ensevelir la mémoire dans la tombe du silence et de l'oubli pour jamais ! oui, pour jamais ! Mais pourquoi me désolerais-je d'un acte que vous accomplissez vous-même ? Oui, d'un acte que vous accomplissez vous-même, et non pas moi ! répéta-t-elle, comme si elle pouvait rendre vrai ce sophisme en le réaffirmant.

Elle voulait oublier son crime; elle ne songeait pas que c'est l'intention qui rend coupable, et que devant Dieu le péché existe lors même que l'acte n'est pas accompli. Elle essayait de s'étourdir par les subtilités du raisonnement, mais elle savait bien mieux que la malheureuse qu'elle poussait au crime avec de l'or, combien grande était la faute qu'elle méditait. Hélas ! la jalousie l'aveuglait, et son ambition n'avait pas de frein.

Une chose encore l'inquiétait. Qu'allait penser l'intendant ? Qu'allait-il dire s'il la soupçonnait du meurtre ? Elle redoutait réellement l'investigation. Cependant, elle comptait sur le pouvoir de ses charmes. Après tout, elle pouvait risquer puisque lui-même, par sa parole un peu téméraire, s'était fait son complice.

Si en ce moment elle pensa à Le Gardeur, ce ne fut que pour étouffer impitoyablement le dernier cri de l'amour. A son souvenir, elle se révoltait comme se cabre une cavale sur le bord d'un précipice.

Elle se leva subitement et dit à la Corriveau de se retirer, de crainte qu'elle ne changeât d'idée. Il se faisait encore un combat dans son cœur.

La Corriveau se mit à rire de cette dernière lutte d'une conscience presque morte, et lui souhaita le bonsoir. Il était deux heures après minuit, et elle allait demander à Fanchon de la conduire chez une vieille femme de sa connaissance qui lui donnerait un lit avec la bénédiction du diable.

Angélique, lasse et troublée, lui dit qu'elle lui souhaitait aussi le bonsoir au nom du diable, puisqu'elle préférait cela. La vieille rit encore, et d'un rire moqueur toujours, se leva et sortit.

Fanchon s'était endormie. Elle s'éveilla en sursaut, renoua vite ses idées et offrit à sa tante de l'accompagner. Elle avait l'espoir d'apprendre quelque chose de ce qui s'était passé entre elle et Mlle des Meloises. Tout ce qu'elle put savoir, ce fut que les joyaux étaient retrouvés.

La Corriveau s'en alla clopin-clopant dans l'obscurité et se rendit chez la vieille femme, son amie, Elle se proposait de demeurer là, jusqu'après l'exécution de ses criminels desseins.

XXXVI

LA PORTE LARGE MAIS HONTEUSE D'UN MENSONGE

Huit jours après l'entrevue de la Corriveau avec Mlle des Meloises, le comte de la Galissonnière était dans son cabinet de travail, assis à une table chargée de papiers et entouré des principaux conseillers de la colonie. Des cartes géographiques et des peintures ornaient les murs recouverts de tapisserie. C'était là qu'il réunissait d'ordinaire son conseil pour les affaires de tous les jours.

Devant lui un amas de lettres, de memorandums, de mémoires; dépêches des ministres du roi, marquées du grand sceau de la France; rapports des officiers en garnison dans tous les postes de la colonie; déclarations des guerriers indiens de l'est et du grand ouest, écrites en hiéroglyphes sur des feuilles d'écorce de bouleau, blanches comme de l'argent. Et parmi tout cela, un paquet de lettres nouvellement reçues du hardi et entreprenant La Vérendrye, qui explorait le cours lointain de la Saskatchewan et la terre des Pieds-Noirs, et une foule de lettres des missionnaires qui évangélisaient des régions sauvages et presque inconnues de ceux qui avaient charge de les gouverner.

En ces jours-là, le bureau du gouverneur, au château Saint-Louis, n'était jamais calme, jamais solitaire, jamais vide. Les ambitieux, les guerriers, les conquérants s'y coudoyaient. De là, comme de l'antre d'Eole, sortaient les orages et les tempêtes qui ébranlaent le continent.

A côté du gouverneur était assis Mgr l'évêque de Pontbriand, puis un secrétaire. Devant lui se trouvaient l'intendant, Varin, Penisault et d'Estèbe. A l'un des bouts de la table, de la Corne de Saint-Luc,

Rigaud de Vaudreuil, Claude de Beauharnois et l'abbé Picquet examinaient, avec une attention extrême et un profond intérêt, des dépêches indiennes gravées sur des écorces.

Deux hommes de loi en robe bordée d'hermine et en rabats, des livres sous le bras, un rouleau de papier à la main, attendaient, à l'extrémité de la pièce. Ils étaient venus plaider les questions de droit de la concession et de la juridiction de certains fiefs.

Bien que l'intendant fût brouillé avec plusieurs gentilshommes qui se trouvaient là, il n'en laissait rien paraître. Il ne fallait pas que les affaires publiques souffrissent de ses rancunes personnelles.

Il était gai, charmant, loin, bien loin de soupçonner la trahison qui se préparait, la vengeance épouvantable d'une femme qu'il admirait contre une femme qu'il aimait. Quelquefois il exprimait son opinion avec un peu de hauteur, mais toujours avec courtoisie.

Il ne baissait ni les yeux ni la voix devant un adversaire, mais il riait et plaisantait avec tout le monde également; il s'observait beaucoup toutefois quand il fallait, en bon politique, adresser quelque flatterie à ses patrons ou à ses protectrices de Versailles.

Au fond de la bibliothèque, on apercevait, par une porte entrouverte, la noble et blonde tête de Peter Kalm. Cet enthousiaste chercheur s'était assis à une petite table, derrière une muraille de livres qui s'élevait toujours.

Le travail du conseil était commencé. Le secrétaire avait lu maints documents déjà; les débats, les discussions suivaient régulièrement et les jugements étaient rendus ou réservés selon les cas.

Le comte de la Galissonnière avait de la méthode; il allait vite en affaires, se montrait sans préjugé, franc et décidé. Il était aussi honnête dans le conseil que vaillant sur le gaillard de son vaisseau. L'intendant montrait presque une égale habileté et une aussi grande connaissance de la politique; il jouissait, en outre, d'une influence plus considérable à la cour de Louis XV. Il n'avait pas la franchise du gouverneur, car il lui fallait cacher trop de turpitudes et tenir l'autorité aussi longtemps que possible.

Avec des caractères, des opinions, des habitudes si contraires, ils ne pouvaient pas s'aimer; cependant, ils se traitaient avec égards dans le conseil, et avec un certain respect mutuel pour leurs talents.

La plupart des papiers qui se trouvaient sur la table concernaient l'administration intérieure de la colonie. C'étaient des requêtes du peuple qui se plaignait des exactions des commissaires de l'armée; des observations au sujet des décrets de l'intendant; et des arrêts de la haute Cour de justice déclarant que la grande compagnie avait le droit d'exercer certains nouveaux monopoles.

La discussion était vive. De la Corne de Saint-Luc dénonça vigoureusement les nouvelles ordonnances de l'intendant, et il fut soutenu par Rigaud de Vaudreuil et le chevalier de Beauharnois. Bigot n'essaya point de prouver que ces ordonnances étaient basées sur les principes d'une saine économie, ce qui, du reste, eut été peine perdue, car il avait affaire à des adversaires trop habiles. Il se contenta de sourire et de faire lire, par son secrétaire, les dépêches des ministres de Versailles approuvées par le roi, dans un lit de justice. Ces dépêches justifiaient tout ce qui avait été fait en faveur de la grande compagnie.

Sans cesse entravé par les pouvoirs de toutes sortes conférés à l'intendant, le gouverneur se sentait incapable de faire triompher la justice et le droit. Dans les instructions particulières qu'ils lui adressaient, les ministres lui recommandaient de reconnaître les prétentions de l'intendant et de la grande compagnie. Tout ce qu'il pouvait faire dans les intérêts du peuple et du roi,— intérêts en opposition avec ceux des courtisans avides et des orgueilleuses beautés de la cour,—c'était d'adoucir un peu les coups mortels portés au commerce et aux ressources de la Nouvelle-France.

Bigot défendit de toutes ses forces un décret qui autorisait l'émission d'une quantité illimitée de papier monnaie. Il déploya une grande finesse et invoqua tous les sophismes. Il se montra savant dans cet art d'éblouir et de tromper avec des chiffres, dont Law fut le maître en France, et la compagnie du Mississipi, l'exemple frappant.

De la Corne de Saint-Luc fit au projet une opposition sérieuse.

Nous n'avons que faire, s'écria-t-il, de ce papier menteur, qui servira à dépouiller le fermier de son grain et l'ouvrier de son salaire ! S'il faut, pour payer le luxe des paresseux de la cour, tout l'or et tout l'argent de la colonie, les habitants pourront encore, comme dans les premiers jours, se servir, pour acheter et vendre, de peaux de castors et de peaux de rats musqués. Les uns représenteront les livres, et les autres, les sous. Ce système des assignats a été essayé sur une petite échelle par l'intendant Hocquart, et cependant, il a appauvri et volé la colonie. Si ce nouveau projet proposé par de nouveaux Laws,— et il regarda l'intendant dans les yeux,—doit être mis en vigueur dans toute son étendue, vous n'entendrez bientôt plus ici le son de deux pièces de monnaie qui se touchent, la colonie tombera dans l'indigence et s'il faut la racheter de sa misère, le trésor royal même sera complètement épuisé ! Promettre, ce n'est point payer ! clama le vieux militaire; de même qu'avoir faim ce n'est pas manger ! Je voudrais que personne, pas plus moi que les autres, n'eût jamais ce dangereux pouvoir de transformer des chiffons en monnaie, et de faire circuler des valeurs fictives au lieu de valeurs réelles ! Les habitants connaissent le prix des peaux de castors qu'ils reçoivent en échange de leur blé, mais ils ne savent pas ce que représentent ces morceaux de papier qui peuvent être aussi nombreux et aussi inutiles que les feuilles de la forêt.

La discussion fut longue. Le gouverneur écouta avec son silence approbateur, les adversaires de la mesure, mais il avait reçu ordre, en secret, de supporter le projet de l'intendant. Il sanctionna donc, bien malgré lui, le décret qui devait inonder la colonie d'assignats sans valeur et que personne ne rachèterait, ce qui devait augmenter la misère du peuple et préparer l'asservissement à l'étranger.

Les papiers, les momorandums, les documents de toutes sortes étaient mis de côté à mesure que le conseil dépêchait son travail, et déjà sur la grande table tout à l'heure très chargée, il n'y avait presque plus rien. Plusieurs des gentilshommes désiraient l'ajournement, car la séance durait depuis longtemps et ils étaient fatigués. Les deux avocats ne plaidèrent pas et leur cause fut remise à un autre jour. Ils n'en furent pas fâchés,car si le délai coûtait quelque chose à leurs clients, il leur rapportait une augmentation d'honoraires.

Les avocats de la vieille France, dont parle LaFontaine dans une fable charmante, ne différaient guère de leurs confrères à la longue toge de la Nouvelle-France; ils ne différaient pas du tout même sous le rapport de l'habileté à préparer un mémoire de frais et à utiliser les ruses du métier. Alors comme aujourd'hui, et aujourd'hui comme alors, l'avocat mange l'huître et les plaideurs se divisent l'écaille.

Au moment où le gouverneur allait ajourner la séance, il reçut un paquet scellé du sceau royal. Il le fit ouvrir par le secrétaire. Dans ce paquet se trouvaient des papiers également scellés et marqués «personnel». Le secrétaire le lui remit et il en prit connaissance immédiatement. Il paraissait lire avec intérêt, et l'impression qu'il ressentait se trahissait sur sa figure.

Il les mit sur la table, les reprit, les lut de nouveau et les passa à l'intendant.

Bigot eut vite fait de les parcourir des yeux. Il fit un bond de surprise et un froncement de sourcils. Mais il réprima vite ce mouvement, et se mordit les lèvres avec une colère mal dissimulée.

Il renvoya les papiers au comte, de l'air indifférent d'un homme qui n'a rien à y voir.

—Les ordres de la marquise de Pompadour seront exécutés fidèlement, dit-il. Je vais la faire chercher, cette demoiselle, je vais la faire chercher sans retard. Je la crois quelque part dans un fort ou dans un camp, faisant joyeuse vie.

Bigot comprenait le danger. Les dépêches étaient sérieuses et le gouverneur ne manquerait pas de déployer la plus grande diligence dans l'accomplissement du devoir nouveau qui lui incombait.

Pendant un instant, il fut comme ahuri. Puis, s'apercevant que les yeux se braquaient sur lui, il se mit à parler encore. Il parla avec une hardiesse qui ressemblait à un défi:

—Je prie Votre Excellence, commença-t-il, en s'adressant au gouverneur, de vouloir bien expliquer aux conseillers la nature de cette dépêche. Elle ne surprendra nullement ceux qui connaissent l'étourderie des femmes, et gagnera au noble baron de Saint-Castin la sympathie de tous.

—Elle fera naître de la sympathie pour sa fille, également, car c'est à cause de leurs sentiments généreux, souvent, que ces infortunées se perdent, répliqua le gouverneur. C'est bien la plus étrange histoire que j'aie entendue.

Les gentilshommes assis autour de la table fixèrent sur le comte des regards avides et surpris, et de la Corne de Saint-Luc, en entendant prononcer le nom du baron de Saint-Castin, s'écria !

—Au nom du ciel, comte ! qu'y a-t-il donc dans ces dépêches ? Le baron de Saint-Castin est mon ami et mon compagnon d'armes.

—Je vais vous le dire, messieurs, répondit le comte; ce n'est pas un secret en France, ce n'en sera plus un ici, cette lettre...

Il tenait dans sa main le papier déplié.

—Cette lettre est du baron de Saint-Castin que vous connaissez tous. C'est un pathétique appel à mon amitié, à mon honneur, à mon devoir, pour que je l'aide à retrouver sa fille, qu'un lâche ravisseur sans doute a emmenée loin du toit paternel. Il la croyait passée en France, mais il l'y a vainement cherchée. Il paraît maintenant qu'elle est restée dans la colonie, cachée sous un faux nom ou un déguisement honteux... Et cette autre dépêche, continua le gouverneur, vient de la marquise de Pompadour. La marquise m'ordonne de faire l'impossible pour retrouver Mlle de Saint-Castin. Elle menace de faire entasser à la Bastille, comme du poisson sec—c'est son expression—tous ceux qui de près ou de loin ont aidé à enlever ou à cacher cette jeune fille.

Certes ! tous les gentilshommes du conseil étaient émus, désolés, et de la Corne de Saint-Luc plus que les autres. Il se leva et frappant la table de sa main ouverte :

—Par saint Christophe ! s'écria-t-il, j'aurais mieux aimé perdre un membre à la bataille, que de voir mon vieux compagnon ainsi affligé dans son enfant ! dans cette angélique enfant que j'ai tant de fois portée dans mes bras comme un agneau de Dieu !...Vous savez, messieurs, ce qu'il lui est arrivé !...

Le vieux soldat regardait l'intendant comme s'il eut voulu le foudroyer.

—Vous savez ce qu'il lui est arrivé. Eh bien ! j'affirme et je soutiens qu'elle a conservé dans sa chute la pureté d'une sainte ! Chevalier Bigot, c'est vous qui devez répondre à ces dépêches. C'est votre affaire! Si Mlle de Saint-Castin est perdue, vous savez, vous, où la trouver !

Bigot se leva aussitôt. La fureur et la crainte donnaient à ses yeux une expression terrible. Ce n'était pas de la Corne de Saint-Luc qui lui faisait peur, c'était la pensée que le secret de Beaumanoir pouvait être éventé. Les menaces de la Pompadour l'inquiétaient et paralysaient son audace. Il ne fallait rien moins que la certitude de perdre la faveur de cette haute protectrice pour l'empêcher d'avouer qu'il était coupable et qu'il était prêt à braver les conséquences de son crime.

La large mais honteuse porte du mensonge s'ouvrait devant lui. Furieux contre de la Corne de Saint-Luc et contre lui-même, il s'y précipita lâchement. Il mentit.

—Chevalier, dit-il, en faisant un effort extraordinaire pour se contenir, j'ai entendu et compris vos paroles, et je saurai vous en demander compte dans l'occasion. Je déclare maintenant, par déférence pour Son Excellence le gouverneur et les gentilshommes qui siègent dans ce conseil, que quelles qu'aient été mes relations passées avec Mlle de Saint-Castin,—et je l'ai aimée, je ne m'en cache point,—son enlèvement n'est pas mon œuvre et j'ignore absolument où elle s'est retirée.

—Déclarez-vous sur votre parole de gentilhomme que vous ne savez pas où elle est ? demanda le gouverneur.

—Je le déclare sur ma parole de gentilhomme ! répéta l'intendant, rouge de honte ou de colère. Plus que cela, ajouta-t-il, je répondrai moi-même à la dépêche de la comtesse, bien que vous n'ayez pas le droit de me demander de le faire, comte. Et vous ne me le demandez pas, non plus, je le sais !

Puis, se tournant vers de la Corne de Saint-Luc, il continua :

—Chevalier de la Corne de Saint-Luc, je ne sais pas plus que vous, moins que vous, peut-être, où s'est enfuie la fille du baron de Saint-Castin, et je déclare que je suis prêt à croiser le fer avec le premier gentilhomme qui osera douter un instant de la parole de François Bigot.

Varin et Penisault se regardèrent d'une façon qui indiquait le doute et la surprise. Ils savaient bien qu'une dame étrangère, dont on ne disait pas le nom, vivait mystérieusement renfermée dans les chambres secrètes de Beaumanoir; Bigot l'avait déclaré à ses intimes. Mais quels que fussent leurs soupçons, ils se donnèrent garde de les laisser deviner. Au contraire, Varin, qui était toujours prêt à mentir, affirma avec serment que l'intendant disait vrai.

De la Corne de Saint-Luc avait l'air d'un lion qu'on veut enchaîner. Rigaud de Vaudreuil, en vieux familier, lui ferma la bouche avec sa main. Il craignait la violence de la réplique et ce qui s'en suivrait nécessairement. Il se pencha à son oreille :

—Comptez jusqu'à cent avant de répondre, de la Corne ! murmura-t-il. L'intendant a le droit d'être cru sur parole comme les autres gentilshommes. On se bat pour un fait, non pour une supposition. Soyez prudent. Nous ne savons pas, après tout, s'il a juré faux.

—Mais je le crois, moi ! riposta de la Corne.

Le vieux militaire rageait, mais enfin, ses soupçons n'étaient pas des faits, et il comprit qu'il ne pouvait appuyer ses accusations sur des preuves solides. Alors il s'efforça de reprendre possession de lui-même.

—J'ai peut-être été un peu trop vif, Rigaud, dit-il, mais quand je songe au Bigot d'autrefois, comment puis-je avoir confiance au Bigot d'aujourd'hui ? N'importe ! par Dieu ! je la retrouverai, la fille de mon vieil ami ! je la retrouverai, fut-elle à dix pieds sous terre, et dussé-je, pour cela, bouleverser toute la face de la Nouvelle-France, j'en fais le serment ! De la Corne de Saint-Luc sait tenir ses serments.

Il prononça cette dernière parole de manière à être entendu, et en regardant Bigot. L'intendant le maudit vingt fois entre ses dents, car il connaissait l'énergie et la sagacité qu'il déployait quand il avait à cœur de réussir dans une entreprise. Il se doutait bien que de la Corne découvrirait aussitôt la présence d'une étrangère au château de Beaumanoir, surtout parce que cette étrangère était la fille du baron de Saint-Castin.

Le pieux évêque s'était levé pendant que de la Corne et l'intendant échangeaient des paroles de menaces. Il aurait bien voulu calmer la colère qui sourdait et rétablir la paix dans les cœurs, mais il savait que l'intervention du prêtre ne servirait de rien en cette occasion. L'honneur et le respect d'eux-mêmes pourraient seuls toucher ces deux hommes et les empêcher de s'abandonner à des excès de langage ou à des voies de fait regrettables. Il se tint debout, les mains jointes, priant en attendant l'occasion favorable de leur rappeler la septième béatitude : *Beati pacifici*.

Bigot sentait dans quelle position difficile la marquise l'avait mis, en écrivant au gouverneur au lieu de lui écrire à lui-même. Pourquoi a-t-elle fait cela ? se demandait-il avec colère... Me soupçonne-t-elle donc ?

Il ne pouvait pas en venir à une autre conclusion; elle le soupçonnait. Elle ne voulait pas s'adresser à lui dans cette circonstance parce qu'elle le savait aimé de Mlle de Saint-Castin. C'était bien elle, en effet, cette royale maîtresse, qui l'avait empêché d'épouser la belle Acadienne. Il aurait pu aisément, jusqu'à cette dernière minute, renvoyer chez elle la jeune captive; mais il ne le pouvait plus maintenant qu'il avait menti au gouverneur et au conseil.

Une chose cependant lui parut absolument nécessaire: tenir secrète, à tout prix, la présence de Caroline au château de Beaumanoir; c'est-à-dire la tenir secrète jusqu'à ce qu'il pût envoyer la malheureuse jeune fille loin, dans les bois avec les tribus sauvages. Elle attendrait là, dans la solitude, la fin des recherches et l'oubli de l'affaire.

Bigot éprouva de la honte à cette pensée lâche. Ce n'était que la première pourtant. Il n'était pas facile, il n'était pas sûr, non plus, de confier la captive à ces tribus nomades. Un bruit, une rumeur, qui se répandrait à peine dans un rayon de deux lieues, en France, pouvait aisément, dans les plaines de l'Amérique, voler à des centaines de milles. Les voyageurs et les Indiens marchaient vite et loin. Ce premier moyen ne valait pas autant qu'il semblait de prime abord. La garder à Beaumanoir, c'était impossible. Le gouverneur et l'indomptable de la Corne de Saint-Luc sauraient bien l'y découvrir. L'embarras était grand, et le dilemne difficile à résoudre. Il ne voulait pas, pour se sauver lui-même, faire le moindre mal à sa victime, ni profiter du délaissement où elle se trouvait pour ajouter encore à son malheur.

Pendant qu'il se plongeait dans ces réflexions pénibles, le conseil continuait à expédier les affaires. A la fin, las de chercher une solution qui n'arrivait pas, il se leva.

—Avec le consentement de Son Excellence, dit-il, je proposerai l'ajournement.

Il était fatigué et voulait sortir. Puis, au palais, le dîner attendait. Un superbe dîner, arrosé d'un vin d'or, qui pouvait soutenir la comparaison avec le meilleur vin des caves du château Saint-Louis. Il pria le gouverneur et les autres gentilshommes de lui faire l'honneur de le suivre.

La séance fut aussitôt levée; les papiers disparurent dans les tiroirs, et une conversation vive et gaie fit un instant oublier les soucis.

Bigot accosta l'abbé Piquet.

—C'est jeûne, monsieur l'abbé, fit-il; mais tout de même s'il vous plaisait de venir bénir ma table profane, j'en serais enchanté ! Vous me devez une visite, vous savez, et moi, je vous dois des remerciements pour la manière dont vous avez supporté ma querelle avec le chevalier de la Corne, tout à l'heure. J'ai compris vos reproches et vous n'avez pas parlé. C'était mieux. Je vois que vous comprenez le monde où vous vivez, comme vous comprenez cet autre monde où vous désirez que nous allions tous vivre ensuite.

L'abbé salua respectueusement. Le dîner ne le tentait guère, car il avait souvent entendu parler de la licence qui régnait à la table de l'intendant. Mais il était prêtre et homme politique, et cette double qualité lui permettait de poursuivre certains projets qu'il ne perdait pas de vue. Il était de ceux qui auraient dîné avec Satan pour l'amour de Dieu et des pécheurs.

—Merci, Excellence, répondit-il en riant, j'ai fait des centaines de lieues, en raquettes, à travers des régions désertes, pour aller baptiser ou confesser un pauvre Sauvage, et cela sans invitation ! je ne refuserai donc pas de marcher un mille pour bénir votre table profane, comme vous l'appelez, lorsque vous m'invitez si cordialement. Je m'efforce comme saint Paul, mon maître, de me faire tout à tous; et je me trouve également chez moi dans le palais et dans le wigwam.

—Bien dit ! monsieur l'abbé, bien dit ! je vous aime, moi, dévoués missionnaires ! Vos pieds sont nus souvent, mais vos cœurs sont toujours brûlants ! Vous serez les bienvenus au palais de l'intendant comme dans le wigwam du Sauvage. Je serais bien aise de causer avec vous de cet établissement que vous vous proposez de fonder à la Présentation.

—Chevalier, je dois vous avouer que c'est la grande raison qui me fait accepter votre invitation. C'est un des projets que j'ai le plus à cœur, comme ministre de Dieu parmi les hommes.

—Si je ne puis vous imiter, cher monsieur l'abbé, je ne vous en admire pas moins. Je vous promets que tout se passera convenablement et que vous aurez une excellente occasion de convaincre l'intendant de l'importance de votre projet pour la soumission des Iroquois.

L'abbé accompagna Bigot au palais. Il était charmé de son affabilité, et nourrissait l'espoir de l'intéresser sérieusement à sa politique indienne.

L'intendant invita aussi le Procureur du roi et l'autre gentilhomme avocat, qui trouvèrent agréable et avantageux d'aller s'asseoir à la table somptueuse du palais.

Le gouverneur et trois ou quatre de ses intimes, l'évêque, de la Corne de Saint-Luc, Rigaud de Vaudreuil et le chevalier de Beauharnois, restèrent dans la salle du conseil, à causer de l'affaire de Caroline de Saint-Castin. Ils ressentaient une grande pitié pour la pauvre jeune fille et une sympathie profonde pour le père malheureux. Ils se perdaient en conjectures et ne savaient où diriger leurs recherches.

—Je la trouverai ! s'écria de la Corne de Saint-Luc. En quelque lieu qu'elle soit cachée ou que l'ait conduite son ravisseur, je la trouverai ! J'irai dans tous les forts, dans tous les camps, dans toutes les maisons, dans toutes les cabanes indiennes; je ferai explorer toutes les cachettes, tous les antres, tous les arbres creux ! je la retrouverai ! Pauvre enfant ! pauvre enfant délaissée !

—La Corne, reprit le gouverneur, jamais le galant esprit de la chevalerie ne disparaîtra tout à fait, tant que vous serez là, pour enseigner aux gentilshommes leurs devoirs envers les belles dames. Restez à dîner avec moi; nous allons nous occuper de cette affaire. Pas d'excuse aujourd'hui ! Mon vieil ami Kalm va se joindre à nous. Il est aussi bon philosophe que vous êtes bon soldat. Restez et nous aurons mieux que la fumée de la pipe pour nous égayer.

—La fumée de la pipe n'est pas à dédaigner, Excellence ! répliqua La Corne qui était grand fumeur. J'aime bien votre Suédois. Il débite ses maximes avec une gravité qui plaît, et je les écoute avec le plaisir d'un enfant qui reçoit des amandes. Ma philosophie pratique n'est pas toujours d'accord avec ses théories cependant; mais je sens que je dois croire bien des choses que je ne comprends pas.

—Fort bien ! alors, vous resterez; et vous aussi, Beauharnois, et vous aussi, Rigaud. L'abbé Pique est allé dire le *benedicite* chez l'intendant, Mgr l'évêque le dira ici. Nous allons dresser la table au sommet de l'Olympe; nous aurons le nectar et l'ambroisie. Un dîner des dieux !

Les gentilshommes partagèrent la franche gaieté du comte et acquiescèrent à ses désirs.

Le comte appela Kalm.

Le philosophe était tellement absorbé par l'étude, qu'il n'avait pas même eu connaissance des paroles acerbes échangées entre de la Corne et l'intendant. Courbé sur ses livres, il copiait dans un cahier précieux, pour les conserver et les retrouver au moment opportun, les pensées profondes, les idées neuves, les maximes sages qui élèvent l'âme et agrandissent l'esprit, et en écrivant, il baissait et relevait sa belle tête blonde, par un mouvement régulier, et comme pour approuver les savants qu'il étudiait.

Le gouverneur répéta son invitation, et cette fois Kalm entendit. Il se leva derrière sa pile de livres et sourit à l'ami qui le rappelait à la vie réelle. Un instant après, il se mettait à table avec les autres gentilshommes.

—Kalm, commença le gouverneur d'une voix émue, ceci me rappelle notre temps d'étudiants à Upsal, alors que nous portions le chapeau blanc à bord noir. Le bon vieux temps ! Vous vous souvenez que les écoliers vous appelaient l'ingénieur, parce que vous vous entouriez toujours alors d'une muraille de livres et d'une provision de raisonnements qui vous rendaient inattaquable comme les murs de Mŭdgard.

—Ah ! comte, c'était en effet le bon temps ! Nous n'étions pas alors, comme aujourd'hui, ni trop vieux ni trop sages ! Devant nous, derrière nous, tout était lumière ! Chaque soir nous entrions dans nos alcôves comme les oiseaux dans leurs nids, et l'aile de Dieu s'ouvrait pour nous couvrir. Chaque matin, c'était un rayonnement nouveau, rayonnement de la science, de la santé, de la jeunesse et de la gaieté !... Comme le jeune Linnée était fier des géants ses frères !... Pauvres ambitieux ! nous nous pensions des aigles, et nous étions des poussins sans plumes !... Vous n'avez pas oublié, comte, la langue des hommes du Nord ?

—Non, certes ! je ne l'ai pas oubliée ! repartit le gouverneur, et je ne l'oublierai jamais ! Ecoutez, Kalm.

Et il se mit à redire, avec un excellent accent, quelques vers d'une ballade suédoise, fort populaire autrefois parmi les étudiants d'Upsal :

Smeriges man akter jag att lofva
Om Gud, vill mig nader gifva !
Deras dygd framfora med akt och hag
Den stund der jag ma lefva !

Noble peuple de la Suède,
Peuple vaillant, tant que battra mon cœur,
Si Dieu m'entend que j'intercède,
Je chanterai ta force et ta grandeur !

—Je ne l'ai pas oubliée, n'est-ce pas Kalm, votre belle langue ? reprit le gouverneur. J'aime beaucoup cette vieille terre du Nord et son langage antique; un langage fait pour les bouches honnêtes et franches comme les vôtres, braves Suédois ! Quelle est l'ancienne chanson des Goths ? Voyons !

Allsmaktig Gud, han hafver them wiss
Som Sverige aro tro !
Bade nu ock forro forutan all twiss
Gud gifve them ro !
Svenske man ! I sagen ! Amen !
Som I Sveriges rike bo !

Garde le Suédois toujours fidèle et ferme !
Dieu tout-puissant, sois son appui !
L'amour de sa patrie est le premier qui germe
Et le dernier qui meurt en lui !
Garde le Suédois, ô Dieu ! fidèle et ferme,
Dans l'avenir comme aujourd'hui !

Au souvenir gracieux de sa patrie et de son foyer, au bord de l'orageuse Baltique, Kalm sentit des larmes mouiller ses paupières, et un long soupir souleva sa poitrine. Il saisit les mains de son ancien ami.

—Merci, comte ! fit-il, merci, Rolland Michel Barrin ! Je ne savais pas qu'au fond de la lointaine Amérique, j'entendrais parler si loyalement de ma chère patrie! Les louanges que j'entends me sont d'autant plus agréables, qu'elles viennent d'un homme qui connaît mon pays, un homme dont les paroles et les actions sont toujours marquées au coin de la plus admirable sagesse.

—Kalm, si je n'étais Français, je voudrais être Suédois. Mais voici la cloche du château qui sonne... La cloche sonne pour avertir le peuple de la ville que le gouverneur dîne et qu'il ne faut pas l'interrompre ! Les affaires sont remises à demain, Kalm ! J'ai gardé quelques amis pour dîner avec nous. Nous allons boire et manger à notre plus intime connaissance.

Kalm s'aperçut, en entendant parler de dîner, que son appétit se réveillait menaçant. Il fut charmé des dispositions de ses nouveaux amis. Puis il fallait se reposer un peu de l'étude. Comme tous les hommes sages, il était un mangeur joyeux et un solide buveur. Mais il n'oubliait jamais le soin de sa santé et son amour de la sobriété. Il savait jusqu'où aller ; il ne dépassait pas la limite qu'il s'était fixée, et, comme un bon Suédois, il remerciait le Seigneur de toutes les bonnes choses qu'il nous donne.

XXXVII

L'ARRIVEE DE PIERRE PHILIBERT

Le dîner du comte de la Galissonnière ne fut pas seulement un temps consacré à boire et à manger. Si la nourriture fut succulente et le vin généreux, capable, comme dit le Psalmiste, de faire briller les visages, la conversation savante et relevée nourrit l'intelligence et réjouit les esprits.

Quand la nappe fut enlevée, les gouttes de vin doré, tombées sur la table, bien essuyées, le sommelier apporta, sur un plateau, une large boîte d'argent remplie de tabac, des pipes et une bougie allumée, comme c'était l'usage dans les réunions où il n'y avait pas de femmes. Il déposa tout cela sur la table, avec une précaution qui trahissait son amour pour la plante indienne, et son admiration pour les nuages de fumée odorante qui bientôt allaient flotter au-dessus de la tête des heureux fumeurs.

—C'est un dîner de garçons, messieurs, dit le gouverneur, en bourrant sa pipe. Nous allons profiter de l'absence des dames pour offrir l'encens au Manitou qui, le premier, a songé à dissiper avec du tabac les ennuis de l'humanité.

Chacun s'empressa de prendre une pipe et de la charger jusqu'au bord, chacun excepté Kalm, qui portait toujours la sienne, une pipe d'écume de mer, profonde et sombre comme un coucher de soleil dans la Baltique. Il la remplit lentement, comme pour jouir d'avance, en foulant du pouce ou de l'index les feuilles hachées, l'alluma, poussa deux ou trois fortes bouffées de suite, puis il se rejeta en arrière dans sa chaise et fit monter des nuages bleus, légers, parfumés. Il aurait fait sécher de jalousie un majestueux bourgmestre de

Stockholm, siégeant au grand conseil de nuit, dans le vieux Raadhus de la cité des Goths.

Ils étaient là, plusieurs gentilshommes, autour de la table du gouverneur, tous francs et loyaux, tous heureux de se connaître et de se voir. Pas un qui n'eût voyagé plus qu'Ulysse, et qui n'eût aussi, comme lui, traversé des cités étranges, observé des caractères singuliers, des mœurs et des coutumes bizarres, et acquis, en feuilletant le livre de l'humanité, une grande expérience.

La lecture des dépêches de France avait cependant laissé une trace visible d'inquiétude dans l'esprit des conseillers. Il était facile de prévoir, d'après la marche des événements, que la colonie serait détachée bientôt de la mère-patrie. Pour prévenir ce malheur et sauver la France elle-même, il faudrait que Dieu fît surgir un homme selon son cœur.

Le comte vit bien que les pensées graves dont il était obsédé envahissaient aussi l'esprit de ses hôtes, et il s'efforça de ramener la bonne humeur en rappelant des souvenirs agréables et des sujets variés et intéressants.

—Kalm, dit-il, en s'appuyant sur le coude, de cette façon douce et prévenante, qui lui gagnait les cœurs, Kalm, nous avons tourné bien des feuillets, depuis le temps où nous suivions les cours à Upsal. La marée de la science, depuis lors, a monté et baissé bien des fois.

—Et nous sommes revenus en arrière, parfois comte. Une ère de découvertes est toujours suivie d'une époque de scepticisme. Et cette dernière époque dure jusqu'à ce que les savants apprennent à soumettre leurs nouvelles théories aux vieilles et éternelles vérités. Notre âge devient chaque jour de moins en moins croyant. Nous cherchons, pour éclairer nos temples, des lumières nouvelles, pendant que le soleil, au-dessus de nos têtes, verse toujours comme auparavant des flots de clartés.

—Je pense que vous avez raison, Kalm. Les écrits de Voltaire et de Rousseau porteront de mauvais fruits, des fruits qui pourraient bien tuer la France.

—Ils la tueront ! Elle ne croit déjà plus, et elle livre son cœur aux passions infâmes. *Absit omen* ! Mais je redoute pour votre beau pays une heure d'horribles calamités. L'indifférence qu'il manifeste à l'égard de ses colonies, est, à mon avis, un symptôme de sa décadence. Il ne regarde que ses intérêts du moment et s'abandonne à un lâche égoïsme.

Le gouverneur ne put s'empêcher de penser sérieusement aux lamentables dépêches qu'il venait de recevoir. Il savait que la France était entre les mains des extorqueurs et des pillards. L'argent était l'unique mobile. Tout pour l'argent, rien sans l'argent ! Un petit nombre s'enrichissait scandaleusement; presque tous tombaient dans une misère affreuse. Entre les deux classes de la société, les riches et les pauvres, le roi et les sujets, s'ouvrait un abîme où tout allait s'engloutir. Les colonies d'abord devaient disparaître.

Il n'osa pas exprimer les craintes qu'il ressentait; il ne voulut pas le faire; ce n'était pas le moment. Il fit tomber la conversation sur un autre sujet.

—Kalm, dit-il, souvent, quand nous étions à Upsal, nous avons discuté la question de l'ancienneté de la terre, et spécialement de ce nouveau continent qui est devenu le nôtre, et que ni l'un ni l'autre nous n'avions jamais vu. Que pense Upsal aujourd'hui de cette question ? Ses philosophes ont-ils renouvelé le débat qui nous avait tant passionnés ?

—Souvent, comte, et la cause a fait des progrès, répondit le Suédois d'un air confiant. Une lumière nouvelle brille maintenant, qui promet d'éclairer toute la philosophie.

En effet, répliqua le gouverneur, que ces sujets relevés intéressaient vivement, j'ai vu quelque part ce que vous m'affirmez là. Et quel est l'enseignement de la nouvelle philosophie ?

—Ce n'est pas tant une philosophie nouvelle qu'une philosophie mieux éclairée, riposta Kalm. Si nous remontons au commencement, nous reconnaissons que le monde est ancien comme le temps, et qu'avant la création, le temps n'existait pas; il n'y avait que l'éternité.

—Pensée profonde et qui doit être vraie, observa le gouverneur.

—Je la crois vraie. La science plonge dans le passé et surprend les révolutions des âges de ténèbres, comme elle pénètre les mystères de l'avenir. Le mouvement infiniment rapide de la lumière céleste a son contrepoids dans la lenteur infinie des changements qui s'opèrent sur notre planète.

—Vous croyez encore, Kalm, que le monde est extrêmement vieux. C'était votre thèse favorite à Upsal, je m'en souviens.

—Alors comme aujourd'hui, comte. Ecoutez bien.

Il alla prendre dans un petit cabinet de minéralogie, un morceau de charbon que des voyageurs avaient apporté des monts Alleghanys.

—Il y a des millions de siècles, commença-t-il, dans les profondeurs du temps, la terre était couverte d'une végétation prodigieuse et le soleil l'inondait d'une lumière intense comme celle de l'équateur aujourd'hui... Les végétaux se condensèrent, et produisirent ce morceau de charbon qui n'est en fin de compte, comme le prouve l'analyse, que la chaleur et la lumière du soleil, sous une forme tangible et concrète. Le dernier mot de la chimie est chaleur et lumière, rien que cela, mais derrière cela se cache la cause des causes, l'amour et la sagesse de Dieu. Brûlez ce charbon, vous rendez la liberté aux rayons si longtemps emprisonnés du vieux soleil, et ils vous donnent ces rayons, la chaleur et la lumière des temps primitifs.

Cette fougère, continua le philosophe, en tirant une petite branche d'un vase de Sèvres, cette fougère est l'expression d'une idée divine. Ses pores si petits contiennent d'innombrables principes de vie. Qu'est-ce que le principe de la vie ? Dieu ! Dieu qui est partout et dispose tout avec une sagesse infinie. La conservation des êtres créés est une continuelle création. Chaque instant de leur vie renferme un miracle égal au miracle de la création première par la divine parole. La puissance du Verbe qui a fait sortir le monde du néant peut seule l'empêcher d'y retomber.

—J'aime votre philosophie, Kalm, répliqua le comte. Je m'imagine facilement que le monde est très vieux, et qu'il a vu bien des retours de sa jeunesse et de sa vieillesse.

—Et il en verra bien d'autres encore. La forme de la matière est destructible, mais pas son essence. Pourquoi ? Parce qu'elle est une conception du verbe éternel par qui toute chose a été faite. La terre est le piédestal de Dieu, dans un sens plus élevé que la science n'est capable de le définir.

—Cette fougère a eu un commencement, remarqua de Beauharnois, qui s'intéressait vivement à ces sortes de questions, mais il fut un temps où elle n'existait pas. Comment pouvez-vous savoir, Kalm, le moment où elle a commencé à exister ?

—La terre elle-même a écrit son histoire en hiéroglyphes, dans son livre de pierres, avant que l'homme ne parut, pour compter le temps et les époques. L'homme ne sait pas quand cette branche a commencé à fleurir; mais il sait, d'après le livre de la Genèse, l'ordre de la création, et elle a paru le troisième jour. Alors, cette partie de l'Amérique était desséchée, tandis que l'océan passait sur la face de l'Europe et de l'Asie.

—Donc pour vous le Nouveau Monde, c'est le vieux, le premier-né de toutes les terres ? demanda de Beauharnois.

La fumée sortait en orbes légers de la pipe du philosophe et s'étendait en nuages d'argent sous le plafond de la salle.

—Incontestablement, chevalier, répondit-il, en lançant une odorante bouffée de fumée. J'ai comparé les rocs, les plantes et les arbres de l'Amérique du Nord, les uns avec les autres; j'ai étudié les poissons, les oiseaux, les quadrupèdes et les hommes, et j'ai reconnu que tout portait un cachet d'antiquité auprès de laquelle l'antiquité de l'Europe ne semble remonter qu'à hier.

—Nos savants académiciens n'ont encore rien affirmé à ce sujet, Kalm, reprit le comte, et je n'ai pas la prétention de me croire plus sage qu'eux; mais j'ai souvent entendu de la Corne soutenir que la race indienne de l'Amérique en est arrivée, à force de vieillir, à une espèce de pétrification, et que les Sauvages eux-mêmes prétendent que leurs enfants ont autant d'instinct, de réflexions et d'habileté que les Blancs devenus hommes.

—La race américaine est si vieille, interrompit de le Corne de Saint-Luc, qu'il semble impossible qu'elle retrouve jamais sa jeunesse; elle est tellement immobile dans son engourdissement moral, que rien ne pourra jamais la réveiller. Elle restera ce qu'elle est, jusqu'à ce qu'elle disparaisse de la terre.

—Et cependant, observa Kalm, ces Indiens peuvent se vanter d'être les héritiers d'une civilisation perdue, qui remplit l'Amérique de ses œuvres merveilleuses, alors que le reste du monde était encore plongé dans les ténèbres de l'ignorance.

—J'ai vu sous les tropiques, reprit de la Corne, les ruines de cités immenses et les temples de dieux étrangers que je ne veux pas appeler des démons.

—Ce ne serait ni philosophique, ni chrétien, répliqua Kalm. Cependant, il est une preuve de l'ancienneté de l'homme rouge de l'Amérique que je trouve concluante, bien que je puisse l'apprécier aussi justement que vous. C'est la beauté, la richesse, le charme du langage de ces diverses tribus. Un pareil langage ne peut être que le fruit de la civilisation; il le prouve, comme le galet démontre, par sa rondeur et son poli, qu'il a été roulé par les flots. Ce ne sont pas les misérables chasseurs que l'on connaît qui ont pu trouver une si splendide manière d'exprimer leurs pensées.

—Leur langage est tellement au-dessus de leur condition, Kalm, affirma de la Corne, qu'il est évident qu'ils descendent d'une race civilisée dont ils ont gaspillé l'héritage et perdu le souvenir.

Kalm reprit après un instant:

—L'Amérique est très ancienne, tout le proclame. Ses rochers apparaissaient, quand l'Europe dormait encore sous l'océan. Dernièrement, j'examinais avec étonnement et respect la vieille chaîne des Laurentides, à l'aspect décrépit; ces assises granitiques qui sont aux autres montagnes du globe, ce que sont les pyramides d'Egypte aux autres monuments de l'homme. Leur aspect vénérable révèle à l'esprit émerveillé une insondable antiquité. Là, nous trouvons, marqués par des coteaux sablonneux, les véritables rivages que battirent les eaux de la mer dans les premiers âges du monde. Ces rives premières, les poètes n'ont pu les voir que dans leurs rêves, telles qu'elles apparurent d'abord formant la limite des premières terres qui surgirent de l'Océan universel, au commandement du Créateur. Lorsque Dieu dit : «Que les eaux se réunissent en un endroit et que la terre sèche apparaisse !» les Laurentides apparurent, et le reste de la terre demeura dans le secret du divin Créateur. Un jour peut-être, on retrouvera là, si jamais cela se trouve, les premières traces de la vie sur la terre.

—Et notre flore et notre faune, interrogea de Beauharnois, ne sont-elles pas les plus antiques du monde ? Il me semble que c'est admis aujourd'hui.

—Certainement ! répondit Kalm.

Puis, se tournant vers le gouverneur, il ajouta :

—Vous vous en souvenez, comte ? Rudberg avait coutume de déclarer que le cheval, l'éléphant, le chameau et le bœuf ne sont pas des indigènes du Nouveau-Monde; que le buffalo des prairies de l'ouest garde le type du mammouth; que le dindon, le condor et le lama portent le sceau d'une origine plus ancienne que tout autre animal de l'Europe ou de l'Asie.

Il y avait là quelques specimens de poissons et de coquillages; Peter Kalm prit un poisson, un *garpique* du lac Ontario, la dernière espèce vivante d'une classe d'êtres qui peuplèrent les eaux primitives de la terre, avant que les autres êtres pussent entendre le *fiat* du Créateur.

—Vos eaux, dit-il, sont comme vos terres, les plus vieilles. Les plus rares antiquités de l'Europe sont des choses modernes, comparées à ce poisson qui semble venir des profondeurs de l'éternité. Il nous apprend que le monde était peut-être plus violent et plus cruel alors qu'aujourd'hui. Voyez ces défenses, ces dents menaçantes, cette forme propre à l'attaque comme à la fuite ! Quel rêve terrible du passé ! Combien ancienne, comte, doit être l'Amérique, qui garde encore dans ses mers intérieures ces reliques vivantes des premiers temps !

—Devons-nous donc en conclure, demanda de Beauharnois, que les indigènes de l'Amérique ne sont pas des hommes nouveaux, mais des descendants dégénérés de quelque race civilisée et aujourd'hui oubliée tout à fait? Néanmoins bien des gens instruits les font venir de la Tartarie et du Japon.

—*Non liquet* ! S'il en était ainsi, ils n'auraient pas manqué d'amener avec eux le cheval, la vache et le mouton, les contemporains de l'homme en Asie; et cependant, sans le concours de ces animaux, l'Amérique primitive était arrivée à une grande civilisation.

—Vous aimez toujours, Kalm, à relire dans Platon, ce que des prêtres égyptiens avaient raconté à Solon au sujet de la mystérieuse Atlantide.

—Et j'y crois à ce récit des prêtres de l'Egypte, comte ! Les Pyramides ne s'élevaient pas encore et l'Atlantide était connue. Mais les relations avec cette terre éloignée ne pouvaient qu'être accidentelles; autrement il y aurait eu échange de produits. Colomb aurait vu sans doute des arbres fruitiers de l'Asie transplantés sur les rivages américains quand il retrouva le Nouveau Monde. Je dis: retrouva, car ce sont les hommes du Nord qui ont découvert l'Amérique. Je réclame pour eux cet honneur ! Le soleil de la civilisation américaine s'est couché avant que l'aurore ait lui pour l'Asie. Il s'est couché, mais en projetant sur le Mexique et le Pérou un magnifique reflet d'or qui s'est éteint, hélas ! dans le sang versé par les Espagnols.

—Il a projeté ses reflets plus loin encore, reprit de la Corne. Dans mes voyages à l'intérieur, près des montagnes, j'ai contemplé les remparts et les restes de cités anciennes presque réduites en poussières et recouvertes de la forêt séculaire. Et sous les forêts des tropiques,—comme je l'ai dit il y a un instant,—quelles ruines étonnantes des temples de la prière ! quelles inscriptions ! quelles images ! quelles sculptures !

—J'ai reçu aujourd'hui même, reprit le gouverneur, une lettre du sieur de la Vérendrye, qui m'informe que là-bas, sur les bords sauvages et âpres du lac Supérieur, il a trouvé des traces d'exploitation des mines de cuivre, de plomb et d'argent. Or, aucune des tribus qui hantent ces rivages ne se souvient d'avoir entendu parler de tels travaux.

—Il est possible que ces territoires aient formé un immense empire autrefois, repartit Kalm. Les Américains ont, comme les Chinois, une foule de dialectes, mais une écriture unique en hiéroglyphes, et ils se comprennent tous ainsi. Tous les Sauvages, comte, depuis la mer du Nord jusqu'au golfe du Mexique, sont capables de dire ce que signifient les signes dépeints sur les bandes d'écorce qui sont là devant vous.

Les savants discoureurs laissèrent un moment reposer leurs graves sujets de conversation, remplirent leurs coupes d'un vin délicieux, puis, après avoir bu, dégustèrent un nouveau tabac, et la fumée se reprit à monter en vagues bleuâtres dans la pièce qui s'obscurcissait comme le ciel à l'approche d'un orage.

Rigaud de Vaudreuil n'avait point pris part à la discussion. Il était patriote et soldat, brave et honnête, mais il n'entendait rien en antiquités et détestait souverainement ces choses surannées.

Il aurait aimé, par exemple, à savoir l'opinion du philosophe sur la guerre et les signes du temps.

—Vous avez un passeport, Kalm, commença-t-il, pour voyager en Angleterre et dans les colonies anglaises; je ne veux pas vous demander quels préparatifs militaires vous avez vus sur votre passage, ce serait manquer aux lois de l'honneur et de l'hospitalité; mais je puis bien vous demander ce que vous pensez de la politique anglaise à l'égard de l'Amérique.

—Certainement, chevalier, et voici ma réponse : L'Angleterre veut conquérir la Nouvelle-France, ni plus, ni moins. Les colonies anglaises la pressent de le faire—elles ont peur de vous—et la mère patrie est trop désireuse d'humilier la France, sa rivale, pour reculer devant les conséquences, quelles qu'elles puissent être. Votre conquête, c'est la base de leur politique.

—C'est ce que nous pensions tous, répliqua Rigaud de Vaudreuil. C'est aussi ce qu'ils essaient de faire depuis un siècle. Ils réussiront quand le dernier Canadien digne de ce nom sera couché sur la frontière, pas avant ! Je vous remercie, Kalm, d'avoir parlé si franchement, bien que vos paroles ne soient pas très encourageantes.

Il lui serra la main.

—Vous avez parlé des conséquences, fit-il, un instant après. Quelles seraient-elles donc, dans votre opinion ?

—La France aura sa revanche, monsieur de Vaudreuil J'ai assez vu, assez observé pour dire que c'est la peur de la France qui tient les colonies anglaises dans l'obéissance et la fidélité. Les hommes politiques de la Nouvelle-Angleterre semblent embrasés de ce souffle de feu qui passa sur l'Angleterre, il y a un siècle. Ils pourraient acclamer un Cromwell; un roi, jamais ! Si ces colonies vous conquièrent, elles se lèveront dans leur orgueil pour secouer le joug de la mère patrie. Ce sera une nouvelle lutte entre le peuple et le roi. La guerre éclatera, et alors la France pourra se venger. L'Angleterre verra tous ses ennemis se joindre aux rebelles pour la frapper au cœur et lui arracher ces belles colonies qui font sa grandeur et sa force !

—Pardieu ! Kalm, vous parlez comme un prophète ! s'écria de Vaudreuil. Oui, ce serait une belle vengeance, une vengeance aussi douce que la conquête aurait été amère ! Nous sommes au courant, ici, des secrètes manœuvres des partisans de l'idée républicaine, dans la Nouvelle-Angleterre. Ils nous ont fait déjà des avances que nous avons repoussées, parce que ces gens sont les pires ennemis de notre Eglise et de notre roi.

—Ils veulent d'abord, avec le secours de l'Angleterre, renverser votre souverain, puis ensuite, aidés de la France, ils chasseront du Nouveau Monde la royauté anglaise. La guerre sera longue et sanglante : elle enfantera des inimitiés séculaires.

—Par saint Michel ! Kalm, vos paroles ont toutes les couleurs de la vérité, interrompit de la Corne de Saint-Luc; mais la France ne trahira pas ses enfants; elle sera fidèle à l'honneur et l'hostilité des provinces anglaises ne saurait l'effrayer.

—Puisse-t-il en être ainsi, chevalier ! répondit Kalm en chargeant sa pipe de nouveau. Il faudrait, pour former une civilisation digne de ce grand continent, que la courtoisie et l'urbanité du peuple français pussent s'unir à la rude énergie de l'Anglais. Heureux le pays où les qualités de ces deux grands peuples se fondront ensemble ! Et je crois l'entrevoir, ce pays, dans les ombres de l'avenir !...

—Vous croyez l'entrevoir ? reprit le gouverneur. Comment ? Faites-nous part des secrets qui vous sont révélés ! Nous sommes tous des philosophes, ce soir, et nous reconnaissons que le prophète est proche de Dieu quand il contemple les choses du futur.

—Je vois venir un jour, repartit Kalm, où les colonies anglaises se révolteront et secoueront le joug de l'Angleterre ! Je vois venir un jour où les colonies anglaises voudront proclamer leur indépendance. Alors, elles tendront vers vous des mains suppliantes, car elles auront besoin d'amis et de secours !... Et la Nouvelle-France ! la Nouvelle-France devenue province anglaise ne les écoutera point et détournera la tête !... Elles vous demanderont le secours de votre épée, de la Corne de Saint-Luc ! le secours de votre épée, Rigaud de Vaudreuil ! et vous les repousserez ! Vous resterez fidèles à votre nouveau souverain !... Et vienne un temps où l'Angleterre, lâche et dégénérée, vous abandonne comme le fera bientôt la France, le dernier coup de canon qui sera tiré pour la défense de son drapeau, le sera par un Canadien français.

—Par tous les saints du paradis ! exclama de la Corne de Saint-Luc.

—Par tous les damnés de l'enfer ! s'écria de Vaudreuil, faisant flamme comme un volcan, cessez vos prédictions, Kalm, cessez ! Cassandre n'a jamais annoncé à Troie de pareilles choses ! C'est impossible ce que vous dites là, absolument impossible !

—Impossible ou non, je le vois, et ce n'est pas éloigné, répondit Kalm fort tranquillement.

—Quelque chose qu'il arrive, jamais la loyale, la catholique Nouvelle-France ne s'unira aux puritains hérétiques de la Nouvelle-Angleterre. S'il est vrai que nous aimions peu la vieille Angleterre, nous aimons encore moins la Nouvelle-Angleterre. continua de la Corne de Saint-Luc. Nous ne prendrions, certes, jamais la part de cette dernière contre la première. Et puis, nous n'oublierons jamais la France ! jamais ! exclama-t-il.

—Mais la France vous abandonnera. Elle vous vendra pour un plat de lentilles.

—La France, la chevaleresque France ! elle tombera l'épée au poing, si jamais elle tombe !

—La France, aujourd'hui, n'est plus la France des chevaliers, mais la France des courtisans ! Elle est avide et troque son honneur pour de l'or !...Mais, pardon ! je ferme les yeux devant cette sombre vision. Chevalier, votre main ! Vous sauverez votre pays, s'il peut être sauvé.

—Laissons reposer un peu cette malheureuse politique, proposa le gouverneur, et n'ajoutons pas aux tourments d'aujourd'hui les terreurs de demain. Kalm représente ici la vieille université d'Upsal, buvons un verre à sa santé, buvons un *skal* suédois en son honneur !

Les coupes furent remplies et le *skal* fut bu avec enthousiasme.

Le comte se rejeta en arrière dans sa chaise et se prit à songer :

—Six lustres, trente ans, dit-il, ont passé sur nos têtes et blanchi nos cheveux, Kalm, depuis que nous avons terminé notre cours de botanique. Nous avions pour professeur un homme plus jeune que nous, un homme qui faisait la gloire et l'admiration de l'université, comme depuis, il a fait la gloire et l'admiration du monde. Linnée était encore élève de Olaf Celsius et de Gammal Rodbeck quand il ouvrait aux élèves et aux professeurs les trésors de la nature. Puisse-t-il longtemps porter la couronne que le monde lui a mise sur le front !

—S'il vous entendait, comte, répliqua Kalm, il se sentirait tout honteux, car il est aussi humble qu'il est grand. Comme Newton, il dit qu'il n'a fait que ramasser quelques petits cailloux sur les rivages encore inexplorés du vaste océan de la vérité.

—Je le sais, mais nous ne devons pas faire taire la reconnaissance. Quel temps glorieux que ce temps-là ! et qu'il était doux d'avoir de tels hommes pour maîtres ! Gammal Rodbeck ne cessait de nous dire que nous avions l'honneur d'être traités absolument de la même façon, que son royal pupille, le brave Charles XII.

—Oui, repartit Kalm au souvenir que réveillait ce nom, cela faisait cesser nos murmures dans les jours de disette, quand la portion ne répondait pas à l'appétit. Nous trouvions le gruau meilleur, quand nous songions que c'était cet humble mets qui avait formé les os et les muscles du vainqueur de la Nerva.

Le gouverneur se laissa emporter par le flot des réminiscences.

—Nos compagnons de classe ont vieilli comme nous, Kalm, et comme nous, maintenant qu'ils ont la sagesse des cheveux blancs, ils s'aperçoivent qu'il n'y a rien de neuf sous le soleil et que tout est vanité. Où est Crusenstolpe ?

—Il vit dans le château de ses ancêtres à Wermland, chassant le cerf, cultivant l'orge, élevant un essaim de jeunes Suédois qui porteront son nom et serviront leur roi et leur pays.

—Et Engelshem ?

—Dans l'armée. C'est un vaillant cuirassier finlandais.

—C'est en effet un brave garçon, j'en suis sûr, observa le gouverneur. Et Stroembom, notre Waterbull, où est-il ?

—Dans la marine; il garde les falaises de la Baltique.

—Et Sternberg ? continua le comte avec la curiosité d'une jeune fille qui rappelle ses compagnes de couvent.

—Conseiller d'État à la cour du roi Frédéric, comme il l'était à la cour de la reine Ulrique. Moi je suis un humble professeur de philosophie à Abo. Markenshiold prêche le patriotisme et la religion aux Dalcarliens. C'est peine perdue. Mais les Dalcarliens aiment qu'on leur dise qu'ils remplissent bien leurs devoirs envers Dieu et le roi, et ils ne priseraient guère un orateur qui négligerait cette précaution.

—Il y en a encore un autre de nos compagnons de classe, et c'était un prodige celui-là, Swedenborg, qu'est-il devenu ?

—Swedenborg ? il est à Stockholm, en corps. . . Son âme, elle, est rendue au septième ciel !

—Que voulez-vous dire, Kalm ? Swedenborg était le plus beau génie de l'Université.

—Et il ne l'a pas perdu son génie. Peu d'esprits peuvent le suivre dans son essor. Il a étudié la terre, maintenant il explore le ciel et l'enfer. Il n'est pas comme le Dante, guidé à travers des régions imaginaires par un Virgile ou une Béatrice, mais par une permission divine, il converse avec les bons anges ou les esprits mauvais au séjour du bonheur ou de la désolation.

—Vous me surprenez, Kalm, continua le gouverneur, Swedenborg qui était le meilleur mathématicien de la classe et le plus fin observateur de la nature ! Olaf Celsius l'appelait un philosophe éminent, et il méritait ce nom. Il n'était rien moins qu'un fol enthousiaste.

—C'est vrai, mais vous n'ignorez pas, comte, que sous nos neiges et nos glaces, couvent des feux terribles qui font parfois irruption pour illuminer ou dévaster la terre.

Le gouverneur regarda Kalm comme pour l'approuver.

—Je vous reconnais bien, là, dit-il, ô Suédois, avec votre génie brillant et froid comme un soleil d'hiver, votre génie curieux et profond, qui veut soulever le voile dont se couvre l'inconnu et voir ce que nul n'a pu encore deviner; génie mêlé du mysticisme primitif et charmant d'Edda et de la race d'Odin... Mais quand l'avez-vous rencontré Swedenborg ?

—Je l'ai rencontré à sa résidence de Hornsgata, justement le jour de mon départ. Vous connaissez Hornsgata, près de Stockholm ? Il était au milieu de son verger, dans sa maison d'été, sa retraite favorite. C'est de là qu'il voit les cieux ouverts et qu'il écrit les merveilleux secrets,—*Arcana celestia*,—dont le monde, un jour, fera ses délices.

—Vous m'étonnez, Kalm ! jamais je n'aurais supposé qu'il se serait consacré à de pareils travaux. Il a donc renoncé à la philosophie pour chercher une nouvelle voie dans la science et la théologie !...Il est devenu fou à force de sagesse. Peu d'hommes ont cette excuse. Quant à moi j'étudie la philosophie dans les choses visibles, dans une pierre, une plante, une goutte d'eau, un être animé quel qu'il soit. Mon livre c'est la nature; et la raison m'aide à le commenter. Je trouve cela suffisant. J'aime la théologie, mais je l'abandonne à ceux qui ont charge de l'enseigner et de l'interpréter. *Credo in sanctam Ecclesiam Catholicam* ! Mes pères y ont cru et j'espère qu'ils ont été sauvés. J'y crois et elle me sauvera !

—L'homme sage ne juge pas Dieu, observa l'évêque, qui avait écouté avec plaisir la conversation des deux anciens étudiants d'Upsal.

Et il ajouta :

—Nous devons l'accepter tel qu'Il s'est révélé, et c'est en vain que la curiosité cherche à pénétrer le mystère dont Il s'enveloppe. Nous ne pouvons pas même juger les hommes avec justice.

—Je m'incline avec déférence, répondit Kalm. Au fond, nous croyons tous la même chose, et nous ne différons que dans les signes extérieurs. La mer, à sa surface, paraît infiniment divisée, quand les vagues roulent, roulent sans cesse au souffle des vents, mais dans ses profondeurs elle forme une masse compacte unie et calme. En Suède, monseigneur l'évêque, nous sommes un peu curieux. Nous aimons à connaître la raison de tout; pourquoi l'homme a été créé, d'où il vient, où il va. Nous soulevons une à une les pierres de la science, pour voir sur quoi elles reposent. Nous allons, quand c'est possible, au fond de toutes les choses, et nous questionnons Dieu lui-même en l'étudiant dans ses œuvres comme dans sa parole.

—Ecoutez, fit l'évêque en levant la main, l'angélus sonne dans les tours et les beffrois, et des millions de chrétiens s'agenouillent avec la simplicité de l'enfance pour prier. Ils ne connaissent pas un mot de théologie, pas un mot de philosophie ! Notre Père qui est au ciel entend la prière du cœur sincère qui demande le pardon du passé et des grâces pour l'avenir. Croyez-vous cela, Kalm ?

—Sans doute, monseigneur, et j'en remercie Dieu! C'est lui qui nous accorde la grâce du salut, et les humbles seuls sont dignes de la recevoir.

—Puissions-nous la recevoir cette grâce, ajouta l'évêque, et il prononça, à haute voix, la prière en l'honneur de l'Incarnation.

Il se fit un silence de quelques instants, puis, tous se levèrent et chacun récita pieusement, à voix basse, la salutation de l'ange et la sainte invocation qui l' accompagne d'habitude, pendant que sonnait l'angélus. Quand on eut fini, la compagnie se remit à table et l'on reprit de nouveau les verres.

La conversation n'avait guère intéressé Rigaud de Vaudreuil qui bâillait en se cachant le mieux possible. Il détestait les philosophes et les appelait une bande de sceptiques et de railleurs, qui travaillaient à détruire la religion et finiraient par s'attaquer au roi et à la France.

Chacun de nous a son sujet favori de discussion, un sujet où il se sent à l'aise et fort. Il est plaisant de voir un homme silencieux, s'élancer tout à coup, et comme emporté par un coursier vigoureux, sur le terrain qu'il connaît et qu'il aime.

Rigaud de Vaudreuil était taciturne comme un Sauvage, mais si vous lui parliez de guerre, il devenait tout feu, et c'était plaisir de l'entendre. Il partait au galop comme le cheval de bataille à l'appel du clairon.

Le gouverneur s'aperçut de l'ennui qui se peignait sur sa figure, et amena fort adroitement la conversation sur un sujet auquel ce vaillant soldat pourrait prendre part. Rigaud de Vaudreuil raconta alors ce qu'avaient fait, pour la défense de la colonie, les troupes du roi et les loyaux Sauvages. Il dit aussi les travaux qui restaient inachevés à cause de la négligence de la cour, et de la division de l'autorité en Nouvelle-France. Le gouverneur contrôle la campagne, le général en chef commande l'armée et l'intendant tient l'argent—le nerf de la guerre !

—Le roi espère de nouvelles victoires ! s'écria-t-il. Nous en gagnerons ! dussions-nous les payer dix fois de notre sang! Mais ses courtisans, mais ses maîtresses, mais tous ces vampires qui entourent le trône, nous extorquent les dernières bribes de nos richesses ! Entre les mains de Bigot, la Nouvelle-France va perdre la dernière goutte de son sang et le dernier sou de son trésor. Ici comme en Acadie, les soldats ne reçoivent plus leur solde ! ici comme en Acadie, probablement, ils seront obligés de piller leurs compatriotes pour vivre ! N'est-ce pas vrai, de la Corne ? fit-il en se tournant vers son illustre camarade.

De la Corne de Saint-Luc fumait avec ardeur en écoutant Rigaud de Vaudreuil, et il se perdait dans un nuage bleuâtre qui s'épaississait toujours.

—C'est vrai ! c'est trop vrai ! Rigaud, répondit-il. La Nouvelle-France aura la destinée de l'Acadie; elle sera brisée comme ceci—il prit sa pipe et la cassa,—à moins qu'un feu nouveau ne s'allume dans les cœurs français ! à moins que la France ne soit gouvernée par des hommes d'Etat honnêtes et capables, et que le règne des courtisanes, des prodigues et des philosophes ne finisse ! Vous êtes historien, Kalm, continua-t-il. Eh bien ! je vous demande d'écrire que la Nouvelle-France, —si jamais elle est perdue— ne l'aura pas été à cause de la valeur des Anglais ou du manque de patriotisme de ses enfants, mais parce que, dans la mère patrie, la richesse sera devenue lâche, la loyauté se sera éteinte, le sentiment de l'honneur et l'orgueil national n'existeront plus ! Si la France perd l'Amérique, c'est qu'elle n'aura pas le cœur de conserver ce que ses fils ont si bravement conquis ! Quand une nation aime mieux son or que son sang, mieux la paix que l'honneur, elle est condamnée ! Elle n'aura bientôt plus, peut-être, pour racheter sa misérable existence, ni sang, ni or, ni honneur ! Son sang, le meilleur, s'en ira illustrer d'autres terres; son or servira à payer les tributs honteux que lui imposeront les vainqueurs, et son honneur s'effondrera pour jamais dans l'océan de la dégradation nationale !

En articulant ces paroles de feu, de la Corne de Saint-Luc était le fidèle interprète de presque tous les hommes intelligents de la colonie. Ils se sentaient moitié délaissés et tout à fait dédaignés par la mère patrie. La politique de la France, on commençait à le sentir et les plus habiles le comprenaient parfaitement, subissait l'influence perverse de Voltaire qui ourdissait alors sa cabale anticoloniale. Voltaire! qui plus tard manqua de cœur et de patriotisme au point d'allumer des feux de joie pour célébrer la défaite de Montcalm ! et la perte par la France de sa plus grande colonie !

Chose étrange ! après un laps de temps de plus d'un siècle, il a surgi une race d'Anglais qui se sont faits les successeurs des encyclopédistes français pour poser en principe que seule la richesse fait la grandeur d'une nation et que, pour l'Angleterre, le seul moyen de rester un État puissant et respecté est de se débarrasser de ses colonies, de s'aliéner le cœur de millions de ses plus loyaux sujets, de briser les éléments les plus forts de sa puissance nationale en divisant son empire et en poussant ses fragments dans les bras de ses ennemis ! Espérons que le peuple anglais fera sourde oreille à d'aussi pernicieux arguments.

Il existe des Voltaire et des Diderot anglais qui croient en l'efficacité de la pusillanimité nationale et qui l'enseignent. Ils sont comme cet homme poursuivi par les loups qui leur jetait de sa voiture tous ses enfants les uns après les autres, dans l'espérance d'assouvir la faim de ces animaux féroces, et de sauver son ignoble vie, au prix de tout sentiment de devoir et d'humanité, au prix de l'honneur et des droits que la nature elle-même avait à ce qu'il se sacrifiât pour le salut de ses enfants.

Voltaire et les philosophes se firent de la liberté une image fantaisiste qu'ils appelaient l'Angleterre, image qui, vraie en elle-même, était fausse dans la conception qu'ils en avaient et qu'ils dégradaient par l'usage factieux qu'ils firent de leur idéal.

Il en est de même de ces Anglais, successeurs de Voltaire, qui se font une idée fantaisiste d'une divinité qu'ils appellent l'Amérique. Ils rampent à ses pieds, lui rendant un culte moitié idolâtre, moitié poltron, mais dégénérant tout à fait du sentiment de bravoure et de l'esprit d'indépendance qui animaient la nation anglaise.

Les funestes prédictions de la Corne de Saint-Luc furent inutiles. Les événements se précipitèrent. Une lutte désespérée commença pour sauver la domination française. Chacun fit son devoir envers Dieu et envers son pays; la bravoure et le dévouement furent sans bornes, et les soldats canadiens sacrifièrent leurs biens, leurs familles et leur vie pour défendre le drapeau national !

La Nouvelle-France n'avait jamais contemplé tant d'héroïsme, recueilli tant de gloire ! jamais l'Amérique n'avait vu de si beaux combats ! Hélas ! la mère patrie ne se réveilla point de sa criminelle torpeur ! Aujourd'hui qu'il n'y a plus de Pompadour, que ne donnerait-elle pas pour ces quelques arpents de neige alors si lâchement cédés à l'Angleterre !

Mais ces douloureux événements n'étaient pas encore sortis des ténèbres de l'avenir. L'orage grondait. Les nobles convives du comte de la Galissonnière pouvaient ressentir de l'inquiétude, mais pas de découragement encore, pas de désespoir.

Pendant que l'on versait du vin, ou que l'on remplissait de tabac les pipes culottées, un serviteur annonça Pierre Philibert.

Tous se levèrent pour lui souhaiter la bienvenue.

Pierre semblait inquiet, mal à l'aise. Cependant, de si cordiales poignées de main le remirent aussitôt.

—Pierre, dit le comte, j'espère bien que ce n'est pas un mauvais vent qui vous ramène à la ville d'une manière aussi inattendue. Vous êtes le bienvenu, toutefois, et le vent qui nous ramène nos amis est toujours un bon vent.

—C'est un vent maudit qui me ramène, Excellence ! répondit-il en prenant son siège.

—Comment ? qu'y a-t-il ? Mme de Tilly et sa charmante nièce se portent-elles bien ?

—Très bien, mais elles ont de la peine. Le diable a de nouveau mis la main sur Le Gardeur. Le malheureux jeune homme a succombé à la tentation. Il est revenu en ville, et personne ne peut lui faire entendre raison. Un déchaîné !

—Comme sa sœur doit souffrir ! soupira le gouverneur. Elle donnerait sa vie pour le sauver !...Je la plains ! je vous plains aussi, Pierre !

En disant ceci, il serra loyalement la main du jeune colonel.

—Je n'éprouve pas moins de pitié, ajouta-t-il, pour l'infortuné jeune homme qui nous cause à tous tant de chagrin.

—Oui, Excellence, Le Gardeur est plus digne de pitié que de blâme. Il a été tenté au-dessus de ses forces.

De la Corne de Saint-Luc s'était levé; il arpentait la pièce et paraissait fort surexcité.

—Pierre Philibert, fit-il, où est-il le pauvre garçon ? Il faut le chercher, le trouver ! Quel démon s'est emparé de lui ? Le démon du vin, qui mord comme un serpent et rend fou ? le démon du jeu, qui fait tinter les dés et l'or comme une musique néfaste aux oreilles des faibles ? ou le pire de tous, le démon qui n'est jamais vaincu, la femme ?

—Les trois ensemble, chevalier ! De Péan est venu à Tilly, et lui a remis un message de la part d'une femme. Vous savez qui. Il est devenu fou, complètement fou. Cent hommes ne l'auraient pas tenu. Il s'est mis à boire et à jouer avec de Péan, nuit et jour, à l'auberge du village, et celui qui se serait avisé d'intervenir aurait mal passé son temps. Ils sont venus à la ville aujourd'hui, tous les deux.

—De Péan, reprit de la Corne de Saint-Luc, le vilain serpent ! Un digne instrument des mensonges et des infamies de Bigot ! Je parie qu'il n'a pas été de lui-même à Tilly. C'est l'intendant qui est au fond de l'affaire. Il voudrait ruiner le plus noble garçon de la Nouvelle-France !

—C'est possible, répliqua Philibert, mais l'intendant seul n'aurait pas été capable de le ramener à Québec. C'est la lettre de cette redoutable sirène qui l'a de nouveau attiré dans le gouffre mortel.

—Oui, mais Bigot s'est servi d'elle, riposta de la Corne de Saint-Luc, qui n'en démordait pas.

—Peut-être avez-vous raison, mais moi je pense que c'est elle qui se sert de l'intendant, affirma le colonel.

—Et qu'avez-vous fait depuis votre arrivée, Pierre Philibert ? demanda l'évêque; avez-vous vu Le Gardeur ?

—Non, monseigneur. Je les ai suivis à la ville, lui et de Péan. Je me suis rendu au palais où ils étaient entrés. L'intendant m'a reçu avec la plus exquise courtoisie. Je lui ai dit que je désirais voir Le Gardeur; il m'a répondu que c'était impossible en ce moment-là. En même temps, j'ai entendu le bruit des dés, le son des pièces d'argent, des rires, des cris... J'ai reconnu Le Gardeur à sa voix, et lui ai fait remettre ma carte avec quelques mots. Il me l'a renvoyée après y avoir griffonné des ordures... Cependant l'écriture n'est pas de sa main, bien qu'il ait signé cela de son nom. Lisez, Excellence; voyez ! Je ne veux pas répéter ces choses. Dites-moi ce qu'il faut que je fasse pour protéger mon honneur et en même temps sauver mon ami. Pauvre Le Gardeur ! il n'a pas écrit cela, jamais ! Ce n'est pas possible ! Il a signé sans savoir ce qu'il faisait.

—Par saint Martin ! exclama de la Corne de Saint-Luc, qui venait de lire la carte, quelqu'un mordra la poussière pour cela ! Quant à Le Gardeur, prenez-le en pitié, pardonnez-lui ! Il n'est pas tant à blâmer que ces coquins de la Friponne qui trouveront un jour l'épée de la Corne de Saint-Luc une peu longue pour leurs petites poitrines.

—Pardonnez ! mes chers amis, pardonnez ! recommanda l'évêque, ce n'est pas ainsi que doivent parler des chrétiens.

—Non, mais ainsi que parlent des gentilshommes, riposta de la Corne de Saint-Luc avec humeur, et je soutiens qu'un vrai gentilhomme est un bon chrétien. Cependant, monseigneur, vous faites votre devoir, je le reconnais, et je vous en félicite; mais je ne vous promets pas l'obéissance. David a tué Goliath en duel, et Dieu et les hommes l'ont exalté pour cela.

—Il ne se battait pas pour son compte, riposta l'évêque en souriant. Goliath avait défié les armées du Dieu vivant et David s'arma de l'épée pour le salut de son roi.

—*Confiteor* ! monseigneur ! mais la logique du cœur l'emporte souvent sur celle de la tête, et le sabre est fait pour sabrer les polissons !

—Je m'en retourne chez moi maintenant, fit Pierre. Je reverrai Votre Excellence à ce sujet.

—Quand vous voudrez, Pierre; je suis à votre disposition, répondit le gouverneur.

Tous les hôtes se levèrent. C'était pour tous le moment de se retirer.

Le gouverneur et Kalm passèrent dans le musée et se mirent à étudier, comme deux écoliers, les minéraux, les plantes, les oiseaux, les animaux de toutes sortes. Ils oublièrent le monde, et ses projets, et ses batailles, pour admirer les richesses, la beauté et la vérité des règnes de la nature, dans le Nouveau Monde.

XXXVIII

UNE MAUVAISE NUIT AU-DEDANS ET AU-DEHORS

Le chevalier de Péan n'avait, en effet, que trop bien réussi à perdre de nouveau Le Gardeur. Quelques jours lui avaient suffi pour cette œuvre avilissante, et il triomphait maintenant.

A Tilly, il s'était retiré à l'auberge du village, n'osant pas accepter l'hospitalité de la noble châtelaine. Mais il venait au manoir tous les jours, pour régler des affaires dont l'intendant l'avait chargé. Un prétexte, pas autre chose.

Il était reçu poliment, mais avec froideur; ce qui ne l'empêchait point de se montrer fort galant. Il aurait voulu gagner les bonnes grâces des dames ou, du moins, faire tomber leurs préjugés.

Il voulut une fois aborder Amélie, un peu plus familièrement, peut-être, que ne le permettait la stricte politesse; mais il ne fut pas tenté d'essayer une seconde fois. Elle répondit à ses paroles flatteuses par un regard tellement chargé de mépris, par un mouvement d'aversion tellement prompt, qu'il resta stupéfait.

La justice d'une femme qui se sent heureuse d'être aimée a quelque chose d'implacable. Elle craint toujours, cette femme, que la force et la pureté de son dévouement ne soient soupçonnées.

De Péan grinça des dents et jura de se venger de cet outrage. Il appelait cela un outrage, lui, cette juste répugnance que la vertu éprouvait à le voir. Il jura qu'avant longtemps Amélie expierait cruellement cet odieux acte de mépris.

Un de ses rêves les plus caressés s'envolait pour ne plus revenir. Il avait regardé avec envie l'immense fortune et la haute position de la jeune châtelaine de

Repentigny; la cupidité s'était allumée plus vive encore que l'amour dans son âme basse, et les charmes incomparables de la sage beauté le touchaient moins que la pensée de ses richesses.

Il n'était pas assez magnanime pour supporter bravement la perte de ses espérances. Il ne comprenait pas, dans sa sotte vanité. quand il se regardait avec béatitude, qu'une femme put lui préférer un autre homme; il ne comprenait pas qu'une femme suivrait pieds nus, s'il le fallait, un gueux qu'elle aime, et refuserait de chausser des sandales d'or pour marcher avec un riche qu'elle n'aime pas.

Quand Amélie fut entrée dans sa chambre, elle dit à Héloïse de Lotbinière qu'elle n'aurait pas voulu traiter un gentilhomme aussi rudement que cela, parce qu'une femme ne doit jamais répondre par le mépris à l'amour d'un homme, quand cet homme est honnête et sincère.

—Mais le chevalier de Péan, ajouta-t-elle, est si faux, si présomptueux que je ne puis souffrir qu'il me parle comme à une amie. Je suis, je veux rester une étrangère pour lui.

—Tu t'es montrée trop bonne encore, lui répondit Héloïse en l'entourant de son bras; s'il se fut adressé à moi, je me serais autrement moquée de ses flatteries. Je l'aurais payé avec la même monnaie. Je l'aurais laissé s'avancer au bord du précipice, faire de tendres aveux, offrir sa loyale main, puis, alors je l'aurais laissé tomber du haut de ses espérances, comme du haut du rocher on laisse tomber un caillou dans le gouffre de la chaudière...

—Tu as toujours été plus hardie que moi, Héloïse; je ne pourrais, pour rien au monde, faire cela. Je ne veux causer de peine à personne, pas même au chevalier de Péan. Et puis, cet homme, je le crains; tu sais pourquoi. Il a sur Le Gardeur une puissance extraordinaire, une autorité qui m'épouvante. Quand ils sont quelque part ensemble, je voudrais y courir, pour éloigner ou prévenir sa maligne influence, pour protéger mon frère bien-aimé ! Hier encore, au salon, je me suis longtemps attardée avec eux; trop longtemps ! et de Péan a pu supposer que je me plaisais en sa présence.

—O mon Amélie ! ma sœur ! Oh ! laisse-moi t'appeler ainsi. J'éprouve les mêmes craintes que toi pour Le Gardeur !...pour Le Gardeur que j'aime sans espérance et que je voudrais voir heureux !

—Ne dis pas sans espérance, chère Héloïse, fit Amélie, en embrassant avec tendresse son amie, Le Gardeur n'est pas insensible à ta douceur et à ta beauté.

—Hélas ! Amélie, je sais bien que mon attachement est inutile ! je n'ai aux yeux de ton frère, ni grâces, ni vertus... Hier encore, il m'a laissée pour causer d'elle avec de Péan... D'elle, Angélique des Meloises !...Et comme il était animé, transporté, plein de feu ! comme les questions se pressaient sur ses lèvres ardentes !... J'ai bien souffert, va !...

Elle cacha son visage couvert de larmes dans le sein de son amie et se mit à sangloter comme si tout son cœur se fut brisé dans une angoisse.

Amélie pleura quelques moments avec elle. Elle songea que de Péan pouvait bien avoir apporté à Le Gardeur un message, un souvenir peut-être de la dangereuse coquette. Elle le rappelait peut-être, du fond de son boudoir enchanté. Alors, rien ne pourrait retenir le malheureux jeune homme, ni les observations, ni les prières, ni les pleurs ! rien !

—Dieu le garde ! fit-elle, d'une voix plaintive. Il est perdu s'il retourne à la ville... deux fois perdu ! Perdu comme gentilhomme ! perdu pour l'amour qu'il rêve !... Cette femme se sert de lui comme d'un instrument, pour arriver à son but infâme, et elle le rejettera indignement ! Pauvre Le Gardeur ! comme il aurait été heureux avec toi, Héloïse ! comme il aurait été heureux !

Elle embrassa les joues pâles et trempées de larmes d'Héloïse, et toutes deux, pendant quelques minutes, la tête appuyée sur le même oreiller, gardèrent un silence plein d'amertume.

La nuit était orageuse. Le vent s'était élevé de l'est dans l'après-midi, et le soir, avec la marée montante, il avait doublé de fureur. Il fouettait les fenêtres et les arbres, s'engouffrait dans les cheminées avec un grondement de tonnerre, faisait rendre aux bois tourmentés, des gémissements de cataractes.

La nuit tomba par torrents, comme si le ciel eut voulu laver les souillures de la terre. Les murailles du manoir restaient immobiles comme le roc, et la tempête ne pouvait les ébranler; cependant, ce vent, cette pluie, ce fracas inouïs causaient de l'effroi aux deux jeunes filles. Elles se pressèrent l'une contre l'autre, comme deux oiseaux dans le nid léger que secoue la bourrasque et elles s'endormirent en priant pour Le Gardeur.

De Péan avait rempli sa mission fidèlement, mais à regret. Il aurait bien mieux aimé laisser Le Gardeur à Tilly, et il enrageait à la pensée de le voir renouer avec Angélique des relations si heureusement rompues.

Mais c'était sa destinée, sa fatale destinée de bossu, comme il le disait, d'être toujours maltraité par quelque femme. N'importe ! Le Gardeur paierait bien pour cela ! Il boirait et se dégraderait assez qu'Angélique regretterait de l'avoir fait revenir.

Il savait bien qu'Angélique ne songeait pas à l'épouser; il savait également que Bigot ne songeait pas davantage à épouser Angélique. Il les connaissait parfaitement l'un et l'autre. Il n'en était pas moins jaloux cependant.

Une chose le consolait dans ses regrets, une chose faisait sourire sa mauvaise humeur: si la femme qu'il aimait pour ses richesses lui avait échappé, celle qu'il recherchait pour son esprit et sa beauté, lui tomberait comme un flacon d'or entre les mains, ou par dépit, ou par amour. Peu lui importait le motif.

Ce fut à l'auberge du village de Tilly qu'il commença à mettre à exécution son projet honteux. Il n'ignorait pas qu'au manoir des yeux vigilants auraient veillé sur sa victime. A l'auberge, personne ne le gênerait, personne n'interviendrait, et il aurait pour l'aider, le vin, le jeu, le souvenir de Mlle des Meloises.

Si Le Gardeur portait à ses lèvres altérées, au nom d'Angélique, une coupe pleine de vin, s'il prenait dans ses mains les cartes ou les dés pour tenter la fortune, et s'enivrer des émotions du jeu, c'en serait fait de lui; toutes ses bonnes résolutions, ses principes vertueux s'effondreraient pour jamais. Il secouerait le joug de ses gardiens, et reprendrait sa liberté ! Il reviendrait à la ville, où la grande compagnie l'attend pour une œuvre qu'il ne soupçonne point, et dont il ne connaîtra l'odieux que lorsqu'il sera trop tard pour se repentir.

De Péan se souvient d'une parole de Bigot, et il croyait avoir trouvé sa vengeance. Le Gardeur et Amélie verraient ce qu'il en coûte pour enlever au gentilhomme ses espérances et démolir ses ambitions.

Le lendemain fut un jour humide et mauvais. Le vent souffla fort, et sous sa froide haleine, les arbres secouèrent les gouttelettes restées aux feuilles. Le gazon des champs était presque sombre, comme le firmament du ciel. Les chemins boueux s'allongeaient comme des serpents noirs sous les bois ou dans les plaines; les ruisseaux coulaient à pleins bords, et leurs eaux jaunies par le sable des prairies s'en allaient se perdre dans le grand fleuve, à peine visible à travers le brouillard.

Là-bas, sur le rivage rocailleux, les vagues venaient mourir tour à tour et rapidement avec un murmure sonore au pied de la falaise, l'église dessinait à peine sa silhouette grise dans le voile blanc de la bruine; et la cloche, quand elle sonnait pour la prière, faisait à peine entendre sa voix sainte, aux fidèles frileusement enfermés dans leurs demeures.

Personne sur le chemin noir de boue, si ce n'était de temps en temps une femme qui courait chez la voisine, les pieds crottés et la tête enveloppée dans un châle.

Cependant, il y avait du monde à la vieille auberge; des bateliers, des habitants qui profitaient de la pluie pour se réunir, boire un coup. Dans un coin, tout près du foyer qui flambait, un petit vieillard, la face illuminée par la flamme et le vin, la robe retroussée jusqu'à la ceinture, se chauffait les jambes avec une satisfaction qu'il ne cherchait pas à dissimuler. C'était maître Pothier dit Robin.

A côté de lui, Jean La Marche évoquait, avec une verve infatigable, les souvenirs de l'émeute et les qualités de son violon alors si indignement écrasé, pressait sur son cœur un autre violon nouvellement éclos, et coupait, dans son désir de ne rien oublier, la parole à tous ceux qui commençaient un récit.

Parler plus souvent qu'à son tour, c'était presque un exploit quand maître Pothier était là; car il possédait, ce vieux notaire, une terrible vigueur de langue. Avec ses phrases prises dans les codes, et ses citations latines, il réussissait à embarrasser Jean, mais le violoneux prenait alors son instrument, attaquait un air gai, appelait sur lui l'attention, et la discussion était à recommencer.

L'arrivée de maître Pothier dans le village était presque un événement. Non pas que ses visites fussent bien rares, mais parce qu'il était aimé, après tout, ce savant homme de loi, qui vidait si lestement un verre et si vite embrouillait une affaire.

A peine s'était-il installé chaudement dans un fauteuil, en face de l'âtre brûlant, avec ses paperasses et ses bouquins, que toute la seigneurie connaissait la grande nouvelle, et qu'une douzaine de braves plaideurs se flattaient déjà d'avoir raison les uns des autres, en deux mots et à bon marché.

Au reste, il y avait de la besogne de taillée pour la plume du notaire. Songez-y, toutes les querelles et tous les procès-verbaux d'une année à mettre en blanc et en noir ! Les moribonds l'avaient attendu pour mourir, ne voulant trépasser qu'en bonne et due forme, et laisser leurs dernières volontés clairement, formellement exprimées; les promis l'avaient attendu pour signer le contrat qui devait les enchaîner l'un à l'autre à jamais. Le feu sacré de l'amour pouvait brûler leur cœur, mais le flambeau de l'hymen ne s'allumait que lorsque les conditions des épousailles avaient été couchées sur une feuille de papier fort et scellées par une étoile de cire rouge.

Le notaire avait affaire à de mauvais payeurs, assez souvent, mais il se tirait gaiement d'embarras. Ils ne se gênaient guère pour le faire travailler; pourquoi se serait-il gêné pour les faire payer ?

—Combien allez-vous me charger, maître Pothier, pour me griffonner un acte de *damnation* ? lui demanda Louis Du Sol.

—Cela dépend, répondit le rusé vieillard.

—C'est un cochon raisonnable que...

—Comment, tu veux *damner* un cochon raisonnable ?...

—Oui, je veux donner un cochon raisonnable pour l'usage d'un petit morceau de terre en bas du moulin.

—Faudra-t-il y mettre un sceau ?

—Oui, maître Pothier, un sceau, tout !

Maître Pothier gratta sa perruque de l'air le plus grave du monde.

—Un acte de *damnation* de première qualité, solide, inattaquable, te coûtera cinq livres, dit-il; un de moyenne qualité, avec deux ou trois portes pour sortir, te coûtera trois livres; un mauvais, qui ne liera personne et ne signifiera rien, ne te coûtera qu'un franc. A ton choix, Louis.

L'habitant crut qu'un acte de *damnation* tout à fait ordinaire et le plus commun, était tout ce qu'il fallait. Dans tous les cas, il ne se trouverait pas plus lié que l'autre partie et pourrait tout aussi bien commencer la chicane et faire un joli procès.

Avec maître Pothier, il fallait toujours finir par causer de chicane et de procès. Son havresac sentait la loi comme celui d'un médecin, la drogue.

Les habitants de Tilly étaient de braves gens, qui respectaient leur seigneuresse; mais ils avaient un penchant à l'ergotage et aimaient à faire voir qu'ils connaissaient les subtilités de la coutume de Paris et de Rouen.

Ils payaient régulièrement les cens et rentes; mais depuis quelques années, Mme de Tilly leur en faisait remise à cause de la dureté des temps.

Ils faisaient moudre leur grain au moulin banal, et n'avaient pas le droit d'aller ailleurs. Ils donnaient en paiement quelques poignées de ce grain pour chaque minot. Il y avait une sérieuse discussion pour savoir si une poignée était une poignée ou bien un jointée comme le prétendait toujours Joachim, le brave meunier.

Mme de Tilly gardait ses pigeons dans le colombier, pour les empêcher de piller les champs de ses censitaires. Mais il fallait savoir combien elle avait le droit d'en garder et combien aussi les habitants devaient en nourrir. La table, la porte, les cloisons de l'auberge se couvraient alors de chiffres blancs,joliment fantastiques, que le cidre finissait toujours par effacer.

Maître Pothier et La Marche discutaient toujours.

—D'après la coutume de Rouen, affirma le vieux notaire, Mme de Tilly peut avoir un colombier capable de nourrir et de manger toute la seigneurie. C'est son droit.

—Dites donc aussi, répliqua Jean La Marche qui se faisait le défenseur du peuple, dites donc qu'elle peut user du droit de grenouillage, comme le seigneur de Marais Le Grand.

—Et sans doute ! Jean La Marche, sans doute qu'elle le peut ! C'est un droit inhérent aux fiefs normands.

Seulement, comme il n'y a pas de grenouillère à Tilly, les bons habitants ne sont pas obligés de se lever la nuit pour aller faire taire les grenouilles. S'il y avait des grenouilles, mon bon, vous iriez pendant toute la nuit qui précèderait le mariage de votre seigneur, en fouetter, avec de longues gaules, les ondes verdâtres, et vous chanteriez, pour inviter les grenouilles à se taire et votre maître à ronfler :

Pa ! pa ! rainotte, pa !
Notre Seigneur dort, que Dieu gâ ! (*)

—C'est une curieuse coutume, maître Pothier; et l'on endure ça ?

—Avez-vous été marié déjà ? reprit Jean La Marche, au bout d'un instant.

Maître Pothier le regarda d'un air moqueur, puis il éclata de rire.

—Moi, marié ? fit-il, ha ! ha ! l'idée !... Non ! Je connais trop bien la loi pour cela. Non ! Jean La-Marche, je ne me suis jamais marié... Mariez-vous, si vous l'aimez, je suis prêt à écrire votre contrat de mariage sur une feuille de papier large et blanche comme la robe de noce de votre future; mais ne me demandez pas d'encourir l'obligation de payer le droit du seigneur qui existe d'après la coutume de Normandie!

—Mais il paraît qu'il n'existe plus ce droit-là, riposta Jean en regardant les autres personnes qui se trouvaient dans la pièce.

—Bah ! répondit Nicolas Houdin, un grand gaillard: je suis à Tilly depuis soixante ans, et je n'ai jamais entendu dire que nos nobles seigneurs l'aient revendiqué.

* Cette obligation de battre les grenouillères et ce droit du seigneur, sont de sottes histoires inventées par la calomnie et propagées en haine de l'ancienne noblesse, par l'ignorance et le préjugé, tel que l'ont établi plusieurs auteurs, notamment Louis Veuillot, dans son livre intitulé: «Le Droit du Seigneur.»

—Je parle du droit, reprit le notaire, et non pas de la pratique; de la possibilité de la chose, non de son actualité.

—C'est du latin, pensa Houdin, il ne faut pas douter.

—Oui, je comprends,vous avez raison, maître Pothier, ajouta-t-il.

Jean La Marche reprit tout radieux :

—Quant à nous, dans tous les cas, nous en serons exemptés, car c'est une seigneuresse bien généreuse que nous avons à Tilly; buvons à sa santé !

—Je veux bien boire, Jean La Marche, riposta le vieux notaire, mais tu ne me prendras pas comme cela. Etudie, mon jeune homme, et respecte la loi ! Ce droit est transmissible, c'est prouvé par les arrêts de la Cour de Bourges. Respecte la loi.

—Je la respecte, la loi, et je veux qu'elle me protège à mon tour, reprit Jean La Marche. Vous savez, que l'hiver dernier, ma pauvre Fifine a pris un gros rhume et est morte. Eh bien ! elle a laissé une sœur que je voudrais épouser. Elle est bien prête à dire : oui, la sœur; le curé dit : non, et les femmes disent: oh ! oh ! Je serais curieux de savoir maintenant ce que dit la loi. Peut-on se marier avec la sœur de sa femme ?

Les habitants s'approchèrent pour écouter. Tout le monde de la paroisse connaissait les intentions de Jean La Marche. Les hommes le raillaient, les femmes le plaignaient. Maître Pothier dressa l'oreille comme un cheval au son de la trompette, et s'écria:

—As-tu envie d'être pendu, Jean La Marche ?

—Moi, pendu pour cela ?

—Oui, pendu, jusqu'à ce que mort s'en suive !...

—Est-ce vrai, comme l'affirme le bedeau, reprit Jean La Marche, qu'un homme est bigame quand il a deux femmes ?

—Comment ! une telle ignorance des lois divines et humaines...

—Attendez que j'achève, toujours, répliqua Jean La Marche. Quand il a deux femmes dans le cimetière?

—La bigamie mérite la corde; votre cas est sérieux, et rien que la pensée de cette infamie, c'est un crime cousin germain de la potence, affirma le vieux notaire avec une emphase risible.

—Je ne crois pas cela, maître Pothier; où sont vos autorités ?

—Mes autorités ? Ecoute, Jean La Marche.

Et il défila avec aplomb et d'une voix chantante :

Si vous consultez nos auteurs,
Législateurs et glossateurs,
Jason, Aliciat, Cujas,
Ce grand homme si capable !
La polygamie est un cas,
Est un cas pendable !

Si ce n'est pas assez pour vous faire pendre, Jean La Marche, continua-t-il, c'est que vous n'en valez pas la corde. C'est l'opinion de Molière, comme c'est la mienne aussi. Et maintenant, je vous condamne à faire venir du cidre et à payer votre écot.

L'opinion du vieux notaire triompha, il fut acclamé; les applaudissements firent trembler la salle.

—N'importe ! dit Jean La Marche, vous allez entendre une belle chanson, ma meilleure; c'est *l'apologie du cidre*. Champlain lui-même l'a apportée de Normandie. Remplissez vos gobelets et tenez-vous prêts à faire chorus.

Il fit vibrer son violon et, levant le bras avec l'élégance du virtuose qui fait glisser l'archet sur les cordes sonores, il se mit à chanter :

De nous, se rit le Français,
Mais pourtant, quoiqu'il en die,
Le cidre de Normandie
Vaut bien son vin quelquefois !
Coule, avale, et loge ! loge !
Il fait grand bien à la gorge !

Ta douceur, ô cidre beau,
A te boire me convie,
Mais pour le moins, je t'en prie,
Ne me trouble pas le cerveau !
Coule, avale, et loge ! loge !
Il fait grand bien à la gorge !

Voisin, ne songe à procès;
Prends le bien qui se présente !
Mais que l'homme se contente,
Il en a toujours assez.
Coule, avale, et loge ! loge !
Il fait grand bien à la gorge !

Tous les autres firent chorus en choquant les unes contre les autres, leurs coupes remplies, ou en frappant la table de chêne pour marquer la mesure.

Maître Pothier était dans le ravissement. Il s'écria les bras au ciel :

—La santé de Mme de Tilly, maintenant, et de la jeune et jolie châtelaine, Mlle Amélie !

Il n'y avait pas une voix discordante. L'enthousiasme grandissait toujours.

—La santé et le bonheur du jeune seigneur de Repentigny ! reprit encore maître Pothier, et que celui qui refusera de remplir sa coupe ait toujours la bourse vide.

—Chut ! maître Pothier, fit Jean La Marche, le jeune seigneur est dans le salon avec le chevalier de Péan et deux autres bouledogues de la Friponne. Ils jouent aux dés et boivent du vin chaud.

—Le chevalier de Péan ! le secrétaire de l'intendant est ici ! répéta le vieux notaire à voix basse. Quel diable l'amène à Tilly ?

—Quelque satanique affaire, dans tous les cas, affirma Jean La Marche. J'ai pris le large, il y a huit jours, car j'avais peur qu'il ne vint pour faire une enquête sur la bagarre. A la fin, voyant qu'il ne s'agissait pas de cela, et dévoré d'une soif ardente, je suis revenu aux *armes de Tilly*. Le connaissez-vous, le chevalier de Péan, maître Pothier ?

—Si je le connais ! Je connais tous les chiens de la ville, gros et petits.

—C'est un gai luron, mais il a la duperie écrite dans l'œil, ou je ne suis pas juge. Qu'en pensez-vous, maître Pothier ?

—Ce que j'en pense ? Jean La Marche, répondit le notaire, gravement en secouant la tête, je pense qu'il serait digne d'être le secrétaire de Caïus Verrès lui-même.

—Caïus Verrès, qu'est-ce que cela ? demanda le violoneux avec respect, car il respectait la science, et d'autant plus qu'il la connaissait moins.

—Caïus Verrès, reprit le notaire, c'était un renard ! Un homme rusé comme un renard, c'est-à-dire. Il était romain, et pour bien parler de lui, il faut le faire dans la langue de Rome. Il fut intendant de la Sicile *populatæ vexatæ funditus evarsœque provinciœ*, comme notre pauvre Nouvelle-France, et c'est mon opinion !

Le brave Jean La Marche fut enchanté de cette réponse savante. Cela ressemblait au latin qu'il entendait à l'église, ça devait être vrai par conséquent.

XXXIX

MERE MALHEUR

Les habitants de l'auberge de Tilly s'étaient mis à causer des affaires de la colonie, et surtout de la dernière razzia des commissaires royaux. Maître Pothier, la tête en arrière, sur le dossier de sa chaise, l'air songeur, écoutait en faisant tourner ses pouces l'un contre l'autre. Tout à coup, il se pencha vers Jean La Marche:

—As-tu dit, Jean La Marche, lui demanda-t-il, que Le Gardeur de Repentigny jouait aux dés et buvait du vin chaud avec le chevalier de Péan et deux bouledogues de la Fripponne ?

—Oui, je l'ai dit, répondit Jean qui paraissait attristé. Il a rompu sa chaîne, notre jeune seigneur, et je crois qu'il ne se laissera pas reprendre de sitôt.

—Comment ! riposta maître Pothier, le meilleur acte que je pourrais faire, ne le tiendrait pas mieux qu'un fil d'araignée. Ces de Repentigny, ils sont obstinés comme des mules, et ne supportent aucun joug. Pauvre garçon! Sait-on, au manoir, qu'il est ici à boire et à jouer ?

—Non ! Vous comprenez que toute la pluie du ciel n'aurait pu empêcher Mlle Amélie et Madame de le relancer jusqu'ici. Pierre Philibert, son ami, un grand officier du roi, maintenant, est allé à Batiscan pour des affaires qui regardent l'armée, m'a dit le groom; sans cela, Le Gardeur ne serait pas à l'auberge comme nous, pauvres habitants, qui ne savons que faire à la maison quand la femme coule la lessive.

—Pierre Philibert ! fit le notaire en se frottant les mains, je le connais. Un héros comme Saint-Denis! C'est lui qui est allé à Beaumanoir chercher Le Gardeur. Il l'a ramené comme un chat fait de son chaton.

—Comment ! entre ses dents ?

—Pas de plaisanteries, Jean, sois convenable, remarqua le notaire légèrement froissé. N'étire pas mes comparaisons comme un fil, ou comme ton esprit. C'est dommage qu'il ne soit pas ici, le colonel Philibert, il le sortirait bien lui, son ami Le Gardeur...

Après cette réplique, le notaire alla se mettre à la fenêtre où la pluie se précipitait avec fureur. La nuit approchait et les ombres commençaient à couvrir les bois et les champs. Sur le cap, les grands pins noirs se berçaient au vent en poussant des plaintes lugubres.

Maître Pothier suivit du regard la route vaseuse qui s'enfonçait dans l'obscurité. Il y avait une lieue pour se rendre au manoir. Une lieue, par un temps pareil, c'était long. Il se tourna vers l'âtre où flambaient les sarments, songea au bon cidre, aux joyeux camarades, et revint s'asseoir bien tranquillement dans son fauteuil.

Il tira sa pipe, son sac à tabac et se mit à fumer. Il était décidé d'attendre le beau temps au coin du feu. Cependant il était inquiet, agité. Le bruit des voix, le son de l'argent, le choc des dés d'ivoire, les éclats de rire qui venaient du salon, tout cela le troublait fort. Il vida quelques bons verres pour se calmer. Il devint lourd, somnolent. Il en prit d'autres alors pour se réveiller.

—Bah ! se dit-il en lui-même, un homme est capable de marcher à la pluie, quand il est capable de venir s'asseoir près du feu. La cause est jugée: j'ai perdu !

—Jean La Marche, veux-tu venir au manoir avec moi, ce soir ? demanda-t-il au violoneux.

Jean avait la langue passablement embarrassée. Ses pensées flottaient dans une mer de vin.

—Au manoir ? fit-il, le chemin est long comme un cantique de Noël, maître Pothier, et la pluie va gâter les cordes de mon violon. N'importe, maître Pothier, pour vous être agréable, j'irai. Ces chiens de la Friponne hurlent de plus en plus fort. Ils vont dévorer Le Gardeur avant demain matin. Je vais vous accompagner. Donnez-moi la main, vieux Robin ! Mais, diable ! mon siège est bien pesant: je ne viens plus à bout de me lever !

Après plusieurs essais infructueux, s'aidant mutuellement avec une touchante fraternité, ils réussirent enfin à se mettre sur leurs jambes, et sortirent, bras dessus bras dessous.

La pluie tombait dru, l'eau coulait dans le chemin, les ombres s'épaississaient.

Ils allaient toujours, glissant, avançant, reculant, riant, chantant, le notaire avec son sac de cuir plein de vieux papiers, le violoneux avec son instrument emmailloté dans une flanelle verte.

Ils arrivèrent ainsi à la porte d'une petite cabane noire, la demeure de Roger Bontemps, un vieux camarade.

—Si nous entrions, une minute, fit le violoneux, pour nous faire sécher un peu.

—Ou pour tremper un peu le dedans, afin que le dehors ne soit pas jaloux, répondit le notaire.

Ils entrèrent. L'humble propriétaire les reçut à bras ouverts et les fit asseoir près d'un bon feu.

Maître Pothier tira sa gourde, Jean La Marche prit son violon. Il fallait bien se dédommager un brin des ennuis de la route.

Les minutes passèrent vite, les heures sonnèrent plusieurs fois, la gourde fut vidée jusqu'au fond, le violon se mit à râler des variations inconnues, le notaire et le musicien roulèrent l'un contre l'autre sur la pierre du foyer, avec leur hôte, et dormirent profondément jusqu'au jour.

Quand ils s'éveillèrent, le soleil brillait et l'orage était loin. Ils recueillirent leurs esprits et se souvinrent comment et pourquoi ils se trouvaient ainsi chez l'ami Roger Bontemps. Ils eurent honte, avouons-le, pas énormément, mais un peu, et se demandèrent s'ils allaient se rendre au manoir ou retourner au village.

Pendant qu'ils délibéraient, un petit domestique du manoir passa. Il revenait de l'auberge où Mme de Tilly l'avait envoyé dès le point du jour. Il apprit à maître Pothier que Le Gardeur venait de partir en canot, pour la ville, avec le chevalier de Péan et ses associés.

Le départ de maître Pothier et de Jean La Marche avait laissé un grand vide dans l'hôtellerie. Avec eux le rire, la gaieté, la chanson, le mot drôle semblaient s'en être envolés. Les habitués, tous plus ou moins gaillards, se retirèrent tour à tour, sans bruit, et comme un peu soucieux. Il n'y avait plus d'argent dans le gousset, peut-être, et le crédit n'était pas fameux. Ou bien l'image de la femme, à la maison, s'offrait à leur esprit. Elle aurait son mot à dire, la femme ! Elle ne s'était guère amusée, elle, et la colère s'était amoncelée toute la nuit dans son cœur. Ce serait une tempête plus redoutable, au retour, que celle du dehors.

Les joueurs restèrent plus longtemps à l'auberge et se livrèrent sans contrainte à de tapageuses démonstrations, quand ils se virent seuls.

Paul Gaillard, l'hôtelier, un brave homme, fort timide et pas du tout accoutumé aux grands personnages, se montrait le moins possible, et seulement quand on l'appelait. Il avait son jeune seigneur en grande estime, et il aurait bien voulu le voir partir pour le manoir. Un moment il se pencha, tout rougissant, à son oreille et lui demanda s'il voulait bien accepter sa calèche pour s'en retourner. Le Gardeur et ses compagnons éclatèrent de rire. Le pauvre Gaillard se sauva, mais il envoya quelqu'un avertir Mme de Tilly de ce qui se passait chez lui.

Les deux compères que de Péan avait fait venir de Québec, pour l'aider à perdre Le Gardeur, étaient Le Mercier et Eméric de Lantagnac, deux âmes damnées de l'intendant. Ils étaient accourus avec plaisir.

De Péan n'eut aucune difficulté à décider Le Gardeur à venir à l'auberge, rencontrer des compagnons qui s'y trouvaient comme par hasard, affirma-t-il.

A la taverne, il fallut boire. On ne se retrouve pas comme cela, sans éprouver du plaisir et sans se montrer courtois.

On causa de tout et d'autres choses encore. Le nom d'Angélique des Meloises revint souvent, à dessein, sur les lèvres de de Péan, Le Gardeur pensait, lui, à ce mot cruel qu'elle lui avait jeté à la face : «Je vous aime, mais je ne serai jamais votre femme,» et il se sentait humilié. désolé. Il ne disait rien, quand les autres parlaient d'elle. Mais il buvait plus souvent qu'à son tour.

Il devint expansif, jaseur, jovial; de Péan l'étudiait, l'épiait. Quand il jugea le moment venu, il dit :

—Nous allons boire aux beaux yeux d'Angélique des Meloises, la plus adorable femme de la Nouvelle-France ! que celui qui refuse soit considéré comme un païen !

Eméric de Lantagnac, qui était trop ivre pour savoir ce qu'il disait, prit aussitôt la parole :

—Le Gardeur ne boira pas à cette santé, cria-t-il, et j'en ferais autant, à sa place, moi !... jamais je ne boirai à une fille qui me jouera des tours comme Angélique en a joués à Le Gardeur.

—Quels tours m'a-t-elle joués ? demanda Le Gardeur qui s'irritait.

—Elle a joué à la coquette avec vous, et maintenant elle vise plus haut, c'est un prince du sang qu'il lui faut, rien de moins.

—Est-ce elle qui dit cela, ou si c'est vous qui l'inventez !

—Toutes les femmes de la ville affirment qu'elle l'a dit. Mais vous savez, Le Gardeur, les femmes ont plus vite fait un mensonge sur le compte des autres femmes, qu'un homme une addition de dix dizaines.

De Péan eut peur que Lantagnac ne compromit son œuvre. Il parlait trop.

—Je ne crois pas cela, moi, affirma-t-il à Le Gardeur. Angélique est trop franche et trop fière pour mettre ainsi les gens au courant de ses affaires personnelles. Les jeunes filles supposent qu'elle vous a trompé, et elles jubilent; cela leur vaut une chance de plus. N'est-ce pas ainsi que les femmes calculent, Le Mercier ?

—Oui, et la Friponne aussi, répondit-il.

—Au reste, continua de Péan, j'ai la preuve qu'Angélique ne trompe pas notre ami.

—Par Dieu ! s'écria Le Gardeur, on s'occupe bien de mes affaires, à la ville. De quel droit ? je serais curieux de le savoir.

—Un droit inaliénable que les femmes tiennent d'Eve. La première fois que le père Adam a tourné le dos, la mère Eve a parlé de lui avec Satan.

Le Gardeur s'emportait.

—Angélique des Meloises est aussi sensible que belle, s'écria-t-il, et elle n'a pas dû parler ainsi ! Non, par Dieu ! elle n'a jamais dit à personne qu'elle s'était jouée de moi !

Il vida alors comme pour se donner plus de courage, un plein gobelet d'eau-de-vie. Sa figure s'empourpra aussitôt et ses yeux lancèrent des flammes.

—Non ! elle n'a pas dit cela ! répéta-t-il avec emportement. J'en jurerais sur la tête de ma mère, et je tuerais l'insolent qui soutiendrait le contraire !

—C'est cela, Le Gardeur, continua de Péan. Mais le moyen de s'attacher une femme n'est pas de s'éloigner d'elle. Tout le monde sait qu'elle vous préfère à tout autre; pourquoi risqueriez-vous de perdre la partie, en demeurant plus longtemps ici ?

—Mon Atalante est trop agile, de Péan; j'abandonne la course ! Je n'ai pas l'avantage d'Hippomène, moi !

—N'avez-vous pas jeté quelques pommes d'or à ses pieds ?

—Je m'y suis jeté moi-même... et elle ne s'est pas arrêtée !

Le Gardeur se versa un autre verre d'eau-de-vie.

De Péan l'attira dans la pièce voisine.

—Le Gardeur, fit-il, vous êtes demandé à la ville. Voici un billet qu'Angélique vous envoie. Elle me l'a glissé dans la main, en rougissant, au moment où je partais pour Tilly. Je lui ai promis de vous le remettre.

Le billet, gracieusement plié, était bien de l'écriture de l'enchanteresse. Un tas de jolies choses, légères, piquantes, douces. Elle s'ennuyait à mourir dans cette ville insignifiante... Le bal de l'intendant n'avait pas été une affaire brillante, parce que Le Gardeur n'y était pas... Sa maison était morne et délaissée... Bref, elle voulait le voir pour une affaire sérieuse.

—Vous voyez bien que cette femme vous aime à la folie, dit de Péan.

—Pensez-vous ? demanda Le Gardeur, sérieusement. Bah ! continua-t-il, je n'ai plus de confiance aux femmes.

—Je vous dis qu'elle vous aime ! Lisez donc comme il faut ! Viendriez-vous si elle vous aimait ?

—Je descendrais, pour elle, au fond de l'enfer ! Mais pourquoi me tentez-vous, de Péan ?

—Vous n'avez donc pas compris ses paroles? Elle vous demande pour son bonheur et son bien...

—C'est vrai ! pourtant, c'est vrai ! Par Dieu ! je n'ai pas le cœur assez dur pour refuser. J'y vais; je pars !

—Nous nous embarquerons au point du jour.

—Au point du jour, c'est bon ! Vous m'avez fait boire, de Péan, n'importe ! c'est mieux. Je veux boire jusqu'à l'heure du départ. Il me sera plus aisé de laisser ma tante et ma sœur. Pierre Philibert va être fâché. Mais il peut s'en venir. Ils peuvent tous s'en venir! Je m'en veux pourtant, de Péan... Je m'en veux, je me déteste! Mais pour moi, Angélique des Meloises est tout !...Je l'aime trop, c'est péché, de Péan!

De Péan vit que Le Gardeur était mûr pour la ruine. Il le ramena à la table de jeu où Le Mercier et Lantagnac brassaient les dés et l'argent, avec une ardeur qui tenait du vertige. La partie commencée la veille se prolongea jusqu'à l'aurore. Un vin nouveau fut apporté, les enjeux redoublèrent, les émotions devinrent plus poignantes.

Dès que la lumière du matin parut, tous quatre se levèrent de table, et, les yeux rougis, le front hâve, les cheveux en désordre, les habits tachés de vin, ils prirent le chemin de la grève.

Des canotiers les attendaient, en fumant, assis sur le bord de leur canot.

Ils s'embarquèrent, le canot fut poussé au large, puis se mit à descendre sur le fleuve devenu calme, en ouvrant un léger sillon où tremblotaient les premières lueurs de l'aube.

De Péan triomphait. Et pourtant, ce triomphe lui faisait mal, car sa jalousie ne dormait point. Il se mit à chanter, puis à conter des histoires à faire rougir les canotiers qui ramaient en silence. De Lantagnac et Le Mercier le secondaient de leur mieux. Le Gardeur était trop bien élevé et trop délicat pour répéter des obscénités, même quand il était ivre.

Après quelques heures de cette joyeuse course, ils longeaient la falaise où s'est perchée la capitale. Ils décrivirent une courbe, passèrent devant la rue du Sault-au-Matelot, où les bateliers s'étaient réunis pour s'amuser en attendant la besogne. Ces bateliers leur lancèrent une volée de plaisanteries. Mais ils se turent aussitôt que le canot fut près du bord, car ils reconnurent les amis de l'intendant. C'était la peur. Ils savaient que les gens de la Friponne ne badinaient pas souvent et se montraient rancuniers. Au reste, l'intendant venait de faire punir sévèrement tous ceux qu'il avait pu convaincre de participation à la dernière émeute, et il fallait se montrer prudent.

Le canot s'arrêta au quai de la Friponne. De Péan et ses compagnons débarquèrent tranquillement. Personne n'osait même les regarder. L'intendant les attendait. Ils se rendirent au palais où des chambres avaient été préparées pour Le Gardeur.

Le Gardeur de Repentigny était en la puissance de Bigot.

—Je vous félicite, dit Bigot à de Péan; votre mission a été couronnée du plus beau succès. Nous le tiendrons bien, maintenant... Il faut le tenir sans cesse sous l'influence des liqueurs, jusqu'à ce que nous en ayons fini.

—Je comprends ! répondit de Péan, Eméric et Le Mercier le feront boire; Cadet, Varin et les autres le feront jouer... Il faut le plumer parfaitement avant qu'il se décide à accomplir vos desseins.

—A votre gré, de Péan. Mais veillez sur lui; qu'il ne laisse point le palais. Ses amis vont le chercher. Philibert, que je hais, viendra. Je ne veux pas qu'il le voie. Vous en répondez sur votre tête ! Vous ferez en sorte que Le Gardeur l'insulte... Vous êtes capable d'arranger cela !

On sait que de Péan s'acquitta bien de son engagement.

La Corriveau avait hâte de commencer son œuvre maudite. Elle se cachait toujours chez son ancienne amie, la mère Malheur, un bouge où elle s'était réfugiée, on s'en souvient, après sa première entrevue avec Angélique des Meloises.

Ce bouge malpropre semblait faire partie du rocher auquel il s'adossait. C'était une petite construction, en pierre brute, surmontée d'un toit aigu, avec des auvents qui descendaient bas comme pour la cacher.

Le seul être vivant qui l'habitait d'ordinaire était la mère Malheur, une vieille méchante, une vieille sans cœur, qui vendait du bon vent aux matelots et de la chance aux chasseurs. On la soupçonnait encore d'exercer d'autres industries non moins condamnables.

A force de pratiquer les superstitions, elle en était venue à croire un peu à ses propres impostures. Elle admirait la Corriveau, et la Corriveau, pour la récompenser de son amitié, lui avait révélé quelques-uns de ses diaboliques secrets, les moins importants, comme de raison.

Mère Malheur la recevait toujours avec un plaisir sincère, la fêtait, la choyait, la servait de son mieux; jamais cependant elle ne se montrait trop curieuse. Elle ne l'interrogeait pas sur les motifs qui l'amenaient à la ville. Elle en devinait toujours assez long probablement. Au reste, ces deux femmes se connaissaient assez pour se comprendre sans de longs discours.

Ce jour-là, la Corriveau se montrait plus réservée que jamais, et mère Malheur plus curieuse que de coutume. Elle avait parlé, mère Malheur, de toutes les drogues qu'elle avait vendues, de tous les horoscopes qu'elle avait tirés, des bonnes chances promises aux voyageurs, et des vents favorables garantis aux marins, et la Corriveau ne s'était vantée de rien; pas la moindre confidence en retour. Evidemment elle était sombre, la Corriveau; elle était songeuse, inquiète. Elle méditait quelque chose.

—Si vous avez besoin de mes services, dame Dodier, lui dit-elle, enfin, ne vous gênez pas. Je crois que vous avez quelque tâche à accomplir. Quelquefois, petite aide fait grand bien. Je me mettrais dans le feu pour vous, dame Dodier ! et pour n'importe quelle autre personne au monde je ne voudrais pas me brûler un doigt.

—Je sais cela, mère Malheur, je sais cela ! Vous avez raison, je médite quelque chose, et je vais avoir besoin de vous. Cependant, je ne puis vous dire pourquoi ni comment.

—Est-ce d'un homme qu'il s'agit, ou d'une femme ? Rien que cela, dame Dodier, je ne vous demande rien de plus.

Elle regardait la Corriveau avec des yeux brillants de convoitise et de curiosité.

—C'est d'une femme, répondit la Corriveau; ainsi vous allez m'aider. Vive notre sexe, toujours, mère Malheur, pour un forfait bien conditionné ! Je ne vois pas trop à quoi serviraient les femmes si ce n'était à se tuer les unes les autres pour l'amour de ces vauriens d'hommes !

Mère Malheur se prit à rire d'un rire hideux, en mettant ses longs doigts crochus sur les épaules maigres de sa maîtresse :

—A quoi elles serviraient, les femmes, dites-vous? à tenter l'homme, et à jeter la semence de tous les maux !

—Nous deux, par exemple, mère Malheur, nous sommes terriblement tentantes ! repartit la Corriveau en riant à son tour d'un air cynique.

—Eh ! nous avons eu notre jeunesse ! vous vous en souvenez? nous n'étions pas les moins séduisantes, ni les plus insensibles.

—Bah ! s'écria la Corriveau, j'aurais voulu être homme, moi ! le destin s'est fièrement trompé en me faisant femme !

—Je suis contente d'être femme, moi, dame Dodier, oui, ma foi ! Les hommes ne sont pas capables d'être la moitié aussi méchants que les femmes, surtout quand elles sont jeunes et jolies.

Et elle rit tant que ses yeux rouges et chassieux se remplirent de larmes.

—C'est vrai ce que vous dites là, mère Malheur ! les plus belles femmes sont toujours les plus méchantes. Belle et cruelle ! belle et cruelle ! c'est un vieux dicton. Mais bah ! nous sommes toutes pareilles; nous portons toutes la marque de Satan.

La Corriveau avait l'air d'Hécate en prononçant ce blasphème contre la femme.

—La marque de Satan ! reprit mère Malheur, je l'ai sur un genou , voyez ! J'ai été, un jour, citée devant la haute Cour d'Arras, à cause de ce signe de sorcellerie Mais le juge—un imbécile—a déclaré que c'était un grain de beauté et que je n'étais pas du tout sorcière pour cela. Tout de même, je l'ai ensorcelé comme il faut. Le pauvre garçon ! il mourut dans le cours de l'année et le diable vint, sous la forme d'un chat,se coucher sur son tombeau, jusqu'à ce que ses amis eussent planté une croix. Je vous le répète, je suis contente d'être femme, parce qu'il est toujours aisé de se faire belle et d'être méchante. C'est ce que je dis aux jeunes filles qui viennent me consulter, et elles me donnent double salaire pour cela.

—Eh bien ! pas moi ! Les femmes, mère Malheur, elles nous méprisent, nous appellent des vauriennes, des sorcières, et elles font pis que nous: elles mentent, frappent, tuent pour l'amour d'un homme qu'elles trahiront demain. Salomon, le plus sage des hommes, n'a trouvé dans son temps, qu'une femme vertueuse sur mille; aujourd'hui, il n'en trouverait pas une dans tout le monde. Apportez-moi un verre de vin, mère Malheur; je suis fatiguée de voyager, dans l'obscurité, jusqu'à la maison de cette joyeuse dame dont il est question.

Mère Malheur avait une cruche d'excellent vin qu'un matelot lui avait apportée après l'avoir volée à bord de son vaisseau; elle en remplit deux grands gobelets.

—Vous ne m'avez toujours pas dit le nom de cette dame.

—Non, et je ne vous le dirai pas encore. Seulement, sachez qu'elle est capable de nous en remontrer à toutes deux. Mais j'ai fini d'aller chez elle.

La Corriveau ne se rendit plus en effet chez Mlle des Meloises. Mais elle fut tenue au courant des agissements de l'intendant. Il était allé aux Trois-Rivières, pour affaires urgentes, et pouvait y demeurer une semaine.

Angélique avait questionné Varin, pour savoir ce qui s'était passé au conseil. Varin lui fit un compte-rendu fantaisiste et raconta tout autre chose que la vérité. S'il eut dit que le gouverneur avait ordre de chercher Mlle de Saint-Castin, et qu'il fallait à tout prix la trouver, elle se serait empressée de le voir pour le conseiller de faire visiter Beaumanoir. Elle aurait pu ainsi éloigner sa rivale, sans avoir besoin de recourir au crime.

Il ne devait pas en être ainsi.

Mère Malheur était mieux informée. Une servante de Varin, qui venait la consulter assez souvent et qui ne se faisait pas un scrupule de bavarder, lui avait tout dit. Elle savait cela, elle, d'un petit domestique, son amoureux, qui avait espionné son maître l'intendant pendant qu'ils causaient ensemble des lettres du baron et de la Pompadour. Elle se hâta d'accourir chez la vieille sorcière avec sa nouvelle intéressante, et un pot de confitures volé à la cuisine. Mère Malheur montra autant d'empressement à tout révéler à la Corriveau.

La Corriveau comprit aussitôt qu'il fallait empêcher Mlle des Meloises de connaître cela. Elle changerait d'avis, ne voudrait plus faire périr sa rivale, et la récompense promise pour le forfait serait perdue. Elle ne l'entendait pas ainsi, la Corriveau ! Elle avait mis la main dans le plat et ne devait pas la retirer vide. La chance était trop belle, le crime trop noir, pour y renoncer.

La malheureuse Angélique, victime de ses passions d'abord, allait devenir victime de la Corriveau. Sans en faire tout à fait sa confidente, la Corriveau résolut de se servir sans retard cependant de sa vieille amie, et d'utiliser ses infâmes services. Il n'y avait plus de temps à perdre.

Mère Malheur avait été servante à Beaumanoir autrefois. Elle connaissait parfaitement la maison. Dans les jours d'ardeur et de folie de la jeunesse, elle était souvent entrée ou sortie clandestinement, par le passage souterrain, qui reliait la tour aux voûtes du château. Elle était familière avec dame Tremblay. La charmante Joséphine de jadis l'avait souvent consultée, dans les instants critiques où son cœur large était également divisé entre ses nombreux admirateurs.

Maintenant, le plus grand plaisir de ces deux vieilles friponnes était de s'asseoir à une petite table, en face l'une de l'autre, avec une tasse de thé ou un verre de rhum, et de rappeler ce temps éloigné de leur jeunesse scabreuse. Cela avait la senteur du vice aimé, et regaillardissait leurs esprits, comme la senteur du foin nouvellement fauché nous rappelle que l'été est revenu, et que c'est le temps des ébats joyeux dans les vertes prairies.

La Corriveau ne doutait point que la captive de Beaumanoir ne fût Mlle de Saint-Castin. Le souvenir de la rencontre d'une jeune Blanche et des Abénaquis, dans le bois de Saint-Vallier, et des questions qu'elle lui adressa au sujet de l'intendant, la confirma dans son opinion. Elle résolut d'envoyer sa complice nouvelle au château, sous prétexte de faire une visite à dame Tremblay, mais en réalité pour qu'elle pût lui préparer les voies à elle-même, et la mettre en communication avec la captive.

Si Caroline se décidait à admettre la Corriveau dans sa chambre privée, et à lui accorder un peu de confiance, le reste irait bien. Elle dit cela avec une satisfaction singulière, la Corriveau, que le reste irait bien. Puis, ce ne serait pas Mlle des Meloises qui pèserait l'or... le prix du sang ! Une fois le crime consommé, elle verrait !

Elle allait devenir toute-puissante et terriblement redoutable, la sorcière de Saint-Vallier. Elle serait riche enfin, très riche ! Mlle des Meloises partagerait bien sa fortune avec elle, plutôt que de s'exposer aux conséquences d'une trahison. Si la mort de cette recluse doit être pour elle un élixir de vie, pour la Corriveau, elle sera la pierre de touche de la fortune.

Le lendemain, mère Malheur se rendait à Beaumanoir. Elle portait, pour Mlle de Saint-Castin, une lettre d'une écriture italienne. Marie Exili avait enseigné l'écriture à sa fille.

Les personnes qui savaient écrire étaient assez rares à cette époque, surtout parmi le peuple. Aussi les gens s'étonnaient assez de trouver cet art chez la Corriveau, et ils supposaient charitablement qu'elle l'avait appris du diable, tout comme elle avait appris de lui à les ensorceler.

Mère Malheur pressentait une cordiale réception. Il y aurait sans doute : tasse de thé agrémenté d'eau-de-vie, évocation des souvenances court vêtues. Elle fit donc sa grande toilette : une coiffe avec large dentelle, un chapeau pointu, des boucles d'oreilles, des souliers avec boucles de cuivre, un jupon court et des bas rouges.

Elle partit appuyée sur sa canne. Elle trottait dru. Arrivée sur la grève de la rivière Saint-Charles, elle appela le passeur qui se hâta de venir.

Le passeur, c'était toujours Jean Le Nocher.

Il fit le signe de la croix, quand elle mit le pied dans son bac, et prenant son aviron, il se hâta de ramer comme pour avoir fini le plus tôt possible.

Il ne voulut pas accepter de péage, mais ce ne fut pas par galanterie, assurément. Babet s'en aperçut et elle accourut :

—Payez à moi, mère Malheur, fit-elle, c'est la même chose.

Et elle mit la monnaie dans sa poche en disant à son mari :

—Vous êtes fou, l'argent ne sent pas mauvais. Au reste, nous le donnerons à l'église et ça le purifiera.

Mère Malheur était accoutumée au mépris et aux railleries du monde; cependant, la remarque de Babet la blessa. Elle frappa du bout de sa canne le sol avec fureur, et faisant signe de son doigt osseux, elle s'écria:

—Que le diable prenne soin de vous, Babet !... Et

comment se fait-il que vous soyez devenue la femme d'un honnête homme ? il n'y avait donc pas de sorcière alors ? Ah ! vos belles joues roses deviendront blanches comme un morceau de craie, avant que vous en attrapiez un autre, quand celui-ci sera mort ! Regardez !...

Et, avec le bout de sa canne, toujours, elle fit un pentagone sur le sable.

—Quand ce signe sera effacé, continua-t-elle, attention! les malheurs commenceront. Ce n'est pas moi qui les cause, ces malheurs, je ne fais que les prédire ! Adieu. dame Babet, bon voyage à moi ! mauvaise chance à vous !

La vieille sorcière s'éloigna, marchant vite, à l'aide de son bâton, sur le bord du chemin qui conduisait à Charlesbourg.

Jean était terrifié: Babet, rouge de colère, se frappa dans les mains en criant :

—Va-t-en, vieille méchante ! je voudrais te voir monter à la lune dans un baril de goudron enflammé !... Mauvais voyage..., mauvais voyage ! D'abord, tu ne sors jamais que pour le mal !

Jean dit à Babet, d'un air triste et d'un ton lamentable:

—Elle a laissé la marque de Satan sur le sable; allons-nous l'effacer, ou demander au curé qu'il vienne avec l'eau bénite ? Pour sûr, qu'il arrivera malheur à quelqu'un !

—Mais si le malheur ne tombe pas sur nous, Jean, qu'est-ce que cela fait ? Pas besoin de pleurer ! Laissons ce signe, et le curé l'effacera. Il détournera bien la malédiction.

—C'est bon ! laissons-la aussi longtemps que possible cette marque du diable, puisque le malheur ne doit arriver que lorsqu'elle sera effacée.

Il courut à la maison chercher une cuve, et la mit sur le signe fatal, en guise de couvercle.

Mère Malheur, tour à tour riant et maudissant, monta la route de Charlesbourg, et vint s'arrêter un instant sous le vieil arbre qui ombrageait la Couronne de France.

Deux ou trois habitants vidaient, en causant, leur gobelet de cidre. Ils s'empressèrent de lui faire place.

Elle s'assit, les fixa de ses petits yeux rouges et leur causa tant d'effroi, ou de répugnance, qu'ils s'éloignèrent l'un après l'autre et la laissèrent seule.

Dame Bédard et sa fille Zoé vinrent la trouver. La conversation s'engagea aussitôt. Zoé voulait savoir le bonheur qui l'attendait dans son ménage. Elle pria la sorcière de soulever un coin du voile qui lui dérobait l'avenir.

Mère Malheur se rendit à ses désirs et lui dit une foule de choses agréables, sans doute, car après son départ, la jeune fille affirma que jamais diseuse de bonne aventure ne pouvait deviner la vérité et lire dans l'avenir comme cette bonne vieille. Elle la trouvait une bonne vieille; et les gens qui parlaient mal d'elle, étaient tous des mauvaises langues.

Quand elle raconta à sa mère les prédictions qui venaient d'être faites à son sujet, sa mère se mit à rire et fut toute joyeuse comme une aïeule près du berceau de son premier petit-fils.

Mère Malheur ne savait pas au juste pourquoi elle se rendait à Beaumanoir, mais elle flairait du sang et cela lui donnait du courage.

Elle se remit en route, et vite. vite ! la main crispée sur sa canne noueuse, laide comme un gnome, un rayon du feu de l'enfer dans les yeux, elle entra dans la forêt.

Ses pieds maudits fouillaient dru et reculaient, avec un bruit sec, les feuilles de pourpre et de safran tombées des rameaux, pour faire un tapis au sol flétri. Le ciel était d'azur, l'air frais et embaumé, mais pour elle tout paraissait ténèbres. Elle haïssait les splendeurs de Dieu.

C'était l'été de la Saint-Martin, l'été des Sauvages, comme disent les habitants, et la nature, à la veille de s'endormir dans le tombeau de l'hiver, sous son épais linceul de neige, prodiguait comme pour se faire regretter davantage, dans une heure de douce ivresse, ses charmes ravissants et ses glorieuses beautés.

Mère Malheur abominait les rayons de lumière qui jouaient dans les feuillages éclatants, les oiseaux qui chantaient de bonheur, les souffles parfumés qui murmuraient partout, parce que c'était la bonté de Dieu qui faisait descendre ces rayons du ciel, chanter ces oiseaux sur les arbres, courir ces souffles odorants dans l'espace.

Elle arriva enfin, tout essoufflée,à la porte du château, et un cruel sourire parut sur ses lèvres. Ceux qui l'aperçurent d'abord, récitèrent un *Ave Maria* pour détourner les mauvais sorts de leur tête, et la saluèrent poliment ensuite. Ils n'étaient pas fâchés, car, pour une pièce d'argent, ils sauraient enfin si l'amant est fidèle, si l'insensible se laissera toucher, si la richesse viendra un jour, et mille choses qu'il n'est pas indifférent de connaître.

Dame Tremblay sortait par la porte de derrière du château, comme elle arrivait.

—Sur ma vie ! s'écria-t-elle, c'est la mère Malheur ! Bonjour ! ma vieille âme damnée ! Vous avez deviné que je voulais vous voir, c'est sûr ! Entrez, venez vous reposer. Vous devez être fatiguée, la mère, hormis que vous soyez venue à cheval sur un manche à balai... Entrez, ne vous occupez point de ces jeunesses.

Elle faisait allusion aux domestiques qui, la tête dans les portes, chuchotaient entre eux.

Les deux vieilles femmes entrèrent.

Dame Tremblay conduisit mère Malheur à sa chambre et lui versa un verre d'eau-de-vie.

—Prenez ceci, dit-elle, cela va vous réconforter. Il est excellent, ce cognac. J'en prends, moi, de temps en temps, un plein dé, comme cela, et je m'en trouve bien.

Quand j'étais la charmante Joséphine, j'avais coutume de mettre mes lèvres sur le bord des gobelets que je présentais aux galants, et je ne buvais pas plus qu'une mouche. Les coquins ! ils ne voulaient boire que dans ces gobelets ! Hélas ! mère Malheur ! ajouta-t-elle, d'un air dolent et en branlant la tête, nous ne pouvons pas rester toujours jeunes et belles !

—Non, c'est vrai; mais nous pouvons demeurer alertes et joyeuses, et c'est ce que nous avons fait! Vous ne buvez pas la vie goutte à goutte, et je parie que si quelqu'un vous proposait de vous conduire à l'église, vous seriez capable d'y courir encore, mieux que n'importe quelle jeune fille de la Nouvelle-France.

La repartie de mère Malheur fit rire aux éclats dame Tremblay. Elle approcha sa chaise de sa vieille camarade et la regardant en face :

—Quelles nouvelles ? demanda-t-elle.

Elle était douée d'une vive curiosité, la mère Tremblay, et se tenait au courant de tout ce qui se passait à la ville et à la campagne; elle éprouvait autant de plaisir à répandre les rumeurs qu'à les recueillir, et ne se séparait jamais d'une personne sans qu'elle n'en eût tiré tous ses secrets.

Le mystère qui entourait Mlle de Saint-Castin l'intriguait assez, conséquemment. Elle s'irritait de ne pouvoir le pénétrer, et taxait presque d'impertinence la réserve de cette fille qui ne voulait pas même dire son nom.

Le plus extraordinaire, c'est que l'intendant lui avait défendu de chercher à pénétrer le secret de sa captive. En fallait-il plus pour irriter même la plus indolente curiosité ! Mère Malheur arrivait fort à propos.

—Vous sentez-vous bien maintenant, mère Malheur? demanda-t-elle à sa visiteuse. Ce petit verre vous a rendue colorée comme une pivoine.

—Je me sens très bien, oui. Il est vraiment bon, ce

cognac; il réchauffe sans brûler...Ce verre, c'est ce qui m'est arrivé de plus heureux aujourd'hui...

—Il doit y avoir du nouveau à la ville: des naissances, des mariages, des décès. Il doit y avoir des relations tendres, des heureux, des malheureux en amour; des noms proclamés, des réputations naufragées. Voyons ! mère Malheur, parlez, dites tout... J'aurai quelque chose d'intéressant à vous conter... Encore une petite goutte de ce bon cognac.

—Décidément, dame Tremblay, la tentation est trop forte, répondit mère Malheur.

Elle se versa un bon coup, et le verre à la main, elle commença à rapporter les rumeurs qui couraient les rues de la ville, et elle leur donnait des couleurs agréables et des tournures piquantes.

Dame Tremblay était ravie.

—Maintenant, dit-elle, j'ai un secret à vous confier, mère Malheur.

Elle parlait bas et d'une façon mystérieuse.

—C'est un secret formidable, reprit-elle, attention ! il vaudrait mieux être brûlée vive que de le révéler. Ici, dans le château, il y a une dame, une vraie dame s'il en fut jamais, qui vit dans la retraite la plus profonde. L'intendant seul peut la voir... et moi ! Elle est aussi belle et aussi triste que Notre-Dame-des-Douleurs. Ce qu'elle est, je puis le deviner; mais son nom, impossible ! Je donnerais mon petit doigt pour le savoir, cependant.

—Je ne comprends pas, dame Tremblay, qu'on ait des secrets avec vous. Tout de même, vous m'apprenez là une chose vraiment extraordinaire. Une femme qui est cachée ici ! Et vous ne pouvez pas la connaître ? C'est drôle !

—C'est pourtant la vérité. Si je vous disais que j'ai essayé toutes les ruses; mais elle a été plus fine que moi. Si c'était un homme, j'en viendrais bien à bout. Quand j'étais la charmante Joséphine du lac Beauport, je pouvais rouler les hommes comme un fil autour de mon doigt, mais cette femme, c'est un nœud inextricable.

—Que savez-vous d'elle ? quels sont vos soupçons, dame Tremblay ?

—Ma foi, je vous dirai bien que je la crois un peu comme nous toutes, les femmes, pas meilleure que de raison. L'intendant le sait bien, lui, et Mlle des Melloises. Elle aussi, la pauvre captive, connaît un peu ses misères, car elle prie et pleure beaucoup. C'est pour cela qu'elle se montre si discrète.

—Savez-vous bien, dame Tremblay, que c'est une grande nouvelle que vous m'apprenez là, reprit mère Malheur, dissimulant du mieux qu'elle pouvait la joie extrême qu'elle ressentait, et bien décidée à ne pas laisser échapper une si belle occasion de servir la Corriveau. Mais qu'attendez-vous de moi en cette circonstance ?

—Ce que j'attends de vous ? le voici. Vous allez voir cette dame, mère Malheur, sous le plus grand secret, bien entendu ! et vous lirez dans ses mains tous les secrets qu'elle nous cache. Vous comprenez ?

—Je ferai tout ce que vous voudrez, dame Tremblay, tout ce que vous voudrez! Seulement, il faudra que je la voie seule.

—Quant à moi, je le veux bien, mais je ne sais pas si elle consentira. Elle a une tête ! je n'oserais pas la solliciter trop vivement... Tenez ! ce mystère de femme me trouble étrangement. J'en maigris. Voyez donc mes coudes, mes genoux !... Je n'ai pas été dans un pire état depuis le temps du bonhomme Tremblay. Ce pauvre homme !...Je vais aller lui demander si elle veut faire dire sa bonne fortune. Elle est délaissée de tout le monde, désespérée. Une femme désespérée s'accroche à tout. C'est ce que j'ai fait quand j'ai épousé, d'après votre conseil, le sieur Tremblay.

Dame Tremblay s'essuya la bouche et les joues avec le coin de son tablier et descendit à l'appartement de Caroline.

Mlle de Saint-Castin, assise à sa fenêtre, travaillait à une dentelle, en songeant à ses joies d'autrefois et à ses douleurs d'aujourd'hui. Et souvent elle relevait son front pâle comme pour regarder le ciel qui se déroulait sur les bois jaunissants, et alors son ouvrage reposait sur ses genoux, entre ses mains immobiles.

Elle rappelait une à une, comme des perles précieuses les paroles que l'intendant lui avait adressées en partant pour les Trois-Rivières. Sa voix avait une douceur inaccoutumée, sa main semblait plus chaude et plus loyale, son regard, plus tendre et plus franc ! Comme il avait paru ému quand, sur la galerie, en se séparant d'elle, il lui recommanda de prendre bien soin de sa santé et de retrouver les roses d'Acadie !

—Oh ! les pauvres roses d'Acadie, pensait-elle douloureusement, elles ne refleuriront plus jamais! . . .je les ai trop longtemps arrosées de mes larmes. . . trop longtemps en vain !. . . Il est trop tard, Bigot, trop tard !

Elle fut arrachée à ses réflexions amères par trois petits coups frappés dans sa porte.

Dame Tremblay entra, sous prétexte de tout mettre en ordre dans la chambre, et commença à raconter les petites nouvelles du dehors, sans paraître y attacher d'importance, tout en époussetant, ou essuyant les meubles.

Mlle de Saint-Castin l'écoutait d'une oreille assez indifférente.

—Il vient d'entrer une singulière vieille, au château, dit-elle à la fin, en regardant la jeune fille. C'est une femme de la ville. Elle est si savante qu'elle connaît tout. Elle sait interpréter les songes; elle peut voir dans une glace, ou dans votre main, le passé, le présent et l'avenir.

Caroline releva la tête et laissa tomber sa broderie. La vieille ménagère continua :

—C'est réellement une femme étonnante, dangereuse même. Il n'est peut-être pas bon d'avoir des rapports avec elle. Cependant, je sais qu'elle est souvent consultée. Elle m'avait prédit mon mariage avec le bonhomme Tremblay... Mais elle m'annonça sa mort ensuite. Il est mort comme elle l'avait dit, et dans le mois qu'elle avait désigné... Quant à moi, j'ai raison de croire en elle et... de lui garder de la reconnaissance.

La curiosité de Mlle de Saint-Castin s'éveillait. Le sang indien qui coulait dans les veines de cette fille, lui avait donné quelque chose du caractère superstitieux et naïf de ses pères.

Elle venait de faire ce rêve singulier :

«Un homme, la figure couverte d'un voile épais, la menait en croupe sur un cheval noir comme la nuit. Le cheval noir courait comme le vent. Il se rendit ainsi aux confins du monde et là, l'homme masqué, qu'elle n'avait pu reconnaître la renferma dans une montagne pour jusqu'à la fin des temps. Mais un ange éblouissant entrouvrit le rocher, la prit dans ses bras et l'emporta à travers l'espace radieux, au pied du Rédempteur, parmi les élus du ciel».

Et ce rêve étrange l'inquiétait. Elle n'avait pas pu voir la face de son ravisseur, mais elle savait que c'était un homme qu'elle aimait, un homme qui l'aimait aussi, mais d'un amour inavouable.

L'arrivée au château d'une personne capable d'expliquer les songes, lui parut une bonne fortune, une permission de la Providence, peut-être.

—Je serais heureuse de consulter cette vieille femme, dit-elle à dame Tremblay.

La ménagère se hâta de l'aller quérir. Elle revint au bout de cinq minutes. Le bâton de la sorcière faisait, à chaque pas, retentir lugubrement le plancher du corridor.

Mère Malheur entra. Son aspect repoussant produisit une impression pénible sur l'esprit délicat de Caroline. Elle s'assit après y avoir été invitée, et attendit les questions qu'il plairait à la jeune curieuse de lui adresser.

Elle préparait d'avance ses explications de manière à passer pour habile en flattant les espérances de sa nouvelle dupe.

Caroline raconta le songe étrange qu'elle avait eu, et la diseuse de bonne aventure lui prédit l'heure de la délivrance et du triomphe, par les soins d'un ami ignoré. Cette promesse fit sourire l'infortunée et la prédisposa en faveur de la vieille femme.

Mère Malheur, regardant tout autour de la pièce, pour s'assurer que les portes étaient bien fermées, reprit :

—Madame, je puis vous dire autre chose que la signification de votre songe, si vous le voulez; je suis capable de découvrir qui vous êtes et pourquoi vous êtes ici.

Caroline se dressa stupéfaite en face de la sorcière.

—Vous savez qui je suis, balbutia-t-elle, et pourquoi je suis ici ?... c'est impossible ! je ne vous ai jamais vue...

—C'est vrai, vous ne m'avez jamais vue; mais je vais vous dire quand même qui vous êtes : vous êtes la fille du baron de Saint-Castin. N'est-ce pas vrai ?

La sorcière avait un aspect effrayant en parlant ainsi.

—O Mère des miséricordes ! s'écria Mlle de Saint-Castin, tout effrayée, ayez pitié de moi !... Mais qui êtes-vous donc, ajouta-t-elle, vous qui me connaissez si bien ?

—Je ne suis qu'une messagère, madame. Je suis venue ici pour vous apporter une lettre de la part d'une amie qui vous connaît mieux que moi, et qui désire beaucoup vous voir, et vous communiquer des choses de la plus haute importance.

Elle lui remit le billet plié de la Corriveau.

—Une lettre ? fit Caroline, quel est ce mystère ?... Est-ce de l'intendant ?

—Non, madame, c'est d'une femme.

Caroline rougit et trembla en prenant la lettre.

—C'est d'une femme, pensait-elle, il doit y avoir des motifs sérieux.

La Corriveau affirmait qu'elle était une amie inconnue, désireuse de la protéger dans un moment critique... Le baron de Saint-Castin savait sa fille en la Nouvelle-France, et il était autorisé par le roi, à la chercher partout. S'il la retrouvait, elle serait envoyée en France...

Elle connaissait bien d'autres choses qu'elle ne pouvait pas écrire, mais qu'elle lui confierait dans une entrevue.

Elle connaissait le passage souterrain qui allait de la tour aux voûtes du château. Elle s'y rendrait la nuit suivante, à minuit juste, et elle irait frapper à la porte de la chambre secrète.

L'intendant serait probablement une huitaine de jours aux Trois-Rivières, et en son absence, Beaumanoir serait probablement visité.

Caroline frissonnait en parcourant cette lettre. Après la rougeur de la honte, la pâleur de la crainte se peignit sur sa belle figure.

—Que faire, ô mon Dieu ! que faire ? exclama-t-elle en se tordant les bras dans une amère angoisse.

Mère Malheur la regardait avec indifférence, avec curiosité, et ne se sentait nullement émue.

—Mon père, mon père bien-aimé ! continua-t-elle, mon père que j'ai tant offensé, va venir ici, la colère dans l'âme, m'arracher à ma cachette !...Oh ! je mourrai de honte à ses genoux ! Oh ! que les montagnes tombent sur moi et m'ensevelissent avec ma honte! que faire ? où fuir ? Bigot ! Bigot ! pourquoi m'avez-vous trahie ?...

Mère Malheur, froide, dure, impassible, la regardait toujours.

—Mademoiselle, dit-elle, il n'y a qu'un moyen de vous sauver, c'est de suivre les conseils de l'amie qui vous écrit. Elle vous trouvera, j'en suis sûre, une bonne cachette. Voulez-vous la voir ?

—La voir? Mais qui est-elle ? Ne me trompe-t-on pas ? La connaissez-vous ?

Et elle regardait mère Malheur finement, pour voir si elle surprendrait une fausseté dans son air.

—Je crois que tout est vrai, madame, répondit la vieille scélérate. Mais, vous comprenez, je ne suis qu'une pauvre messagère, moi, et je n'affirme point ce que j'ignore. Mais celle qui m'envoie pourra vous dire tout.

—L'intendant la connaît-il, cette femme ?

—Il me semble qu'il lui a dit de veiller sur vous en son absence. Elle est vieille et c'est une amie. Voulez-vous la voir ?

—Oui ! oui ! c'est bon. Dites-lui de venir... Ah ! j'ai besoin de la voir !... Mais vous aussi vous êtes âgée, et vous avez de l'expérience; pensez-vous qu'elle va véritablement me sauver ? Le pensez-vous ?

Elle joignait les mains avec un douloureux désespoir en disant cela.

—Si elle ne vous sauve point, personne au monde ne vous sauvera.

—Hâtez-vous, alors, hâtez-vous ! Qu'elle vienne demain dans la nuit ! Je l'attendrai dans la chambre secrète... Je l'attendrai comme, dans la vallée de la mort, le condamné attend l'ange de la délivrance.

Mère Malheur n'avait plus rien à dire, plus rien à apprendre.

Elle avait admirablement réussi dans sa mission satanique et la Corriveau, sa digne camarade, allait chaleureusement la féliciter.

Elle fit un salut respectueux à Mlle de Saint-Castin et se retira, clopin-clopant, en l'espionnant de l'œil.

Caroline s'assit, après avoir rendu le salut, et se mit à relire la lettre mystérieuse.

Elle ne remarqua point le regard faux et le sourire fourbe de la vieille femme qui s'arrêta, dans la porte entrebaîllée, pour jouir encore du succès de sa criminelle mission.

—Cela sent la mort, grommela la vieille en sortant. La Corriveau doit venir ici à son tour, mais elle viendra en messagère elle aussi !... Cette jeune fille est trop belle, et sa mort devra faire la fortune de quelqu'un. Il faut que j'aie ma part moi aussi : je l'ai bien gagnée.

Dans la galerie, elle rencontra dame Tremblay qui brûlait de savoir le résultat de l'entrevue.

Elles montèrent toutes deux à la chambre de cette dernière, s'assirent à la petite table, burent du thé avec du cognac, et recommencèrent à causer sérieusement, les yeux dans les yeux.

Mère Malheur raconta, avec une verve étonnante et toujours en recommandant le secret, une foule de choses complètement fausses. Elle mentait hardiment et finement, la vieille !

—Mais qui est-elle, mère Malheur ? Ne vous a-t-elle pas révélé son nom ? N'avez-vous pas lu dans ses mains demanda dame Tremblay.

—Si, dame Tremblay, dans les deux mains ! dans les deux... C'est une jeune fille de Ville-Marie, qui s'est échappée de sa famille pour suivre l'intendant. Ses parents voulaient l'enfermer dans un couvent pour la guérir de son amour... Vous savez, le couvent guérit si bien l'amour qu'aucun philtre ne peut le réveiller.

Et la vieille se prit à rire comme pour se moquer de ce qu'elle affirmait.

Dame Tremblay soutenait le contraire.

—Bah ! dit-elle, quand j'étais la charmante Joséphine du lac Beauport, mes parents ont voulu, une fois, essayer de ce moyen-là. Le couvent ne m'aurait guère guérie. Tous les jeunes gens de la ville seraient venus me voir au parloir... Mais vous ne m'avez pas tout dit encore, mère Malheur ? Espère-t-elle que l'intendant l'épousera ? Va-t-elle devenir la maîtresse du château ?

—Elle l'est déjà la maîtresse, dame Tremblay. L'intendant ne lui refusera rien, et l'épousera probablement avant longtemps. Vous verrez ! C'est tout.

—Non ! non ! vous en connaissez plus long que cela. Ne vous a-t-elle pas avoué qu'elle est jalouse de cette belle effrontée d'Angélique des Meloises, qui veut de gré ou de force avoir Bigot pour mari ?

—Non, elle n'a pas prononcé ce nom-là. Mais elle aime l'intendant et voit des rivales dans toutes les jeunes femmes ! Et elle a raison, ricana la vieille.

—Elle craint Angélique des Meloises comme le poison, affirma dame Tremblay. Comme de raison elle n'a pas osé vous avouer cela à vous, comme à moi... Mais, voyons ! est-ce que réellement elle ne vous a pas dit son nom !

—Non, je vous l'assure. Ces filles-là, voyez-vous, perdent leur nom et n'en trouvent pas d'autres, répliqua la sorcière avec un ricanement moqueur.

—Je vous avoue, mère Malheur, que je n'ai pas le courage de me moquer d'elle, reprit dame Tremblay d'une voix légèrement émue. Si elle a perdu son nom, c'est par amour et non par haine. Il n'y a que vos dames sans cœur qui rient de nous parce que nous en avons trop. Quand même tout le monde la mépriserait, moi, je la plaindrais; c'est un ange et je l'aime...quand j'étais la charmante...

—Oh ! nous avons toutes, comme cela, été des anges, dans un temps ou dans l'autre, et le monde a vu bien des chutes, interrompit la vieille, d'un ton mélancolique, comme si quelques lointaines réminiscences fussent revenues soudainement à sa pensée.

Dame Tremblay reprit :

—Vous m'interrompez toujours, mère Malheur, mais n'importe ! je disais que personne, quand j'étais la charmante Joséphine du lac Beauport, ne pouvait soutenir sans mentir effrontément, que...Vous ne m'écoutez plus ? eh bien, c'est dommage ! Prenons une autre tasse de thé avec encore une goutte de cognac, et vous allez descendre à la cuisine, dire la bonne aventure à ces paresseuses de servantes qui passent leur temps à parler des garçons, et dépensent tout ce qu'elles gagnent en rubans, en dentelles, en colifichets de toutes sortes. Avez-vous jamais vu des filles comme celles de ce temps-ci ? Sont-elles ridicules, un peu, avec leurs talons hauts, leur fard, leurs garnitures ! On ne peut plus les distinguer d'avec leurs maîtresses. Quand j'étais la...

Mère Malheur l'interrompit encore une fois.

—J'y vais à la cuisine, dit-elle, j'y vais. Ces pauvres servantes, il faut les amuser un brin, ne pas démolir si vite l'édifice de leurs espérances, et les rendre heureuses d'une félicité qui n'arrivera peut-être jamais.

Elle sortit. Dame Tremblay la suivit.

—Je ne pourrai pas m'attarder longtemps, fit-elle, j'ai une longue route à parcourir avant la nuit.

Le temps de satisfaire la curiosité des plus hardies, de promettre des maris fidèles aux plus jalouses et de la richesse à toutes, puis elle fit ses adieux à dame Tremblay et elle reprit en hâte, marchant vite, avec son bâton, le chemin de la ville.

La Corriveau l'attendait avec impatience, et dès qu'elle mit les pieds sur le seuil de sa cabane, au pied du rocher, elle lui demanda d'une voix anxieuse, en courant au-devant d'elle :

—L'avez-vous vue, mère Malheur ? Lui avez-vous remis ma lettre ?... Vous ôterez votre chapeau, après. N'hésitez pas, parlez !

Elle ne venait pas à bout de dénouer les attaches de son chapeau, mère Malheur. La Corriveau vint à son secours.

—Eh bien ! parlez donc, dit-elle encore.

—Oui ! oui ! elle l'a, votre lettre. Elle a avalé mes histoires comme de l'eau. Elle vous attend au coup de minuit, demain. Elle vous fera entrer, dame Dodier... Mais est-ce elle qui vous fera sortir ?

Mère Malheur, son chapeau à la main, regardait la Corriveau d'un œil méchant.

—Si elle me fait entrer, répondit la Corriveau, je sortirai bien toute seule ! Pourquoi cette question ?

—Parce que je lis dans vos yeux un dessein diabolique et vous ne m'en faites point part. C'est mal cela, dame Dodier.

—Pouah ! nous sommes de société. Vous verrez bien !...Mais quelle apparence a-t-elle cette mystérieuse dame de Beaumanoir ?

La Corriveau s'assit et appuya sa main décharnée sur le bras de sa complice.

—L'apparence d'une condamnée à mort, répondit celle-ci; elle est trop bonne pour vivre. Le chagrin n'est pas fait pour une aussi divine créature.

—Il y a quelque chose de pire que le chagrin, pour cette sorte de créature, répliqua froidement la Corriveau.

—Comme on fait son lit on se couche, riposta mère Malheur.

Et elle ajouta :

—C'est ce que je dis toujours aux petites curieuses qui viennent me questionner. Et ma foi ! Le proverbe leur plaît assez.

—Les folles ! exclama la Corriveau... j'irai demain soir au château pour la voir, cette merveilleuse beauté. L'intendant revient dans deux jours, et il pourrait bien l'éloigner. Vous a-t-elle parlé de lui ?

—Non, Bigot est un diable plus puissant que celui que nous servons; je le crains.

—Bah ! je ne crains ni le diable ni les hommes. A minuit, mère Malheur ? C'est à minuit qu'elle m'attend ?

—Oui, passez par le couloir, dans les voûtes, et allez frapper à la porte de la chambre secrète. Elle vous fera entrer. Mais dites donc, est-elle condamnée ?

Ne pouvez-vous pas lui montrer un peu de pitié ?

Mère Malheur éprouvait de la crainte et de la commisération. Le regard angélique de la jeune victime l'avait agitée comme le vent fait d'une feuille sèche.

—Tiens ! mère Malheur ! riposta la Corriveau, en se moquant, elle a fondu votre vieux cœur de roche ! Qui aurait jamais pensé cela ? Pourtant, reprit-elle aussitôt, son regard m'a bien amollie pendant une minute, dans le bois de Saint-Vallier.

—Elle n'est pas du tout comme les autres filles que j'ai vues, affirma mère Malheur, pour s'excuser, je gagerais qu'il n'y a pas plus de mauvais esprits dans son âme que dans une église.

—Vous radotez, mère Malheur ! fit la Corriveau en éclatant de rire. Je vais à l'église, moi, et je prie. Mais c'est le diable que j'invoque: et je le vois, derrière l'autel, qui me fait des signes d'encouragement.

—Vous êtes plus chanceuse que moi ! je vais quelquefois le prier aussi à l'église, et je ne le vois jamais.

Et les deux vieilles maudites se prirent à ricaner, en répétant les litanies du diable qu'elles récitaient dans l'église de Dieu.

—Il s'agit maintenant, observa la Corriveau, de décider comment je me rendrai à Beaumanoir. Il me faudra aller à pied,comme vous avez fait, mère Malheur. Je prendrai le sentier qui traverse la forêt. Il faut que je ne sois pas vue. Il y va de ma vie.

—La lune se lève vers neuf heures, répondit mère Malheur, ce sera le moment d'entrer dans les bois. Etes-vous sûre du chemin ?

—Le chemin ? J'y entre comme dans ma robe ! Je connais un canotier sauvage qui me débarquera sur la batture de Beauport et ne soufflera mot. Je n'irai pas m'exposer à l'espionnage de maître Jean Le Nocher ou de sa Babet.

—Ma parole d'honneur ! dame Dodier, vous êtes malaisée à prendre et vous seriez capable de jouer à cache-cache avec Satan. Pourtant, ajouta-t-elle cyniquement, je crois qu'il finira par nous trouver... quand nous serons dans notre dernière cachette.

—Bah ! vogue la galère ! exclama la Corriveau en se levant. Ca ira comme ça pourra ! Je me rendrai à Beaumanoir sur mes jambes, et pour trouver le chemin plus court et moins fatigant, je m'imaginerai que je porte des jarretières d'or et des pantoufles d'argent. Mais vous devez avoir faim, mère Malheur, après une aussi longue marche. Je vous ai préparé un bon souper. Venez manger au nom du diable, ou bien je vais dire le *benedicete* pour vous faire étouffer.

La table était bien servie, et les mets plus succulents que ne l'aurait fait supposer l'aspect misérable du taudis. Le pot de confitures, apporté par l'infidèle servante de Varin, n'avait pas été oublié.

Les deux vieilles compagnes s'assirent en face l'une de l'autre.

La Corriveau eut une pensée infernale qui fit tressaillir les mânes de Béatrice Spara, d'Exili et de la Voisin. Elle sourit en elle-même et se dit que la prudence était une chose d'un prix infini.

Il y avait entre les deux vieilles femmes, au milieu de la table, une bouteille d'eau de vie. Et les deux misérables buvaient, riaient, se moquaient de leurs dupes et de leurs victimes, et chantaient des refrains obscènes.

Le lendemain, la Corriveau fit connaître à Mlle des Meloises son intention de visiter Beaumanoir le soir même.

Angélique éprouva de la joie à cette nouvelle, mais en même temps, elle pâlit et frissonna. C'était la peur que la tentative ne réussit pas ou que le crime fut découvert.

Elle envoya porter, à la chaumière de la mère Malheur, par un inconnu, un bouquet de roses magnifiques enfermées dans un coffret. Elle avait tremblé en cueillant ces fleurs dignes de parer l'autel de l'Agneau.

La Corriveau plaça le coffret dans une petite chambre noire, où le soleil n'entrait jamais, et dont la sale fenêtre s'ouvrait sur le rocher, à deux pas.

Elle l'ouvrit et ses petits yeux méchants lançaient des flammes à la vue des roses parfumées attachées avec un ruban bleu, et d'une bourse de soie pleine de pièces d'or.

Elle colla la bourse sur sa joue, l'embrassa avec passion et la cacha dans sa poitrine.

Puis regardant le bouquet :

—Les belles fleurs ! les douces fleurs ! dit-elle. . .Les hommes croient que ces choses-là ne font point de mal. . Elles sont comme celle qui les donne, belles en dehors encore. . ., et belles en dedans, aussi, comme celle qui va les recevoir.

Elle réfléchit pendant une minute en les regardant.

—Angélique des Meloises, reprit-elle, vous m'envoyez ces roses avec votre or, parce que vous me supposez plus méchante que vous ! Allons donc ! Vous êtes digne d'être couronnée reine de l'enfer, cette nuit, avec ces roses suaves !. . .

Elle regarda par la fenêtre et vit un rayon de soleil couchant illuminer, à la cime, un angle du rocher.

—Il est temps que je me prépare pour mon voyage, pensa-t-elle.

Elle dénoua ses longs cheveux grisonnants et les laissa tomber sur ses épaules. Elle prit le coffret d'ébène qu'elle tenait toujours caché dans son sein, et le déposa avec un soin particulier sur une tablette. L'ayant ouvert,elle en tira une petite fiole dorée, le faune antique, remplie d'un liquide brillant. Elle l'agita et des milliers d'étincelles s'allumèrent aussitôt.

Elle prit un mouchoir, le plia et le mit sur sa bouche et ses narines, pour se préserver de la volatile essence, puis, tenant le bouquet au bout de son bras, elle versa dessus quelques gouttes du liquide étrange en prononçant les paroles cabalistiques que la terrible Béatrice Spara avait apprises à Antonio Exili, et que sa mère lui avait enseignées à elle, sans en trop savoir la signification.

Hecaten Voco !
Voco Tisiphonem !
Spargens avernales aquas,
Te morti devoveo, te Diris ago !

Les fatales gouttes tombèrent comme une douce rosée sur les fleurs. Les roses étincelèrent d'un éclat nouveau. Chacune de leurs feuilles, chacun de leurs pétales furent imprégnés de l'impitoyable poison. La mort s'exhalerait maintenant avec chaque atome de leurs parfums.

La Corriveau enveloppa le bouquet dans un papier d'argent, le remit dans la petite boîte et se prépara à sortir.

XL

PLUS D'ESPOIR ! C'EST LE CRI DU CORBEAU

C'était la veille de la Saint-Michel. La nuit s'étendait calme sur les bois de Beaumanoir, et la lune à son déclin, versait une lueur pâle à travers les nuages qui montaient de l'orient et annonçait l'orage.

A sa lumière légère et tremblante, on pouvait distinguer, comme un serpent luisant, un petit sentier qui s'enfonçait dans les ombres de la forêt, et dans le petit sentier marchait, vite et avec précaution, la forme noire d'une femme.

Cette femme se rendait au château.

Elle était vêtue comme une paysanne et portait une petite boîte sous son bras. Dans cette petite boîte, il y avait une chandelle et un bouquet de roses enveloppé dans un tissu d'argent; rien de plus.

Une femme honnête y aurait mis un rosaire. Mais la femme qui s'en allait ainsi, sous les bois, n'était pas honnête.

Pas un bruit autour d'elle, excepté le crépitement des feuilles mortes sous ses pieds, le glapissement des renards ou les cris rauques des hiboux.

Depuis longtemps elle n'était passée là, cette femme, mais elle se souvenait encore des cailloux noirs et des troncs dénudés qui jalonnaient la route. Pas loin, elle devrait trouver, sur la droite, une grosse pierre et, tout près de cette pierre, un autre sentier qui conduisait à la tour.

Cette pierre, elle pouvait bien s'en souvenir et la reconnaître, car elle l'avait fait servir au crime, un jour...

Maintenant Dieu seul et elle s'en souvenaient... Cela l'inquiétait peu, mais Dieu n'oublie rien !

Tout à coup, dans la clarté douteuse de la lune sous le feuillage, elle s'imagina voir apparaître devant ses yeux une forme humaine. En même temps, un frémissement de feuilles la fit tressaillir de peur. Elle se crut découverte.

C'était la pierre grise du crime qui prenait la forme d'une femme, dans le jeu des rayons et des ombres.

Les habitants disaient que cet endroit était hanté par un fantôme: une femme habillée de gris. Cette infortunée avait été empoisonnée par un amant jaloux.

La Corriveau lui fit manger de la manne de Saint-Nicolas et elle tomba morte à ses pieds, sous les yeux de son bien-aimé.

Alors, lui, il s'enfuit dans la forêt, en proie aux plus cruels remords, tomba malade et fut dévoré par les loups.

Seule au monde, la Corriveau connaissait ce drame sanglant.

S'apercevant que c'était la pierre grise d'autrefois qui l'avait épouvantée, elle se mit à rire.

—Bah ! les morts ne reviennent pas, murmura-t-elle. Et puis, si elle revenait, elle, cela me ferait une compagne de route.

La misérable n'aurait peut-être pas eu peur, si l'image de sa pâle victime lui était apparue pour lui reprocher sa cruauté.

La cloche du château sonna douze coups. Dans la forêt et les montagnes voisines, le son argentin se répercuta mélancoliquement.

La Corriveau sortit du bois, longea la haie du côté de l'ombre et entra dans la tour.

Elle se trouva dans une chambre carrée, obscure comme une caverne. Un rayon de lune, descendant par la fenêtre grillée, la traversait d'un bout à l'autre.

Elle s'assit sur une pierre pour se reposer un peu et se recueillir. Elle avait besoin de toute sa prudence et de toute sa force pour l'œuvre qui allait se consommer.

Les chiens hurlaient d'une façon lugubre, comme s'ils avaient deviné l'infernale machination. Elle n'en avait point peur, car ils étaient enfermés dans la cour du château.

—Me voici rendue saine et sauve, pensa-t-elle, Personne ne m'a vue ! On dit qu'il y a un œil qui voit tout, une oreille qui entend tout. Si Dieu me voit et m'entend, il ne m'empêche toujours pas d'accomplir mes desseins. Cette nuit encore je veux agir, et toutes les prières de la victime désignée ne serviront de rien. Si Dieu existe, il me laisse vivre et il laisse périr la dame de Beaumanoir !

Il y avait, dans un coin de la tour, un escalier de pierre tournant qui montait jusqu'au toit et descendait jusqu'aux voûtes.

Ces voûtes épaisses avaient servi de magasins autrefois, quand les habitants du château, à l'approche des Iroquois, venaient s'enfermer dans la tour.

Après un moment de repos, la Corriveau, comme impatientée d'en avoir fini, passa sous une porte cintrée qu'elle avait observée dans l'ombre et se trouva sur un palier du grand escalier.

—C'est par là, murmura-t-elle. De la lumière maintenant !

Elle ferma la porte sur elle par mesure de prudence et alluma sa bougie.

Comme on disait la tour hantée par des esprits, les servantes du château se donnaient garde d'y entrer. Les hommes même qui s'y aventuraient passaient pour des braves.

La Corriveau, sa lumière à la main, descendit à pas lents au fond des voûtes ténébreuses. C'était une large caverne en pierre, véritable demeure de la nuit noire, dont l'obscurité humide semblait absorber la faible et vacillante lumière qu'elle portait. De rudes colonnes de pierres brutes séparaient en trois parties cette espèce de caverne.

Un mince filet d'eau tombant dans une auge de pierre entrait d'un côté, traversait les voûtes et se perdait du côté opposé. Son murmure incessant et monotone, semblait celui d'une clepsydre marquant les heures de l'éternité.

La Corriveau s'avança résolument, comme une personne qui sait où elle va et connaît son chemin. Elle se trouva bientôt en face d'un panneau en bois, comme ceux du château. Elle l'examina attentivement avec sa lumière, pour voir comment il s'ouvrait.

Mère Malheur lui avait parlé de ce panneau, de sorte qu'elle n'eut pas de peine à le faire tourner. Il suffisait de savoir où le toucher.

Elle ne le referma point sur elle. Le couloir où elle entrait conduisait à la chambre secrète. Il n'y avait plus d'obstacles; le chemin était libre.

Elle n'avait point frayeur, car elle ne pouvait rien rencontrer de pire qu'elle-même. Devant elle, point de crainte ni d'hésitation, derrière elle, point de remords !

Elle trouvait le chemin long, et les voûtes plus basses semblaient peser sur sa tête maudite.

Elle arriva à une porte de fer grillée, sous une arche lourde.

Cette porte ! elle séparait la lumière des ténèbres, le bien du mal, l'innocence de la culpabilité.

D'un côté de l'entrée, dans une chambre éblouissante de lumière, une jeune fille, confiante, généreuse, victime de sa douce naïveté; de l'autre côté, s'avançant d'un pas furtif, dans une route déserte, la méchanceté, la menace, la cruauté !...

O Caroline de Saint-Castin ! pauvre martyre de l'amour ! pauvre victime de la jalousie ! parmi toutes ces pensées qui obsèdent votre esprit, dans la solitude et le silence de cette nuit lamentable, n'est-il pas une pensée de crainte et de terreur ? Comment pouvez-vous tranquillement et sans soupçon, attendre cette femme inconnue qui vient d'une façon si mystérieuse, frapper à la porte de votre dernier refuge ?

Hélas ! Caroline comptait les minutes une par une à mesure que l'aiguille les marquait sur le cadran de l'horloge !

Elle tremblait, mais elle ne savait pas pourquoi. Elle avait hâte d'entendre dans sa porte les coups fatals ! Elle ne soupçonnait nullement une intention criminelle. Son ange gardien s'était détourné pour pleurer. La Providence semblait l'avoir abandonnée...

Peu à peu, les bruits du château s'éteignirent. Comme minuit approchait, elle descendit à la chambre secrète pour recevoir l'étrange visiteuse qui avait tant de choses à lui révéler.

Elle était mise avec soin, mais fort uniment. Ses longs cheveux noirs flottaient sur son cou et ses épaules. Elle portait une longue robe blanche retenue à la taille par un ceinturon noir : Un refrain de deuil dans un hymne joyeux ! Elle ne portait aucun ornement, sauf une bague que lui avait donnée Bigot, un gage d'amour dont elle ne voulait point se séparer et qui soutenait son espérance. Hélas ! la pauvre enfant, elle si constante, ne se doutait pas combien était futile ce talisman ! Un souffle de l'enfer allait bientôt emporter sa jeune existence, et avec elle ses peines terrestres !

Elle prit sa guitare et, machinalement, ses doigts voltigèrent sur les cordes harmonieuses. Une romance qu'elle aimait beaucoup, et redisait souvent, autrefois, dans ses heures d'ivresse, quand sa vie était tout ensoleillée, lui revint à la mémoire. Elle soupira et d'une voix basse et douce, pendant que la guitare pleurait suavement comme une harpe éolienne, elle se mit à chanter ces paroles mélancoliques:

> La linotte, sur l'aubépine,
> A l'heure où la cloche sonnait,
> Chantait, et sa voix argentine
> Comme un chant des cieux résonnait !
>
> Comme un chant des cieux quand la rose
> Fleurit sur le bord du chemin,

Et quand les pleurs d'un ange arrosent
Ses douces feuilles de carmin !

O linotte joyeuse, cesse
Sur l'arbre vert, tes chants joyeux !
Ma patrie est dans la tristesse,
Mon pauvre cœur est soucieux !

Mon pauvre cœur plein de souffrance
N'espère plus au lendemain !
J'ai pris la coupe d'espérance
Mais elle tombe de ma main !

La lampe jetait un vif éclat, et quand la captive suspendit son chant, le silence parut profond comme dans un sépulcre.

Elle écouta pour s'assurer si un bruit de pas ne se ferait point entendre, et son cœur battait affreusement.

La pensée que son père la cherchait et qu'il allait arriver dans la colonie, lui causait une grande terreur. Elle aurait bien voulu le revoir, ce père bien-aimé ! elle serait prête à se jeter à ses genoux, à mourir pour expier sa faute; mais lui pardonnerait-il même à ce prix-là ?... Pardonnerait-il à Bigot ?...Non ! et l'un des deux mourrait !...

Ah ! si Dieu voulait prendre sa vie dès maintenant, avant que sa honte soit connue, dans la tombe où elle est déjà enfermée, loin du regard des hommes, dans l'oubli !...Elle se leva, se jeta à genoux, dans un élan de douleur incommensurable, conjura le Christ de lui pardonner, supplia la Mère de miséricorde d'intercéder pour elle, la misérable pécheresse ! pour elle qui allait entendre sonner l'heure de la honte et de l'expiation !

Le bruit de pas, sourd et lent, résonna dans le passage souterrain. Elle se dressa frémissante, en joignant les mains comme pour une prière nouvelle.

—Pourquoi craindrais-je ? pensait-elle, je n'ai jamais fait de mal à personne...

Et les pas lourds et lugubres résonnaient de plus en plus fort sous les voûtes sombres.

Caroline s'approcha de la porte de fer. L'ange allait au-devant du démon.

Deux petits coups se firent entendre. Elle trembla violemment et souleva la tapisserie. Quelque chose lui dit alors de ne pas ouvrir. Elle hésita. Mais la pensée que le château serait fouillé jusque dans ses plus intimes cachettes, lui rendit sa première résolution.

—Que Dieu me protège ! soupira-t-elle. Et elle tira le verrou.

La lampe de la chambre secrète éclaira tout à coup la figure de l'étrange visiteuse, et Caroline, qui s'attendait à voir apparaître une forme repoussante, fut toute surprise de se trouver en présence d'une femme comme une autre, vêtue en paysanne et ne portant rien qu'une petite boîte sous le bras.

La Corriveau fixa un œil curieux sur cette jeune fille qui ressemblait à un ange. Elle l'examina de la tête aux pieds, remarqua les plis gracieux de sa robe blanche, ses longues tresses noires, ses formes ravissantes, son air doux et résigné, sa suave beauté et elle sentit comme une jalouse colère se réveiller dans sa vieille âme corrompue. Elle pensa et un sourire méchant glissa sur ses lèvres minces, elle pensa :

—Cela va faire un beau cadavre !...jamais la Brinvilliers, jamais la Voisin n'ont versé le poison à une plus belle victime !

Caroline surprit le regard perçant, le sourire satanique de la méchante vieille, et elle recula effrayée.

La Corriveau s'apercevant de la mauvaise impression qu'elle faisait sur la jeune fille, se composa aussitôt un maintien plus avenant. Elle affecta de la sympathie, de la compassion. Il fallait inspirer la confiance ou se résigner à perdre, peut-être, le fruit de bien des peines et la perspective d'une grande fortune.

Caroline vite rassurée, s'imagina qu'elle avait mal vu, se persuada qu'il ne fallait point écouter sa première impression. Le costume de la paysanne, le panier inoffensif, l'attitude prise par la Corriveau, se donnant l'air respectueux d'une personne qui attend qu'on lui parle, bannirent toute crainte de l'âme de Caroline et la laissèrent toute à sa curiosité.

La Corriveau ne voulait point user de violence dans l'accomplissement de son forfait. Cependant, elle s'était armée d'un stylet de fin acier, le même que Béatrice Spara avait laissé dans le cœur de Beppa Farinata, quand elle la surprit dans la chambre d'Antonio Exili.

Elle ne s'en servirait qu'à la dernière extrémité et pour se protéger.

Ce seraient les roses, les roses éclatantes et parfumées qui tueraient la confiante jeune fille ! Elle les savourerait comme un bouquet nuptial et le poison se mêlerait à l'enivrant arome. La douce mort !

Personne ne devinerait la cause d'une si prompte et si regrettable fin. On dirait de Caroline de Saint-Castin : Morte par la visite de Dieu !

XLI

UN FORFAIT SANS NOM

Caroline de Saint-Castin, debout, une main sur le dossier de sa chaise, regardait la Corriveau. Elle aurait voulu dire quelque chose et les paroles ne lui venaient point. Elle semblait abasourdie.

Elle tenait la lettre que lui avait apportée mère Malheur.

—Est-ce vous qui avez écrit ceci ? demanda-t-elle enfin.

La Corriveau fit un signe affirmatif.

—Oh ! dites-moi franchement, est-ce la vérité ?

—C'est la pure vérité.

Il était surprenant qu'une simple paysanne put écrire aussi correctement et connaître si bien le baron de Saint-Castin.

—Au nom du ciel, s'écria Caroline, qui êtes-vous ? je ne vous ai jamais vue !

—Vous m'avez vue déjà, répliqua la Corriveau.

Caroline la regarda fixement, cherchant à se souvenir, mais ne put la reconnaître.

La Corriveau continua :

—Votre père est le baron de Saint-Castin, et vous, madame, vous aimeriez mieux mourir que d'être trouvée ici. Ne me demandez pas comment je sais cela, ce serait inutile. Quant à moi, je ne suis que ce que je parais être.

—Vous êtes vêtue en paysanne, mais vous parlez en dame. Vous êtes sous un déguisement... Pourquoi venez-vous me visiter de cette étrange façon ?

—Je vous le répète, je suis ce que je parais, et je viens vous trouver ainsi, parce que je ne puis venir autrement.

—Vous dites que je vous ai vue déjà; je ne m'en souviens pas.

—Dans le bois de Saint-Vallier. Vous rappelez-vous d'avoir rencontré là, une paysanne qui cueillait de la mandragore ? Vous aviez soif et elle vous donna du lait. Vous étiez avec des Sauvages.

Ce fut un éclair dans l'esprit de la jeune fille, et une douce confiance lui revint aussitôt.

—Je m'en souviens ! s'écria-t-elle. Et vous étiez habillée comme maintenant, absolument !... Je vous remercie de la bonté que vous m'avez témoignée alors, oui, je vous en remercie !

Elle lui tendit la main.

La Corriveau la prit dans la sienne, mais ne la pressa point. Elle demeurait froide, insensible. Elle répliqua, adoucissant autant que possible sa voix rauque, et montrant une fausse compassion :

—J'ai été bonne pour vous alors, et je veux l'être encore aujourd'hui. Je viens pour vous secourir.

Elle sourit encore de son diabolique sourire, mais le réprima aussitôt.

—Je ne suis qu'une pauvre femme, dit-elle; cependant je vous apporte un petit présent pour vous prouver que je ne vous ai pas oubliée.

Elle mit la main sur le coffret.

—Oh ! je ne doute pas de votre amitié, bonne dame, répondit Caroline, mais vous savez comme je suis inquiète. Parlez-moi donc de mon père, d'abord; dites-moi tout ce que vous savez... Je suis dans une angoisse mortelle !

—Il est en route pour la colonie, affirma la Corriveau, et il sait que vous êtes ici.

—Ici ? à Beaumanoir ? mais c'est impossible ! Personne ne le sait ! exclama Caroline en levant ses mains jointes dans un élan de désespoir.

—Si personne ne le savait, mademoiselle, comment en serais-je instruite, moi, fit la sorcière ? Votre père a des lettres du roi pour vous faire chercher partout.

Elle alla, de nouveau, pour offrir le coffret mais elle pensa qu'il valait mieux attendre encore.

—Que Dieu aït pitié de moi ! cria Mlle de Saint-Castin.

Après un sanglot elle reprit :

—Mais l'intendant ? que savez-vous de lui ?

—L'intendant ? le roi lui a ordonné de vous rendre à votre père, et il le fera, à moins que le gouverneur ne le prévienne... Le gouveneur vous cherche.

Caroline fut sur le point de défaillir.

—Le gouverneur va faire fouiller le château de fond en comble, reprit la Corriveau, et dès demain, peut-être.

—Mon Dieu ! mon Dieu ! exclama la jeune victime, en se cachant le visage dans ses mains, que ne suis-je dans une tombe profonde où seule vous me verrez ! Faites-moi miséricorde, car je n'ai plus rien à attendre de la clémence des hommes !... Je mérite mon malheur! La mort n'est rien; ce qui est terrible, c'est de savoir que ma honte ne mourra pas avec moi !

La Corriveau souriait encore,et ses doigts crochus caressaient la petite boîte mortelle.

Le moment approche ! le moment approche ! murmura-t-elle entre ses dents venimeuses.

Caroline fit un pas vers elle.

—Est-ce bien la vérité que vous me dites là ? répéta-t-elle encore d'une voix suppliante... Comment, vous, une étrangère, pouvez-vous donc être informée de cela ?

—C'est la vérité, et je viens pour vous sauver; mais je ne puis vous en dire davantage... C'est peut-être de la part de l'intendant lui-même que je suis ici... Il veut vous cacher pour que l'on ne vous trouve point.

Un rayon d'espérance traversa l'âme assombrie de la condamnée. Bigot, en effet, devait songer à la sauver. Il était intéressé à le faire, puisque c'est lui qui l'avait perdue !

Elle se cramponna à cette pensée comme le noyé à une planche.

—C'est Bigot qui vous envoie ! exclama-t-elle en souriant, rougissant et pleurant à la fois. Il veut me faire conduire ailleurs ! Oh ! soyez bénie, messagère du bonheur ! soyez bénie !

—Il désire que je vous conduise à Saint-Vallier, répondit la vieille mégère, et quand le danger sera passé, vous reviendrez ici.

—Oh ! je le reconnais bien !... Comme il est bon lorsqu'il est laissé à ses propres volontés !...C'est comme cela que je l'ai connu autrefois !... L'avez-vous vu ? vous l'avez vu ! Il vous a parlé ? que vous a-t-il dit ?

—L'heure arrive ! l'heure arrive ! pensait joyeusement la vieille empoisonneuse. Ça va aller !

Et elle répondit :

—Je l'ai vu et il m'a parlé; mais pas longtemps. Il est sévère, l'intendant, et ne s'amuse guère à causer avec des personnes de ma condition. Cependant il m'a chargé de vous remettre un gage de son amour. Il m'a dit que vous sauriez bien ce que cela signifie. Le voici ce gage, madame, dans ce coffret. Puis-je vous le remettre à présent ?

—Un gage de son amour ! un souvenir de lui ! Vous n'êtes donc pas une femme, vous ? Pourquoi tant tarder à me le remettre ? pourquoi ne pas me l'avoir donné tout de suite ?... Je n'aurais pas tant hésité à vous croire, moi. Donnez ! donnez ! Ah ! qu'il soit béni !

La Corriveau pâlit légèrement malgré sa dureté de cœur, et un frémissement imperceptible passa sur sa main pendant qu'elle ouvrit la petite boîte. Elle prit le bouquet, le dépouilla, en se détournant à demi de son enveloppe d'argent et le présenta à l'impatiente jeune fille.

—Qu'il est beau ! exclama Caroline en le saisissant de ses deux mains. C'est un bouquet céleste ! un radieux gage d'amour !

Et le portant à ses lèvres, souriante, ravie, transfigurée par le plaisir, elle l'embrassa avec passion, et en aspira ardemment les senteurs exquises et les poisons mortels.

Aussitôt, sa tête radieuse se pencha en arrière, ses yeux noirs regardèrent dans le vague, et tenant toujours le bouquet fatal sous ses baisers, elle tomba morte aux pieds de la Corriveau.

Un rire sauvage, terrible, épouvantable, fit tressaillir les murs de la chambre secrète.

Le sang de plusieurs générations d'empoisonneurs et d'assassins se prit à courir brûlant dans les veines de la sorcière, et elle parut comme une tigresse devant sa proie.

La morte était là, souriant encore, encore radieuse de sa dernière pensée de joie. L'horrible meurtrière se pencha pour s'assurer si le poison avait fait son œuvre : déjà, le cœur ne battait plus, et nul souffle ne passait sur les lèvres entrouvertes.

Elle ne devait plus se réveiller qu'à la voix de Dieu, au jour de la résurrection.

—N'importe ! grommela l'empoisonneuse, la Corriveau ne fait pas son ouvrage à moitié; s'il y a un reste de vie là-dedans, il partira.

Et deux fois, d'une main ferme, elle plongea dans le sein de sa victime sans vie, son poignard aigu.

Un mince filet de sang courut sur la robe blanche et ce fut tout.

Caroline de Saint-Castin était devant Dieu. Elle avait franchi ce redoutable passage que nul ne connaît. Heureux celui qui a la foi pour appui, à ce moment où les amitiés de la terre ne peuvent plus le soutenir ! Heureux celui qui meurt dans la charité, car la charité est une lampe divine qui éclaire l'âme dans son vol vers les cieux.

La Corriveau demeura penchée sur le cadavre de sa victime pour examiner les effets de *l'aqua tofana*.

C'était la première fois qu'elle osait administrer le subtil poison de la Borgia.

—*L'aqua tofana* agit comme un charme, murmura-t-elle. C'est Béatrice Spara qui l'a composée... Je l'aime mieux que son stylet... J'ai été folle de me servir de cet instrument...Je me suis souillé les mains de sang.

Elle s'essuya, et ses doigts firent une empreinte rouge sur la robe blanche.

La cloche du château sonna un coup. Il était une heure.

Sa voix solitaire semblait, dans la maison endormie, une voix accusatrice. Mais personne ne s'éveilla pour chercher l'auteur du forfait qui venait de s'accomplir.

La Corriveau l'entendit et se leva. Sa tâche était finie.

Elle fit avec une jalouse curiosité le tour de la chambre secrète, et remarqua la richesse des meubles et des décorations. Elle aperçut sa lettre sur une chaise, la saisit fiévreusement, la déchira et en jeta les morceaux sur le parquet. Elle s'en repentit aussitôt, les ramassa, et les mit dans son coffret, avec le bouquet de roses qu'elle arracha des mains du cadavre.

Elle voulait le jeter dans le bois.

Elle ouvrit un écritoire dans l'espoir d'y trouver de l'argent; mais il n'y en avait point. Elle n'eut pas le temps de chercher ailleurs.

Elle fut tentée d'emporter le diamant que la morte avait au doigt. Elle le fit glisser, l'examina d'un œil ardent de convoitise, mais finalement n'osa pas le voler, de peur de se compromettre. Elle le rendit au cadavre.

—Cela me ferait découvrir, murmura-t-elle... Il vaut mieux ne rien emporter que ce qui vient de moi, et vite, sauvons-nous !

Elle mit le coffret sous son bras et jeta un dernier regard, un regard de satisfaction sur la victime qui gisait là, comme un ange tombé dans les combats du

Seigneur. La lampe se reflétait dans ces beaux grands yeux qui ne voyaient plus, et cependant semblaient se fixer avec douleur et miséricorde sur l'empoisonneuse.

Ce regard fit peur à la Corriveau. Elle se détourna vivement, puis, rallumant sa bougie, elle sortit, oubliant de fermer sur elle la lourde porte de fer de la chambre secrète.

Arrivée à la tour, elle monta le grand escalier. Sur le palier, elle éteignit sa lumière, puis s'approcha de la porte béante où la lune plongeait un pâle rayon. Elle franchit le seuil désolé, et debout, immobile, perçant l'obscurité de son œil inquiet , elle écouta longtemps.

Tout dormait au loin, dans la forêt et le château; seul le filet d'eau murmurait en courant sur les cailloux.

Alors elle s'enfonça, comme un spectre noir, dans les bois où elle avait passé une heure auparavant.

Elle allait apprendre à Angélique des Meloises qu'elle n'avait plus de rivale,...mais qu'elle avait à payer le prix du sang.

Elle entra dans la ville aux premières lueurs de l'aube. Un brouillard épais noyait tous les objets: les arbres, les maisons, le fleuve et les rochers, et elle put se rendre sans être vue à la cabane de la mère Malheur.

Elle se reposa quelques instants, défendit à sa vieille camarade de la questionner, puis sortit de nouveau pour se rendre chez Mlle des Meloises.

On ne voyait point à dix pas dans les rues, et personne ne la remarqua.

Angélique était debout. Elle ne s'était pas mise au lit cette nuit-là. Une fièvre brûlante l'avait agitée sans cesse, la fièvre du mal, de la peur, de l'inconnu menaçant. De sa fenêtre, les yeux souvent fixés sur la chaîne sombre des montagnes qui dominaient le château, elle avait suivi les péripéties du drame sanglant.

Maintenant l'empoisonneuse devait arriver! ... Maintenant la confiante victime devait s'être livrée !... La messagère de la mort réussirait-elle ?... Et quel serait le résultat de ce crime ?...Ne s'en repentirait-elle point ?... Resterait-il ignoré ?...Bigot oublierait-il la morte ?...Le sang innocent ne crierait-il pas vengeance ?...

Une foule de pensées terribles ne cessèrent de la torturer.

Elle ouït le bruit d'un pas.

—C'est elle ! s'écria-t-elle, et une flamme lui monta au visage, puis aussitôt elle pâlit affreusement. Elle courut ouvrir.

La Corriveau entra sans dire une parole. Les yeux des deux femmes s'étaient parlé, s'étaient compris.

Angélique attira l'empoisonneuse dans sa chambre, la poussa vers une chaise, lui saisit les épaules de ses mains frémissantes, et la regardant avec anxiété :

—Est-ce fait ? dit-elle; est-ce fini ?

La Corriveau eut un sourire méchant.

—Avez-vous réussi ? Est-elle morte ? répéta-t-elle.

—Oui, répondit la Corriveau, c'est fait, et bien fait !... Mais qu'est-ce que cela signifie ? ajouta-t-elle, en se dressant en face de la belle jeune fille, on dirait, par la manne de Saint-Nicolas, que vous éprouvez déjà des regrets !

Les rêves brillants d'Angélique venaient de s'effacer; la lumière faisait subitement place aux ténèbres... Sa rivale n'existait plus et rien ne devait plus, pourtant, entraver son ambition et faire obstacle à ses succès... O moqueries du sort!...ce qu'elle désirait tout à l'heure, elle le regrettait maintenant ! Les voix du plaisir et de l'amour qui chantaient au fond de son âme, se sont changées en sanglots, les cris d'allégresse en cris de vengeance !...Meurtrière ! meurtrière !...Et la justice des hommes et la justice de Dieu !...

—Oui, j'ai des regrets ! répondit-elle... Non, pourtant, pas encore ! Mais nous avons fait une chose folle, inutile, dangereuse !... C'est fait, maintenant... c'est fait ! Mais est-elle morte ? bien morte ?

—La Corriveau ne fait pas les choses à moitié, mademoiselle. Vous non plus ! Seulement, vous vous repentez et moi, je me félicite. C'est la différence! je l'ai tuée deux fois et il me faut double récompense.

—Une double récompense? Vous l'aurez, répondit Angélique. Quel secret nous avons à garder l'une et l'autre maintenant ! ajouta-t-elle, comme si cette pensée lui fut venue alors pour la première fois...

—Je suis au pouvoir de cette femme, pensa-t-elle, et elle regarda sa complice d'un œil épouvanté.

Elle prit une petite boîte pleine d'or.

—Pour ce soir, voici, fit-elle. Je n'ai pas compté. Emportez-la.

Cet or lui brûlait les mains.

La Corriveau cacha l'or dans sa poitrine, près de son cœur âpre et desséché.

—Soyez prudente, continua Angélique. Ne vous montrez pas riche tout de suite, cachez cet or. Les gens auraient des soupçons... Je voulais vous recommander autre chose, mais cela m'échappe dans le moment.

—Je vous remercie de votre or, riposta la Corriveau. Mais je ne vous remercie point du froid accueil que vous me faites. J'avais droit de m'attendre à quelque chose de mieux, après l'œuvre superbe que j'ai accomplie. J'ai agi en artiste, quoi ! Un succès merveilleux ! La Brinvilliers, la Borgia elles-mêmes, me porteraient envie, à moi, une pauvre paysanne de Saint-Vallier !...

—Je vous donnerai bien toutes les louanges que vous voudrez, répondit Angélique machinalement, mais je ne sais pas comment vous avez opéré. Vous ne me l'avez pas dit. Asseyez-vous encore et contez-moi tout.

—Bah ! ces détails ne vous seront point agréables. Réjouissez-vous d'être débarrassée d'une rivale aussi belle que dangereuse; je ne nous dis que cela.

—N'importe, je veux tout savoir; contez-moi cela.

—Vous ne pourrez pas dormir ensuite ?

—N'importe ! je vous le dis, parlez !... Au reste, je suis calme maintenant.

Elle faisait un effort suprême pour reprendre pleine possession d'elle-même.

La Corriveau s'assit, mit une de ses mains sur le genou d'Angélique et commença le récit détaillé du forfait qu'elle venait de consommer...

Elle parla de la beauté de la jeune victime, de la candeur de son âme, du charme de ses regards. Elle raconta, en riant, l'histoire qu'elle avait brodée pour lui faire accepter le bouquet, et la joie de la naïve enfant en recevant ce gage de l'amour et de la fidélité de Bigot.

Angélique écoutait, immobile, haletante. Les nuages du crime assombrissaient sa figure. Elle devenait laide. Elle éprouva un frémissement de terreur quand la sorcière peignit l'effet foudroyant de *l'aqua tofana*, et comment la belle victime s'était affaissée dans sa robe blanche, en aspirant l'arome empoisonné. Mais quand la sorcière, l'œil en feu, la bouche déchirée par un horrible rictus, se vanta, en faisant décrire un geste de menace à son bras décharné, d'avoir deux fois plongé un fin stylet d'acier dans le cadavre presque froid déjà, Angélique se dressa, joignit les mains, poussa une clameur et tomba évanouie sur le parquet.

La Corriveau se leva et, la reculant du bout de son pied, elle grommela :

—Bonne à rien !...

Puis un instant après :

—Une femme comme les autres, qui veut régner sur tous les hommes, et devient l'esclave du premier venu ! La Corriveau est d'une autre trempe que cela !...

Alors, laissant Angélique seule, revenir comme elle pourrait, elle s'en retourna chez la mère Malheur, bien décidée de se mettre en route le plus tôt possible pour Saint-Vallier, avec l'infâme salaire qu'elle venait de gagner !

XLII

PARLONS DES EPITAPHES, DES TOMBEAUX ET DES VERS

A l'heure où la Corriveau sortait de la forêt de Beaumanoir, après le meurtre de Caroline de Saint-Castin, deux cavaliers couraient à toute bride sur la route de Charlesbourg.

Leurs visages paraissaient noirs dans la nuit et la lune, faible, blafarde, ne les éclairait que trop peu pour qu'elle pût les reconnaître.

Ils ne parlaient point, et semblaient absorbés dans quelque pensée grave.

C'étaient Bigot et Cadet.

Vers minuit, après avoir échangé quelques paroles, ils laissèrent là les dés et le vin, se séparèrent de la joyeuse compagnie, sortirent de la cour du palais, puis se dirigèrent vers Beaumanoir.

Bigot, sous son apparente indifférence, éprouvait une vive inquiétude. Les ordres du roi, la lettre de la Pompadour l'avaient jeté dans une grande perplexité.

La prochaine arrivée du baron de Saint-Castin n'avait rien de rassurant. Le baron ne plaisantait point, et pour venger son honneur, il aurait aussi vite fait d'étouffer un prince qu'un manant.

Ce n'était pas ce qui effrayait Bigot. Il n'était pas un poltron et pouvait payer d'effronterie. Cependant il y avait une chose, un danger, qu'il ne pouvait méconnaître ni mépriser. Et la pensée de ce danger le faisait trembler. Il avait peur que son audacieux mensonge ne fût découvert.

Il avait effrontément menti au conseil du gouverneur, pendant qu'il siégeait comme conseiller du roi, au milieu d'une foule de gentilshommes, en affirmant qu'il ne savait pas où s'était réfugiée Caroline de Saint-Castin.

Si le mensonge était connu, il serait, lui l'intendant de la Nouvelle-France, couvert d'ignominie, la marquise lui retirerait ses faveurs et le mépriserait sans doute. Il tomberait dans sa disgrâce.

Et plus il songeait à cela, plus il éprouvait de terreur. Il maudissait tout ce qui, de près ou de loin, se rattachait à cette affaire d'enlèvement, tout excepté Caroline elle-même, car il l'aimait plus que jamais à cette heure.

Il ne doutait nullement que le château serait soumis à la plus minutieuse investigation. Il connaissait de la Corne de Saint-Luc. La chambre secrète ne serait plus un asile inviolable, puis, plusieurs personnes la connaissaient aussi cette chambre. D'anciens serviteurs qui se trouvaient maintenant au service de ses ennemis, peut-être... Il ne savait pas, après tout.

Dans tous les cas, dame Tremblay était en possession du secret, et la charmante Joséphine qui survivait en elle pouvait encore se laisser tenter...

Il fallait donc à tout prix, éloigner Caroline et la cacher mieux, jusqu'à ce que la tempête fût passée.

Dès le jour qui suivit la séance du conseil, Bigot partit pour les Trois-Rivières. Il prétextait une affaire de la plus haute importance. Cette affaire, nul ne put la deviner et chacun se perdit en conjectures.

Il s'aboucha avec une bande de Montagnais et leur demanda d'emmener avec eux, déguisée en Indienne, une jeune fille blanche qu'il voulait soustraire à la vengeance de ses ennemis.

Le marché fut vite conclu, et le vieux chef jura de prendre le plus grand soin de la jeune fille, et de faire garder par sa tribu un secret inviolable sur cette affaire.

En retour, il eut la promesse que sa tribu serait amplement pourvue de poudre, de couvertures et de toutes sortes de provisions.

Bigot avait besoin de quelqu'un pour l'aider à mettre ce projet à exécution. Il faudrait conduire Mlle de

Saint-Castin aux Trois-Rivières, et veiller à la fidèle exécution de l'engagement.

Il était entouré d'amis que les mêmes intérêts et les mêmes plaisirs liaient ensemble. Ils se seraient hâtés de se rendre à ses désirs; mais ces voluptueux, ces débauchés auraient, de leur souffle impur, souillé la candeur de la jeune victime. Il ne voulait pas l'exposer à leurs regards incontinents.

—Qu'ils s'amusent aux dépens des autres femmes, pensa-t-il, je m'en moque pas mal. Mais ils ne profaneront jamais le nom de celle-ci!

Il évoquait tour à tour ses dignes associés, comme pour en chercher un à qui confier le précieux dépôt, et tour à tour il les flagellait et les marquait au front du fer rouge de la réprobation.

—Varin, un rusé coquin qui flagorne l'Église et cajole sa tante, la supérieure des Ursulines, pour en obtenir des faveurs ! un fripon qui vendrait tout le monde pour un denier !

Penisault, un maudit chien qui volerait avec plaisir les pauvres Montagnais ! un lâche qui n'a pas du tout l'esprit aventureux, ni l'âme courageuse !

Le Mercier, un parasite, un ambitieux fripon qui essaie de pêcher les faveurs de la Pompadour... Il me trahirait peut-être, il me trahirait bien sûr !

Descheneaux, un ivrogne qui jette à tous les vents quand il est ivre, les secrets qu'on lui confie ! un avare qui pillerait l'autel ! un méchant qui battrait les Montagnais encore plus qu'il ne les volerait !

De Péan, un imbécile qui me baiserait les pieds aujourd'hui, et me vendrait demain !... Au reste, lui, il a sa besogne. Il surveille Le Gardeur et le conduit doucement à sa perte!

Le Gardeur, Celui-ci, il n'en faut rien dire, il est encore trop gentilhomme ! il est encore trop soldat ! Une action comme celle-là lui répugnerait... Il serait capable de me faire rougir.

Parmi tous ses associés, Bigot n'en voyait qu'un dont le caractère franc, quoique brutal, lui inspirait une parfaite confiance. C'était Cadet. Il était hardi et aventureux. Il enviait le bien des autres, mais il prodiguait le sien. Il reposait en Bigot la foi la plus profonde, le regardait comme le roi des bons lurons, jurait par lui, et le servait avec plaisir.

Bigot lui dit un mot à l'oreille. C'était au palais, au milieu des amusements les plus entraînants; Cadet laissa le jeu immédiatement. Il ne s'occupa nullement de finir la partie.

En trois minutes, il eut chaussé ses bottes à éperons et fut prêt à monter à cheval.

Pendant qu'il attendait, la cravache à la main, dans un coin de la pièce, que le groom amenât les chevaux, Bigot lui dit ce qu'il espérait de son dévouement.

Il lui révéla le nom de la dame de Beaumanoir, lui raconta les incidents du conseil, les ordres du roi, la lettre de la Pompadour.

—Il faut, affirma-t-il en terminant, qu'elle soit éloignée du château, et je vous charge de la conduire secrètement aux Montagnais des Trois-Rivières.

Les yeux de Cadet eurent un éclair; il mit la main sur l'épaule de l'intendant.

—Par saint Picaut ! jura-t-il, j'aimerais mieux jeûner un mois durant, que de manquer une si belle occasion de vous aider ! Qu'est-ce que cela fait, que vous ayez menti à ce gobe-mouches du château Saint-Louis ? Il valait mieux le tromper lui, qu'avouer la vérité à la Pompadour. Madame *Poisson* vous traiterait comme les Iroquois ont traité, à Chouaguen, mon commis, un gros garçon : elle vous ferait rôtir...Les satanées femmes ! je vous l'ai toujours dit, Bigot: on est toujours dans l'eau bouillante, tant que l'on dépend d'elles.

Cadet n'était pas fâché de saisir cette nouvelle occasion de calomnier les femmes. Il prit la main de Bigot dans la sienne et jura qu'il était prêt à marcher avec lui et à le suivre partout, à travers l'eau et le feu, par le soleil ou la pluie. Il irait à Beaumanoir, prendrait la jeune fille et avant deux jours, sans que personne ne pût le voir, ni le soupçonner, par des moyens à lui connus, il la remettrait entre les mains des Montagnais avec ordre de partir immédiatement, et de se rendre à la Tuque, sur le Saint-Maurice. Là, à la Tuque, la jeune dame ou la jeune fille, pourrait demeurer sept ans, s'il le fallait, et personne jamais n'entendrait parler d'elle !

Bigot et Cadet galopaient donc sur la route de Beaumanoir. Ils arrivèrent en peu de temps à la forêt qui se dessinait comme une ligne noire dans la pénombre, et Cadet prit le devant. Il était né à Charlesbourg, et connaissait parfaitement tous les sentiers, toutes les trouées, tous les coins de la forêt.

Les chevaux, en écrasant de leurs sabots les branches sèches et les feuilles mortes, réveillaient les échos des bois endormis.

Le château se montra tout à coup dans une vaste clairière, avec ses hautes cheminées et ses toits aigus, plus sombres que la nuit. Un silence redoutable l'enveloppait, et seule, dans la loge du portier, une petite lumière veillait.

Le vieux gardien se leva au bruit que firent les chevaux, et se hâta de sortir pour voir quels étaient ces hôtes inattendus.

Bigot et Cadet attachèrent leur monture en dehors de la barrière et s'avancèrent à pied. Ils ne voulaient éveiller personne.

Ils rencontrèrent Marcel, le portier.

—Rentre, Marcel, lui dit Bigot, et ne fais point de bruit. Va dire à dame Tremblay qu'elle se lève tout de suite et que je désire lui parler. J'attends des amis.

—Il me répugne de mentir, reprit Bigot avec aigreur, même à un valet. Qui sait les recherches qui vont avoir lieu ? Pas une mauvaise herbe ne se multiplie autant qu'un mensonge. Une mauvaise plante peut couvrir la terre, mais un mensonge peut remplir l'univers.

—C'est vrai, Bigot, répondit Cadet, et je n'aime pas à mentir souvent; mais c'est parce que je suis d'opinion que la vérité est une meilleure arme que le mensonge. Si le mensonge devait frapper mieux, je ne vois pas trop pourquoi je ne l'utiliserais pas.

Le portier revint dire que dame Tremblay était debout et prête à recevoir son maître.

—Prends soin des chevaux, Marcel, ordonna Bigot.

Et, suivi de Cadet, il se rendit à la chambre de la ménagère.

—Bonjour, dame Tremblay, fit-il, conduisez-nous à la grande galerie.

La charmante Joséphine des jours anciens exécuta sa plus gracieuse révérence. Elle tremblait un peu, comme si sa conscience n'avait pas été blanche comme la neige. Cette brusque arrivée de l'intendant ne lui présageait rien de bon.

—Excellence, répliqua-t-elle, je suis votre humble servante en tous lieux et toujours: vous n'avez qu'à ordonner et j'obéis.

—C'est bien ! c'est bien ! riposta Bigot. Allons et ne faisons pas de bruit.

Il était impatienté. Dame Tremblay prit une bougie dans chaque main et précéda les deux gentilshommes jusqu'à la grande galerie qui communiquait avec la chambre de Caroline. Là, elle déposa ses bougies sur une petite table, et les mains croisées sur son tablier, elle attendait de nouveaux ordres.

—Madame, dit Bigot, j'ai mis en vous toute ma confiance, et je crois que vous avez toujours été une servante fidèle. Aujourd'hui, je vais vous donner une nouvelle marque de mon estime.

—Oh ! Votre Excellence, s'écria la vieille ménagère toute ravie, je voudrais mourir pour vous prouver mon dévouement.

—Il n'y a pas beaucoup de serviteurs qui partagent ce sentiment, et je n'y crois guère moi-même, reprit

Bigot. N'importe ! je crois que vous avez veillé avec la vigilance promise sur la dame confiée à vos soins. N'est-ce pas ?

—Mon Dieu ! mon Dieu ! pensa la ménagère en pâlissant, il aura entendu parler de la visite de cette misérable mère Malheur et il est venu m'égorger ici...

Elle balbutia :

—Oh oui ! Excellence ! J'en ai pris un soin tout particulier de cette belle dame !... Un ange ! comment aurais-je pu l'oublier, la négliger ?

—Je vous remercie, dit Bigot presque attendri. Vous avez fait votre devoir. Maintenant, dame Tremblay, j'ai un nouveau secret à vous confier; le garderez-vous bien ?

—Si je le garderai ! Seigneur Dieu !

Le courage et l'audace lui revenaient.

—Tenez ! Excellence, continua-t-elle, la statue de marbre de la grotte parlera avant moi ! je meurs avec mes secrets ! Quand j'étais la charmante Joséphine du lac Beauport, je n'ai jamais révélé, même à confesse, les noms de ceux qui...

—Tut ! tut ! fit Bigot, que certains souvenirs déridaient, j'ai plus de confiance à dame Tremblay qu'à la charmante Joséphine. Si tout ce que l'on dit est vrai, vous étiez une joyeuse et jolie fille, en ce temps-là.

Ce colloque entre le maître et la ménagère faillit arracher à Cadet un de ces rudes éclats de rire qui pouvaient ébranler le château.

—Je me mettrais dans le feu pour vous servir, affirma dame Tremblay, en se pavanant d'aise.

—Eh bien ! lui apprit l'intendant, nous sommes venus chercher cette chère enfant pour la mettre en un endroit plus convenable; et si jamais l'on vous questionne à son sujet, vous direz qu'elle n'est jamais venue ici et que vous n'avez jamais entendu parler d'elle.

—Non seulement je le dirai, mais j'en ferai le serment,

si vous l'exigez !... Pauvre jeune dame ! Puis-je vous demander où elle va ?

—Non, pas maintenant, mais soyez certaine qu'elle sera bien traitée. Vous comprenez cela ? quand vous étiez la charmante Joséphine, vous deviez parfois, vous entourer de mystères, et il vous fallait agir avec prudence... Cette pauvre jeune fille n'a pas l'habileté de la charmante Joséphine ; il faut lui venir en aide.

Dame Tremblay souriait avec complaisance.

—Bien ! ajouta l'intendant, vous comprenez, n'est-ce pas ? Allez la trouver, maintenant. Présentez-lui nos compliments. Dites-lui que nous sommes fâchés de la déranger à pareille heure, mais qu'il est indispensable que nous la voyions immédiatement.

Dame Tremblay, toujours souriante depuis que Bigot avait évoqué sa jeunesse, se hâta de se rendre auprès de Mlle de Saint-Castin.

Bigot, un peu soucieux, se demandait si la captive se soumettrait de bon gré à cette pénible nécessité. Cadet aurait voulu transporter à la Tuque, toutes les femmes de la Nouvelle-France, afin d'éviter de nouveaux ennuis.

Ils demeurèrent silencieux, écoutant le bruit des pas qui s'éloignaient.

Un chien se mit à aboyer au loin dans le calme de la forêt.

Après quelques minutes la ménagère remonta.

—Mademoiselle n'est pas dans sa chambre, dit-elle, elle est descendue à l'oratoire, pour prier dans le silence, suivant sa coutume, et elle désire n'être jamais dérangée en ces moments-là.

—Fort bien ! dame Tremblay, répondit Bigot; en ce cas, vous pouvez vous retirer. Je descendrai la rejoindre dans la chambre secrète... Pauvre enfant ! ces veilles la fatiguent, la tuent!... Si elle n'est plus ici demain matin, souvenez-vous, dame Tremblay, des recommandations que je viens de vous faire. Un silence absolu, une discrétion à toute épreuve ! Tenez votre langue entre vos dents blanches... Elles sont encore comme l'ivoire, vos dents...

Bigot la flattait pour la rendre plus fidèle, car elle aimait mieux un compliment qu'une bourse d'or.

—Fiez-vous à moi, Excellence ! assura la vieille vaniteuse et elle rit pour montrer l'ivoire de ses dents. Fiez-vous à moi ! je n'ai jamais trompé un gentilhomme! Le sieur Tremblay, on n'en parle point; il ne l'était pas. Quand j'étais la charmante Joséphine du lac Beauport.. Je sais bien que tout est vanité; mais tout de même, en ce temps-là, mes yeux et mes dents avaient de la renommée !

—Le lac Beauport n'a rien eu de pareil depuis lors, reprit l'intendant... Mais, chut ! pas un mot de plus, si vous voulez me faire plaisir, et bonne nuit !

—Bonne nuit, Excellence ! Cadet, pensa-t-elle, ne s'occupe pas des femmes; il ne mérite pas qu'on s'occupe de lui.

Elle entra dans sa chambre, se plaça devant son miroir pour se regarder les dents, et se mit à prendre des poses comme une jeune fille coquette.

Bigot demanda à Cadet de l'attendre dans l'antichambre, et il se dirigea vers la chambre secrète.

Il descendit l'escalier et frappa à la porte, en appelant d'une voix basse et douce :

Caroline ! Caroline !

Nul ne répondit. Il s'étonna, car elle avait coutume d'accourir à sa voix.

Il frappa plus fort; il appela.

Hélas ! il aurait pu frapper et appeler éternellement ! La voix qu'il aimait tant était à jamais muette.

Il soupçonna un malheur, poussa la porte et entra. La chambre était pleine de lumière, et sur le parquet gisait une forme blanche.

Il ne vit que cela. Les yeux de la morte regardaient comme regardent les morts. Une de ses mains pressait sa poitrine, l'autre, étendue sur le tapis, tenait encore quelques feuilles du fatal bouquet.

Bigot demeura stupéfait, épouvanté. Un instant après, il se laissa choir sur ses genoux, auprès du cadavre, en poussant un cri d'angoisse. Il crut d'abord qu'elle n'était qu'évanouie. Il lui toucha le front, les lèvres, les mains; il voulut écouter battre son cœur et son cœur ne battait plus. Il lui souleva la tête et sa tête retomba comme un lis dont la tige s'est rompue... Il vit qu'elle était morte.

Il jeta une clameur comme fait un homme livré à la torture. Alors s'éveillèrent les habitants du château, et chacun, pour écouter, leva avec inquiétude la tête de dessus son oreiller. Nul autre cri ne retentit; Bigot avait tout à coup repris possession de lui-même. Il ne fallait pas répandre l'alarme dans la maison, ni courir au-devant du danger qu'il cherchait à fuir.

Avec une volonté de fer,il dompta sa douleur et réprima les sanglots qui le suffoquaient.

Cependant Cadet avait entendu. Il devina une horreur et se précipita vers la chambre secrète. En entrant, il aperçut Bigot à genoux qui soutenait dans ses bras et couvrait de baisers et de pleurs la tête pâle d'une jeune femme.

Ce tableau saisissant toucha son âme dure. Il comprit que la jeune fille qu'il venait chercher était morte. Comment ? il l'ignorait.

Le cri de Bigot avait pu réveiller les gens, et le danger était grand maintenant, plus grand que jamais. C'est à cette heure critique qu'il fallait se montrer de bon conseil et dévoué.

Il s'approcha de l'intendant, lui dénoua doucement les bras, et fit descendre avec précaution la tête de la morte sur le plancher.

—Bigot, murmura-t-il, soyez calme ! soyez calme ! De la prudence, mon ami! Ne donnez point l'alarme ! Quelle terrible affaire ! Allons dans une autre chambre;

délibérons froidement et voyons ce qu'il nous reste à faire.

—O Cadet ! Cadet ! gémit l'intendant toujours à genoux, elle est morte ! elle est morte !... Morte au moment où je tenais le plus à la rendre heureuse !... Morte, elle que j'aimais tant !... Oh ! qui donc a pu commettre ce sanglant forfait ?

—Qui ? on ne le sait pas; mais vous n'êtes pas mort, vous, et vous vivrez pour la venger ! répondit Cadet dans sa rude sympathie.

—Je donnerais ma vie pour la rappeler de la tombe, Cadet... Oh ! si vous saviez comme je voulais dignement réparer le mal que je lui ai fait !

—Je devine tout, mais venez, mon ami, montons: allons délibérer... Damnées femmes ! vivantes ou mortes, elles font le tourment de l'homme !

Bigot était trop abîmé dans son désespoir pour faire attention aux remarques de Cadet. Il se laissa entraîner dans une autre pièce, loin des restes chers de sa bien-aimée.

Cadet essaya de l'irriter. Sa nature grossière aimait mieux la colère et le ressentiment que les pleurs et la pitié.

—Voyons ! dit-il, vous êtes un homme, Bigot! du courage ! Je ne voudrais pas, moi, pour toutes les femmes de la terre et du paradis, me décourager ainsi... Vous m'avez amené ici et vous devez me faire sortir sain et sauf de cet antre du crime.

—Oui, Cadet, répliqua l'intendant, piqué du ton acerbe de son ami, je suis tenu de veiller à votre sûreté, et j'y veillerai. Quant à moi, je suis indifférent à tout ! Pensez et agissez pour moi.

—C'est ce que je vais faire. Ecoutez bien. Si le gouverneur apprend cet assassinat, s'il apprend que nous sommes venus ici, pendant la nuit, pardieu ! il nous accusera et le monde l'approuvera. Je ne tiens pas à être accusé du meurtre d'une femme, et je tiens encore moins à être pendu sans l'avoir mérité. Je ne risquerais pas mon petit doigt pour toutes les femmes du monde, à plus forte raison, mon cou pour une seule !

—Vous avez raison, Cadet, fit l'intendant en se dressant debout. Une pareille accusation me rendrait fou... Qu'allons-nous faire ?

—Parbleu ! vous voilà raisonnable. Ce que nous allons faire ? L'emmener. Nous sommes venus pour cela, si je me rappelle bien.

—Oui, mais comment l'emmener ? comment la sortir d'ici sans être aperçus ?

Cadet se mit à arpenter la pièce en se passant la main sur le front, en se tordant la moustache.

—Pardieu ! Bigot, exprima-t-il, je crois qu'il vaut mieux l'enterrer ici, dans le caveau qui se trouve sous la chambre secrète.

—Comment ! l'enterrer ?

Bigot tombait dans l'étonnement.

—Oui, l'enterrer ! Pour détourner les soupçons de notre tête il nous faut achever l'œuvre infernale des autres... Une jolie tâche, par Dieu ! et si je ne craignais pas d'être entendu, je rirais à gorge déployée.

—Mais qui creusera la fosse ? Ce ne sera ni vous, ni moi !

—Pardon ! vous et moi !... J'ai appris à creuser et à bûcher dans ma jeunesse, à Charlesbourg, et plus tard, à Louisebourg,quand nous avons fait des tranchées. Je m'en souviens encore. Où trouverons-nous des instruments ? Vous êtes le maître de céans et vous devez le savoir.

—Moi ? et comment le saurais-je ? Mais c'est affreux, Cadet, cela... l'enterrer comme si nous étions ses assassins ! N'y a-t-il pas un autre moyen ?

—Je n'en vois pas ! Nous sommes dans une terrible impasse, tirons-nous-en le mieux possible... Si le crime est découvert, nous serons accusés... Puis, si jamais la Pompadour apprend que vous avez gardé cette fille dans votre château, elle vous poursuivera certainement de sa jalouse rancune et vous ruinera. Venez ! c'est assez de paroles, agissons ! Où sont les outils ?

Bigot comprit qu'il fallait faire taire sa répugnance et agir immédiatement. Il se souvient que les jardiniers déposaient leurs instruments aratoires dans la vieille tour.

—Allons ! dit-il à son compagnon, suivons le passage souterrain.

Cadet lui prit le bras et ils descendirent de nouveau à la chambre secrète.

Bigot paraissait faiblir en approchant du lieu du crime.

—Soyez ferme ! murmura Cadet, soyez ferme !

La lampe répandait toujours dans la pièce funèbre sa brillante lumière.

—Cherchons donc, proposa Bigot, nous trouverons peut-être quelque trace des coupables.

Ils regardèrent attentivement, mais rien ne paraissait dérangé dans la chambre. Seul l'écritoire restait ouvert et ce qu'il y avait dedans était bouleversé.

Ils eurent la pensée que des voleurs étaient venus.

—Gardait-elle beaucoup d'argent ? demanda Cadet.

—Pas que je sache, répondit Bigot. Elle n'en demandait jamais la pauvre enfant ! je ne lui en offrais point. Je lui aurais donné de grand cœur assurément tout le trésor du roi !

—Elle en avait peut-être quand elle est venue ici ?

—Peut-être, mais je n'en sais rien.

—Pourtant, affirma Cadet, en montrant le tiroir en désordre, ceci indique un voleur...

—Mais pourquoi l'avoir tuée, l'infortunée ? pourquoi ? Elle aurait bien donné sans regrets tous ses joyaux, toute sa fortune !

—Il y a là un mystère qui surpasse mon intelligence. Le vol paraît manifeste, mais il n'explique pas tout ; il n'explique rien.

Bigot s'agenouilla près de Caroline, lui prit la main et l'embrassa.

C'était la main qui tenait les restes du bouquet. Il fit remarquer à Cadet la vigueur avec laquelle elle serrait ces tiges brisées, et ni l'un ni l'autre ne songèrent qu'il était bien étrange que le bouquet fut disparu; qu'il avait dû être arraché de la main du cadavre et emporté.

Sous une chaise, il y avait un morceau de papier; c'était un fragment de la lettre que la Corriveau avait déchirée. Cadet le ramassa et le mit dans sa poche.

Le sang qui rougissait la robe blanche de la victime attira tout à coup leur attention. Ils examinèrent la blessure faite par le poignard et ne doutèrent plus que c'était cette blessure qui avait causé la mort. Mais le drame restait toujours enveloppé de mystère.

—Ils ont bien pris leurs mesures, observa Cadet. Oh ! oh ! que veut dire ceci ?

Bigot se tourna vers lui à cette exclamation.

La porte du passage secret était grande ouverte.

La Corriveau ne l'avait pas fermée.

—C'est par là que les meurtriers sont entrés et sortis, reprit Cadet. Il y a plus de gèns qui connaissent les secrets de votre château que vous ne le pensiez, Bigot !

Ils prirent chacun une lampe et s'aventurèrent dans l'étroit passage. Rien d'insolite nulle part. Un silence profond, une obscurité épaisse comme dans les catacombes.

Ils arrivèrent à l'autre extrémité. Là aussi la porte était ouverte. Ils montèrent l'escalier de la tour, cherchèrent partout, mais ne virent aucune trace des assassins.

—Inutile de chercher plus longtemps, maintenant, remarqua Cadet, ce serait peut-être dangereux même, de chercher en tout autre temps; mais n'importe ! je donnerais bien mon meilleur cheval pour tenir le coupable.

Plusieurs instruments de jardinier s'entassaient dans un coin.

—Voici ce qu'il nous faut pour le moment, reprit Cadet en les montrant du doigt. Il n'y a pas de temps à perdre.

Il saisit une couple de bêches et une barre de fer, puis il descendit l'escalier. Bigot, une lampe dans chaque main, marchait devant en l'éclairant.

Ils revinrent à la chambre de la morte.

—A l'œuvre maintenant ! commanda Cadet; il faut faire vite et bien ce lugubre travail.

Il ôta son gilet, releva, d'un côté, le tapis de la chambre, puis attaqua les dalles de pierres qui formaient le plancher. La première fut vite levée; une autre suivit, puis une autre encore.

Déjà, sous le parquet tout à l'heure couvert d'un soyeux tapis, se dessinait dans la terre brune la forme d'une tombe.

Bigot regardait comme s'il eut rêvé.

—Non, Cadet ! fit-il vivement, non, je ne puis creuser sa fosse.

Et il laissa tomber la bêche qu'il venait de prendre.

—C'est bien, Bigot, répondit Cadet, laissez-moi faire. Asseyez-vous, mon vieil ami, je vais la creuser tout seul. Par Dieu ! il est assez curieux de voir le commissaire général de la Nouvelle-France accomplir un pareil labeur, et l'intendant royal, le surveiller.

Bigot s'assit, et d'un œil morne, il regardait Cadet qui creusait, creusait, sans plus rien dire, le dos courbé, avec une ardeur fiévreuse.

La fosse apparut enfin béante, profonde.

—Cela va faire, dit Cadet.

Et il sauta sur le bord du trou qu'il venait de creuser.

—Le bedeau de Charlesbourg ne lui aurait point préparé un meilleur lit, continua-t-il. Aidez-moi maintenant, Bigot, et couchons-la tout de suite. Elle nous pardonnera si les cérémonies ne sont pas longues et si nous sommes un peu brusques. L'heure nous presse.

Il prit un drap de toile fine, l'étendit à terre puis, aidé de Bigot, il souleva la morte et vint la placer dessus.

Il lui ôta le diamant qu'elle portait au doigt, le collier d'or et le médaillon qu'elle avait au cou, le rosaire qui pendait à sa ceinture, et remit tout cela à Bigot, comme un gage infiniment précieux dont il ne devait plus jamais se séparer.

Il y avait un fil de soie dans le tissu grossier de la nature de Cadet.

Bigot et son copain, regardèrent une minute,avec des yeux pleins de larmes et en silence, la blanche figure de la jeune victime. Bigot mit un dernier baiser sur le marbre de ses lèvres, sur ses immobiles paupières, puis lentement, avec délicatesse, avec émotion, tous deux l'enveloppèrent dans le linceul blanc et la déposèrent dans la fosse.

Au milieu du calme solennel, on entendait les sanglots étouffés de Bigot.

Il se pencha sur cette dépouille chérie qui allait pour jamais disparaître à ses yeux.

—L'infortunée ! l'infortunée ! gémit-il, je l'ai trahie! c'est à cause de moi qu'elle est morte : *mea culpa* ! *mea maxima culpa* !... Cadet ! Cadet ! nous l'enterrons comme un chien !... Nous ne pouvons pas faire cela !

Cadet, courbé sous la tâche, jetait sinistrement des pelletées de terre sur le corps gracieux de la morte, serré dans son linceul.

Bigot se sauva avec précipitation pour ne pas voir.

Bientôt la fosse fut comblée. Alors les dalles de pierres reprirent leur place, et le tapis moelleux s'étendit sur le parquet.

Il ne restait plus trace du drame sanglant.

Ainsi la mer s'étend limpide et calme sur le cadavre du malheureux qu'elle vient d'engloutir. Un frémissement des ondes, un sanglot de la victime, puis le silence !

Quand dame Tremblay descendra à la chambre secrète, elle la trouvera vide mais non changée. Elle pensera que la jeune âme s'en est allée mystérieusement comme elle était venue, et elle ne s'en inquiétera pas davantage.

Et là maintenant, dans les fondations du château de Beaumanoir, Caroline de Saint-Castin reposait à jamais. Seuls, Dieu, Cadet et Bigot le savaient. Dieu au ciel, et sur la terre Cadet et Bigot.

Elle reposait là, et nul n'avait prié pour elle à sa dernière heure ! La cloche n'avait pas gémi, l'eau sainte ne l'avait pas arrosée, le prêtre du Seigneur n'était pas venu avec le sacrement des mourants ! Elle reposait là dans la poussière impure, sans tombe et sans croix bénite...

La cloche du château sonna trois heures, et sa voix nette et vive semblait apporter la fraîcheur du matin.

—Partons, fit Cadet, et sans retard ! Notre œuvre est faite. Attention maintenant, que jamais créature vivante ne mette les pieds dans cette chambre maudite !

Ils regagnèrent la tour par le passage souterrain, remirent à leur place les outils du jardinier, et franchirent le seuil de pierre de la porte béante.

L'air pur du dehors les rafraîchit. Ils montèrent à cheval et se mirent en route. Mais presque aussitôt Bigot se sentit défaillir et il descendit au pied d'un arbre.

Cadet retourna au château pour demander au vieux Marcel un peu d'eau-de-vie, à cause du froid, disait-il, et par mesure de prudence.

Il affectait une gaieté qu'il n'avait point.

Le portier alla chercher une bouteille et un gobelet. Cadet porta la bouteille à ses lèvres.

—Il est bon, dit-il.

—Bon comme de l'or ! affirma Marcel.

—J'emporte tout, reprit Cadet, en voyage c'est quelquefois utile.

Et il jeta un louis d'or au portier ébahi.

—Vous savez, Marcel, appuya Cadet d'un ton sérieux, pas un mot de cela, pas un mot ! ou...

Il prit sa cravache, et souhaitant le bonsoir au père Marcel, il sortit.

Cadet aimait mieux un excès de précaution qu'un manque de prudence. Le portier et dame Tremblay pouvaient se voir, causer, faire des suppositions qui seraient devenues des réalités pour d'autres. Le plus sage était donc d'exiger un silence complet.

Il retourna précipitamment vers son compagnon et lui versa une pleine coupe de cognac. Bigot la vida d'un trait. Cadet en vida une à son tour, puis il recommença :

—Il faut, dit-il, que je me débarrasse de ce goût de fossoyeur qui m'est resté.

Bigot se sentit mieux, mais il était sombre et ne voulait pas parler. Cadet respecta son caprice ou son chagrin.

Ils remontèrent à cheval et se rendirent, sans être vus de personne, au palais de l'intendant.

Au palais, nul ne fut surpris de les voir arriver à pareille heure. Le contraire aurait été plutôt remarqué.

Quand dame Tremblay descendit à la chambre secrète, elle branla la tête en disant :

—C'est un vert galant que mon maître ! je n'en rencontrais pas de plus gentil quand j'étais la charmante Joséphine, et pourtant !...Il va voir que je sais garder un secret... et je veux le garder ! le garder comme mes dents...

Et elle le garda jusqu'après la conquête du Canada, alors que Bigot fut jeté à la Bastille à cause de sa malversation et de sa coupable administration. Mais à cette époque, la charmante Joséphine, qui se survivait encore, racontait plaisamment ce qu'elle savait d'une jeune dame qui avait été enlevée mystérieusement du château, ou enterrée vive dans ses voûtes sombres.

Les soupçons de la vieille ménagère prenaient de la consistance. Ils se changèrent en certitude, un jour qu'elle rencontra l'ancien portier Marcel, et apprit de lui que Bigot et Cadet s'en étaient retournés seuls dans cette nuit fatale.

Alors, d'une voix chevrotante et navrée, elle raconta qu'une belle jeune personne, la maîtresse de l'intendant Bigot, avait été assassinée et enterrée dans le château de Beaumanoir, et son récit se répandit au loin parmi le peuple, et il se transmit comme une tradition.

Immédiatement après la tragédie qui venait de se dérouler, l'intendant fit enlever tous les meubles de la chambre secrète et la ferma. Dame Tremblay n'osa plus y descendre, et elle crut qu'elle était hantée.

Seul, de temps en temps, laissant ses compagnons de plaisirs et de débauches, Bigot y venait rêver et pleurer. Il se prosternait sur la pierre qui recouvrait les dépouilles de sa bien-aimée, et là, dans la solitude redoutable, il évoquait les souvenirs d'un temps plus heureux.

Il avait gravé un C dans la dalle de pierre qui se fermait, comme un couvercle de tombeau, sur la poussière adorée. Il embrassait cette lettre unique, tout ce qui restait de la femme qui s'était sacrifiée pour lui.

Qui sait ? si le poison l'eût épargnée, cette douce créature, elle aurait peut-être, à force de tendresse et de dévouement, changé tout à fait le cœur de son maître. Bigot serait peut-être devenu un honnête homme et la Nouvelle-France aurait été sauvée ! Il ne devait pas en être ainsi !

Cent vingt hivers ont passé avec leurs souffles de glace et leurs tempêtes sur les ruines de Beaumanoir, et les ruines de Beaumanoir—du château Bigot, comme dit le peuple—sont devenues un lieu de terreur et de malédiction.

Tout s'est écroulé. Seuls, les épaisses fondations qui résistent encore à l'action du temps, quelques poutres vermoulues qui traversent les sombres caveaux, et un pan démantibulé, avec des fenêtres agrandies par la désagrégation des pierres, attestent de la splendeur de l'édifice primitif, ou restent comme un souvenir maudit des crapuleuses orgies d'autrefois.

La chambre secrète est ouverte à tous les vents. Les herbes et les fleurs sauvages croissent dans les fentes de la pierre, et les oiseaux construisent leurs nids et chantent leurs amours au-dessus de la tombe muette de la belle Caroline de Saint-Castin.

XLIII

UNE MAIN SANGLANTE GANTEE DE SOIE

Angélique resta longtemps sur le parquet de la chambre, où elle était tombée évanouie pendant le récit de la Corriveau. Le cri qu'elle avait jeté ne fut pas entendu et personne ne vint à son secours.

Il valait mieux pour elle que cet incident passât inaperçu, car les suppositions auraient marché grand train, et la curiosité se serait ingéniée à chercher une explication. Bigot aurait pu être frappé de la coïncidence de cette syncope étrange et de la mort plus étrange encore de Caroline de Saint-Castin.

En arrivant au palais, Bigot traversa les antichambres sans parler à personne, et s'enferma dans son cabinet. Il se laissa tomber, tout habillé, sur son lit, comme un homme écrasé par un bras invisible.

Cadet chercha à se débarrasser d'une autre façon des pensées sombres qui l'importunaient. Il descendit à la salle de billard, où se trouvaient encore de Péan, Le Gardeur et plusieurs autres gais compagnons; il s'assit à une table et se mit à boire et à jouer avec une frénésie inaccoutumée.

Bigot ne dormit pas; il ne cherchait pas le sommeil. Il voyait toujours devant lui, dans la fosse béante, le cadavre glacé de Mlle de Saint-Castin, et il se fatiguait à chercher une solution à ce mystère de mort.

Il se demandait quel souffle de l'enfer avait inspiré ce crime et quelle main audacieuse l'avait perpétré; il évoquait le souvenir de ses amis et de ses ennemis, et des figures connues passaient sans cesse devant ses yeux... et parmi ces figures, revenait toujours celle d'Angélique des Meloises.

Il se souvint de la vigueur jalouse avec laquelle elle dénonça la captive de Beaumanoir, de son âpre persistance à demander des lettres de cachet pour l'envoyer à la Bastille. Il savait qu'elle était ambitieuse, hardie, jalouse, et cependant, il ne pouvait la croire capable de commettre un pareil forfait. Elle était si belle, si enjouée, si séduisante !

Et toutes ces pensées l'agitaient comme les flots agitent une épave.

—C'est impossible ! c'est impossible ! murmurait-il, ce n'est point elle !

Et cependant, Angélique des Meloises passait toujours devant ses regards troublés, et sur ses mains blanches il y avait des taches de sang !

A la fin, il se fâcha contre cette pensée, et pour s'en distraire, il se tourna vers le mur.

Il avait peur de deviner la vérité.

Mais alors que pouvait-il faire ? Il était condamné à garder un silence absolu sur l'assassinat de sa bien-aimée. La main coupable s'offrirait-elle à lui, qu'il lui faudrait la serrer dans la sienne. Il ne pouvait pas avouer, maintenant, que la fille du baron de Saint-Castin avait habité sa maison; il ne pouvait pas avouer qu'elle était morte chez lui !

Le mystère de la chambre secrète devait rester ignoré; la tombe de l'infortunée Caroline devait rester inconnue !

Maudire l'assassin, regretter la victime et paraître indifférent: voilà ce qu'il lui restait à faire.

Il sourit avec amertume et s'endormit.

Angélique, quand elle revint à elle, crut revenir à la vie.

Elle ouvrit des yeux hagards et chercha à reconnaître l'endroit où elle se trouvait. Bientôt ses idées commencèrent à se débrouiller et elle se souvint de la Corriveau.

Elle regarda partout et ne la vit point.

Alors, la pensée qu'elle était en la puissance de cette femme terrible, la frappa comme un coup de foudre. Alors, le souvenir du crime qu'elle avait commis l'épouvanta. Sa rivale était morte... Mais à son tour elle mourrait, et d'une mort ignominieuse, si elle était trahie. Et son secret était connu de la plus vile de toutes les créatures !

Un instant, elle fut en proie à toutes les horreurs du désespoir. Ce n'étaient point les remords qui la tourmentaient; elle était trop vaine, trop superficielle, pour réfléchir profondément sur le mal qu'elle avait fait. Ses sensations passaient comme une flamme légère sur son cœur et ne le pénétraient point.

Le souvenir de la mort sanglante de Caroline de Saint-Castin s'effacerait comme un autre souvenir, tout s'oublierait avec le temps. Le tourbillon des plaisirs et l'ivresse des grandeurs lui apporteraient une heureuse et constante distraction, se disait-elle pour se consoler.

Cependant, elle qui n'avait jamais baissé les yeux devant qui que ce soit, elle éprouvait aujourd'hui un irrésistible besoin de se cacher. Elle s'irritait contre cette crainte insupportable qui sourdait toujours, et se traitait de lâche.

Et que ferait Bigot s'il la soupçonnait ?... Et il la soupçonnerait probablement. Elle avait tant insisté pour avoir des lettres de cachet ! Elle ne le comprenait point parfaitement, cet homme-là, et il pouvait être plus méchant qu'elle encore. S'il allait venger sa protégée ?... Si l'amour dont il paraissait brûler pour elle, Angélique, allait se changer en haine ?...

Elle s'imagina un instant qu'elle regrettait sa faute. Ce n'était toujours qu'une forme de la peur. Elle essaya de prier, et les paroles saintes ne tombèrent point de ses lèvres. Elle ne put ou n'osa prononcer le nom de Dieu.

Alors, elle maudit son fatal égarement, et elle appelait son crime une simple folie. Elle se répandit en injures contre Bigot, parce qu'il n'avait pas consenti à éloigner cette fille de sa demeure, et contre Caroline, parce qu'elle était venue se réfugier à Beaumanoir. Elle maudit la Corriveau qui s'était faite son instrument, elle maudit le poignard et le poison, elle se maudit elle-même.

—Mon Dieu ! pourquoi me désespérer ainsi, se dit-elle ensuite, j'ai l'air d'une coupable ?. . . Une coupable? . . . Bigot m'a dit qu'il me donnerait sa vie même; oui, il me l'a dit ! Il mentait, je le sais bien, mais, n'importe! il l'a dit. . . Encore, si la Corriveau ne l'avait point poignardée ! La vieille misérable, elle devait la faire mourir de la mort d'un ange ! Une mort douce, calme, presque joyeuse ! Le monde aurait dit : Morte par la visite de Dieu ! La Corriveau m'a trompée !. . . Bigot m'a menti !. . .

Elle se leva et se mit devant son miroir.

—Ah ! que je suis pâle ! murmura-t-elle. . . Je n'ai pourtant pas aspiré le poison, moi. . . Comme mes yeux sont éteints. Vais-je mourir aussi ?. . . Si Bigot me voyait, il devinerait mon crime. Je me trahis ! C'est le spectre de cette femme qui me hante dejà ! Ma victime se venge !

Elle regarda à la pendule.

—Si tard déjà ! La matinée est venue, elle s'en va ! Que s'est-il donc passé ? Qu'ai-je fait depuis hier ?. . . L'heure se trompe !. . . Si quelqu'un allait venir !. . . Je recevrai tout le monde. . . Je vais sortir. . . Je vais marcher pour rendre à mes joues leurs couleurs, à mes yeux leur éclat. . . Je vais faire des visites et je serai vive, gaie, pétulante, pour détourner les soupçons ! Tout le monde dira : Comme elle est heureuse ! Elle n'a ni regrets ni inquiétude, elle !

Elle sonna Fanchon. Elle avait hâte de vêtir sa plus belle toilette. Dans les plis du velours et sous les caresses de la soie, elle s'échapperait à elle-même ou bien se retrouverait comme naguère.

Fanchon accourut. Elle attendait depuis longtemps et craignait que sa maîtresse ne fût indisposée.

En entrant, elle poussa un cri de surprise.

—Madame, comme vous voilà pâle !...

—Je ne suis pas bien, pas très bien, se hâta de dire Angélique. Une petite promenade à cheval, au grand air, au soleil, va me remettre.

—Mais ne serait-il pas prudent de voir le médecin, madame?

—Le médecin ? Allons donc ! Je rencontrerai peut-être quelqu'un qui me fera plus de bien que le médecin, Fanchon, qui sait ?

Elle essaya de rire.

—Fanchon, demanda-t-elle, une minute après, où est votre tante Dodier ?

—Elle est partie pour Saint-Vallier, ce matin, madame,...c'est-à-dire, je suppose qu'elle est partie, car je ne l'ai pas vue depuis avant-hier. C'est une drôle de femme que ma tante Dodier. Elle ne parle jamais à personne de ses affaires.

—Elle a peut-être d'autres bijoux à trouver, répliqua Angélique, tout machinalement.

Elle se sentit soulagée en apprenant le départ de l'empoisonneuse.

—Peut-être, madame, fit la petite Fanchon comme un écho.

Et elle ajouta :

—J'aime autant qu'elle soit partie, et je ne tiens pas à la revoir.

—Pourquoi donc ? demanda Angélique un peu anxieuse.

—Le monde dit qu'elle a des relations avec la mère Malheur, l'affreuse mère Malheur ! et je le crois...

—Ah !... Et pensez-vous, Fanchon, que cette vilaine mère Malheur connaît les secrets de votre tante ?

—Certainement, je le pense, madame ! Vous ne vous fourrez pas dans une cheminée avec votre voisine sans en sortir aussi noire l'une que l'autre.

—Et que vous a dit votre tante en partant?

—Je ne l'ai pas vue, vous dis-je. C'est Ambroise Gariépy qui m'a dit qu'elle avait traversé ce matin.

—Ambroise Gariépy ? qu'est-ce que c'est que cet homme-là ? Vous me paraissez avoir un cercle de connaissances assez étendu, Fanchon !

—Oh ! oui, madame, répondit Fanchon naïvement, je connais beaucoup de monde. Ambroise Gariépy tient le *Lion Vert* et la traverse, sur la rive sud. Il m'apporte des présents de temps à autre : des choses qu'il achète des colporteurs basques. C'est lui qui m'a donné ce peigne, madame.

Elle se tourna pour montrer le joli peigne qui tenait ses cheveux.

Le babil de Fanchon ne déplaisait pas à Angélique et la distrayait un peu. Elle ne comprenait pas l'amour passionné et s'en moquait; mais elle s'amusait de la coquetterie. Elle pensa :

—Ce que j'ai fait est fait; pourquoi m'abîmer dans de vains regrets et perdre le fruit de mon action ? Pour l'intendant j'ai sacrifié Le Gardeur, pour l'intendant j'ai...

Elle chassa la pensée de la chose affreuse qui pesait sur sa conscience, comme la pierre funèbre sur un tombeau.

—Fanchon, habillez-moi, dit-elle. Je veux étrenner la superbe amazone et les plumes magnifiques que je viens de recevoir de Paris.

Elle gardait sa pâleur, cependant, et Fanchon lui proposa de mettre un peu de rouge. Elle ne refusa pas.

—Vous voilà plus belle que jamais, fit la servante en reculant d'un pas pour l'admirer. Je plains les gentilshommes que vous allez rencontrer : vos regards assassins vont en faire des victimes.

Dans un autre moment, Angélique aurait jeté un éclat de rire. Elle frissonna, repoussa brusquement la jeune fille et fut sur le point de se fâcher. L'étonnement de Fanchon la rappela à la prudence; elle eut la force de sourire et demanda avec une indifférence affectée :

—Où est mon frère, Fanchon ?

Fanchon répondit en tremblant :

—Il est allé au palais avec le chevalier de Péan.

La pauvre Fanchon ! elle avait peur d'avoir déplu à sa maîtresse et ne pouvait s'expliquer comment.

—Comment savez-vous qu'il est au palais ? continua Angélique.

—Je les ai entendus parler, madame. Le chevalier de Péan a dit que l'intendant était malade et ne voulait voir personne.

Angélique ne put se défendre d'un certain effroi.

—Etes-vous sûre qu'il a dit cela, Fanchon ? demanda-t-elle.

—Oui, madame. Mais il prétendait en même temps qu'il était plus mécontent, plus irrité que malade. Il ne l'a jamais vu dans un pareil état.

—Et sait-il la raison de cette maladie ou de cette mauvaise humeur ?

—Non, madame. Le chevalier des Meloises pense que ce sont les nouvelles de France.

—Dépêchez-vous donc ! dites donc tout ! fit Angélique en frappant du pied avec impatience.

Fanchon, qui répondait de son mieux, fut tout étonnée de cette brusquerie, et elle se hâta d'ajouter :

—C'est tout ! madame, c'est tout ! Ils sont sortis aussitôt.

Angélique respira. Elle pensa que l'intendant n'aurait pas manqué de faire part à de Péan de sa lugubre découverte, s'il avait connu l'assassinat de Caroline.

Elle comprit aussi qu'il ne pouvait accuser personne sans se compromettre, et sans passer pour un menteur et un fourbe auprès du roi et de la Pompadour.

—Je dirai que je ne connais rien de cette affaire... je le jurerai s'il le faut, pensa-t-elle encore, et il n'osera pas aller plus loin.

Rassurée, calme, elle descendit l'escalier. Le garçon tenait le cheval à la porte, depuis longtemps. Elle ramassa sa longue amazone neuve et monta en selle avec une grâce et une légèreté remarquables.

—Attendez-moi, dit-elle au groom.

Elle descendit la rue Saint-Louis. Tous les yeux la suivaient avec envie. Près du monastère des Récollets, elle aperçut le sieur La Force qui guettait, au coin de la rue Sainte-Anne, les pensionnaires des Ursulines. La Force la vit au même instant et fut d'opinion qu'elle valait bien une pensionnaire.

Il la salua avec une politesse toute parisienne et sollicita l'honneur de l'accompagner.

—Je voudrais faire une jalouse, dit-il, en regardant la porte du couvent qui s'ouvrait pour laisser sortir un essaim de charmantes élèves.

—Et vous croyez que je puis vous aider ?

—J'ai une petite vengeance à exercer, et personne ne répand la terreur dans les âmes tendres comme Angélique des Meloises. On la sait toute-puissante et invincible.

—Alors, venez; prenez votre cheval. J'éprouve justement le besoin de torturer quelqu'un ce matin.

—Attendons une minute. Voici les pensionnaires, je veux *qu'elle* me voie.

Les premières qui sortirent du couvent appartenaient à la classe des Louise. Elles venaient, riant, caquetant, sans paraître se soucier de rien voir. Quand elles furent près d'Angélique et de La Force, elles relevèrent leurs voiles et firent un gracieux salut.

L'une d'elles, la plus jolie avec son opulente chevelure, prit le lorgnon d'or qui pendait à son cou, regarda La Force avec une gravité comique, et fit du pied le geste de monter à cheval.

La Force tendit sa main, comme pour lui servir d'ét ier. Elle y mit le pied, et s'approchant d'Angélique, l'embrassa cordialement.

Pour être vrai, elle était un peu froissée, la jolie Louise Roy, car l'espiègle élève n'était pas autre que Louise Roy. Elle voulut se venger en pesant de tout son poids et en demeurant longtemps sur la main de son infidèle chevalier.

—Angélique, commença-t-elle, il est rumeur dans le couvent que tu vas épouser l'intendant...Mère Saint-Louis, ton ancienne maîtresse, en est toute ravie. Elle affirme qu'elle t'a toujours prédit un brillant mariage.

—Ou rien du tout ! répliqua Angélique, comme l'affirmait Mère Sainte-Hélène. Mais qui vous a dit cela, au couvent ?

—Qui ? Oh ! tous les oiseaux du jardin ! Mais dis donc, ma chère, il paraît que c'est un vrai Barbe-Bleue que cet intendant, qu'il a eu des femmes tant et plus déjà, et qu'il les fait mourir... Est-ce vrai ?

Un frisson agita Angélique.

—Est-ce que je sais moi ? fit-elle en s'efforçant de sourire. Dans tous les cas, il n'a pas l'air d'un Barbe-Bleue.

—La Mère Saint-Joseph, qui vient de Bordeaux, dit, elle, qu'il ne s'est jamais marié. Elle doit le savoir; elle connaît bien sa famille.

—C'est parfait, ma bonne Louise, mais tu fatigues le sieur La Force; pour l'amour de Dieu, descends.

—C'est bon ! je veux le punir parce qu'il sort avec toi et me laisse ici... Mais n'oublie pas de m'inviter à tes noces, Angélique ! Si tu l'oublies, j'en mourrai !

Et elle commença à parler d'autres choses.

—Méchante, va ! descends donc ! Le sieur La Force est mon cavalier aujourd'hui; tu n'as pas le droit d'abuser ainsi de sa galanterie, lui murmura Angélique, à l'oreille.

—Encore un mot, fit Louise.

Elle sentait la main du jeune homme trembler et baisser sous son pied mignon, et cela l'amusait.

—Pas un mot ! descends, répliqua Angélique impatientée.

—Embrasse-moi, alors, et bon voyage ! fière que tu es ! Ne le garde pas toute la journée; toute la classe serait jalouse.

Angélique secoua la bride de son cheval qui se cabra soudain, et Louise descendit un peu brusquement.

—Merci ! dit-elle à La Force, en le regardant avec des yeux chargés d'ironie et de gaieté, et en faisant un geste significatif, merci ! merci !

Et elle rejoignit ses compagnes en semant le rire comme un collier de perles.

—Elle s'est fardée ! leur dit-elle, assez fort pour être entendue, elle s'est fardée !... Elle a les yeux fatigués. Elle n'a pas dormi de la nuit...elle est en amour... je pense que c'est vrai qu'elle va épouser l'intendant !

Les jeunes élèves jetèrent un éclat de rire argentin comme un tintement de cloche, et firent un nouveau salut aux deux promeneurs qui s'éloignaient.

La Force se pliait comme une cire molle à toutes les exigences d'Angélique et il ressentait un vif dépit du tour que venait de lui jouer Louise Roy, la plus mauvaise tête du couvent, comme il l'appelait. Il se promettait de se venger d'elle, même en l'épousant, s'il le fallait.

Il chevaucha avec sa compagne par quelques-unes des rues les plus fréquentées, recueillant de toute part des sourires et des saluts.

Ils traversèrent la place du marché, puis Angélique, par une fantaisie nouvelle, vint arrêter sa monture en face de la cathédrale.

—Allons réciter un bout de prière, dit-elle à son cavalier.

Elle entra; il la suivit.

Elle voulait voir si la prière qu'elle avait essayé de formuler en vain, dans son angoisse de la nuit dernière, tomberait de ses lèvres en ce moment. Elle ne se repentait point, mais elle espérait détourner la vengeance de Dieu. Comme si le Seigneur pouvait entendre les supplications d'un cœur coupable et endurci !

L'église était remplie de monde. C'était le jour de la Saint-Michel, la fête de tous les anges aussi, et tout chantait, louait, bénissait, dans le temple auguste : le prêtre de l'autel, le chœur en surplis, l'orgue solennel, l'encens odorant, le peuple à genoux !

Angélique fut touchée de ce déploiement de pompes, d'amour et d'harmonie, et elle fléchit les genoux.

Au même instant, ses yeux se portèrent sur le banc de l'intendant, et tout un essaim de pensées frivoles se mit à jouer dans son esprit.

Elle pensa aux plaisantes rumeurs qui couraient la ville; à son mariage probable avec l'intendant. Bigot avait bu sa santé à genoux à la taverne de Menut. Il avait souri, quand les convives avaient parlé d'elle comme la future maîtresse du château. Le château ! il venait de s'évanouir dans les flots de mélodies qui montaient vers la voûte sainte!. . . il venait de s'évanouir avec l'ange mortel qui dormait son dernier sommeil, dans sa robe blanche ensanglantée, sous les dalles froides de la chambre secrète !. . .

Elle oubliait tout, dans ce concert divin de la charité et de la foi; mais elle ne se repentait point !

Des pensées plus futiles encore suivirent. Elle s'imagina être dans ce banc superbe, parée de la plus riche toilette, les cheveux arrangés d'une façon adorable. Tout le monde se détournerait de l'autel pour la regarder, pour l'admirer ou la jalouser.

Mais cela arriverait-il ? Et quand ?. . . Elle avait perdu son âme pour gagner le monde. . . Ne perdrait-elle pas et le monde et son âme ?

Bigot n'était pas dans son banc. L'inquiétude, les soucis, la colère, le rendaient malade et le clouaient sur son lit. Il se mettait l'esprit à la torture pour inventer une vengeance contre l'auteur de l'attentat, s'il parvenait à le découvrir, et plus il cherchait moins il trouvait. Le rocher qu'il soulevait lui retombait sur la tête...

Le gouverneur et son ami Kalm occupaient le banc royal. Kalm, bien que luthérien, avait assez de philosophie et d'amour de Dieu, pour se joindre volontiers à tous les hommes de bonne volonté qui prient.

Tout près d'Angélique, deux femmes vêtues de noir, étaient prosternées sur le parquet : c'étaient Madame de Tilly et Amélie de Repentigny.

Elles étaient revenues à la ville immédiatement après le départ de Le Gardeur. Angélique le savait, de sorte qu'elle ne fut pas étonnée de les retrouver dans l'église.

A son retour de Tilly, Amélie s'était rendue avec Pierre Philibert au palais de l'intendant, pour voir Le Gardeur. Ils furent l'un et l'autre éconduits rudement. On leur répondit que Le Gardeur jouait avec de Péan une partie de piquet, pour le titre de champion du palais, et qu'il ne se dérangerait pas, serait-ce saint Pierre lui-même qui viendrait frapper à la porte.

Ce fut Lantagnac qui apporta la réponse.

Philibert dit qu'il allait tenir l'intendant responsable et lui demander raison par l'épée, de ce complot formé dans son palais, pour détenir Le Gardeur.

Amélie, craignant le résultat d'une rencontre entre Bigot et son fiancé, courut seule au palais, dès le lendemain.

Elle ne put entrer. Ses prières et ses larmes furent inutiles. Son frère refusait de la voir.

De Péan la reconduisit à sa voiture en s'excusant de ne pouvoir lui être agréable, et en jurant qu'il n'avait été pour rien dans le retour subit de son frère. Il se souvenait de la fière attitude de la jeune fille à son égard, et prenait un malin plaisir à voir couler ses pleurs.

Quand elle fut partie, il éclata de rire.

—Les *honnêtes gens* peuvent venir aux funérailles de la vertu de Le Gardeur, exclama-t-il.

Au retour, Amélie se jeta au cou de sa tante :

—C'est fini ! dit-elle, mon pauvre Le Gardeur est perdu ! Il ne veut plus me voir ! O mon frère ! mon pauvre frère !

Et elle éclata en sanglots.

—Ne te décourage pas, mon enfant, lui répliqua Mme de Tilly, ce n'est peut-être pas lui qui t'a fait cette réponse. Il ignore peut-être même ta visite au palais...

—Hélas ! voyez, bonne tante.

Et elle lui tendit une carte, une carte à jouer, celle que les fatalistes considèrent comme la plus redoutable. L'avait-il choisie à dessein ?

Sur le revers une main tremblante avait écrit :

—Retourne à la maison, Amélie; je ne veux pas te voir. Retourne à la maison, chère sœur, et oublie ton indigne et malheureux frère...

Mme de Tilly attira contre son cœur son infortunée nièce.

—L'amour d'une sœur, dit-elle, n'oublie jamais, ne se fatigue jamais, ne désespère jamais !

Et elle se prit à pleurer, elle aussi.

Cependant Mme de Tilly songeait aux amis influents qui lui prêteraient leur aide, et elle comptait sur le caractère noble de son neveu qui sortirait de sa torpeur morale, au nom de l'honneur :

—Tu verras, mon Amélie, disait-elle, que la vertu finira par l'emporter sur la débauche. Elle est plus puissante et elle a plus d'attraits...

—L'amour pouvait sauver mon frère, pensait la jeune fille... Hélas ! celle qu'il aime est indigne de lui, et cependant il eut mieux fait de l'épouser, que de se livrer au désespoir... Je verrai Angélique des Meloises, oui je la verrai !... C'est elle qui l'a rappelé de Tilly, elle seule peut le tirer de la fange du palais...

Angélique aimait toujours Le Gardeur, mais elle ne voulait pas devenir sa femme. C'était chose décidée; et Le Gardeur, depuis son retour, dans une heure d'ivresse, l'avait encore suppliée mais en vain, d'unir sa destinée à la sienne.

Elle fut tentée de s'éloigner d'Amélie, quand elle l'aperçut agenouillée près d'elle, dans la cathédrale. Elle avait peur de ses regards de chérubin qui pénétraient jusqu'au fond de l'âme et pouvaient en surprendre les secrets. Elle ne se sentait pas de force à lutter contre la douce vertu de son ancienne compagne de classe.

Elle se leva pour sortir. C'était la fin d'un psaume, et toutes les voix de l'église, voix sublimes, voix saintes et solennelles, comme un cri qui serait monté des profondeurs de l'éternité, se réunissaient pour dire : *In sæcula sæculorum, Amen* !

Les personnes qui se trouvaient autour d'elle furent scandalisées de son empressement à quitter le lieu saint. Elle sortait la tête haute, appuyée au bras de La Force.

Amélie, distraite par le déplacement des gens, leva les yeux et l'aperçut. Elle lui fit signe d'attendre.

—Je voudrais te dire un mot dès que l'office sera fini; je suis heureuse de te rencontrer ici !

—Le sieur La Force s'en va, répliqua Angélique; tu me parleras une autre fois.

Elle avait peur d'Amélie.

—Le sieur La Force t'attendra avec plaisir, répliqua Amélie.

Les fidèles se levaient pour sortir. Amélie suivit Angélique jusque sur le seuil de pierre. La Force savait ce qu'elle désirait; il s'arrêta à la porte de l'église, et dit qu'il attendrait volontiers.

—Et peut-être que vous seriez assez bon, reprit Amélie, pour accompagner ma tante de Tilly chez elle, pendant que je vais causer avec Angélique.

—Trop heureux de vous obliger, mademoiselle, répondit-il, en faisant un gracieux salut.

Il partit avec Mme de Tilly.

Amélie prit Angélique par le bras et l'entraîna dans l'église, au fond d'une chapelle latérale, où s'élevait un autel.

De larges piliers séparaient cette chapelle de la nef principale. Plusieurs personnes dévotes s'étaient attardées pour prier dans le silence, sous les vastes arceaux.

Amélie s'approcha de l'autel et s'agenouilla. Angélique dût faire la même chose.

Amélie demandait la force et la sagesse. Après un moment, elle regarda Angélique en face, comme pour scruter le fond de son âme, et Angélique frémit; car elle eut peur de voir évoquer le spectre de Beaumanoir. Mais elle retrouva son assurance quand elle comprit qu'il s'agissait de Le Gardeur.

—Au nom de Dieu qui est ici présent, Angélique ! dis-moi ce que tu as fait de mon frère ! supplia Amélie. Il se perd... il est perdu !

—S'il se perd, ce n'est pas ma faute assurément; mais je crois que tu t'exagères ses fautes. Il n'est pas dans un état si désespéré...

—Ah ! il est bien dévoyé, et ceux-là seuls qui l'ont égaré peuvent le remettre dans le bon chemin !

Angélique comprit l'allusion. Cependant Amélie pensait à l'intendant aussi. Elle répliqua :

—Le Gardeur n'est pas si facile à jeter hors la bonne voie. Il est fort et n'aime pas à se laisser conduire. Il préfère mener les autres. Je le connais! Au reste, des pécheresses comme nous ne doivent pas exiger que les hommes soient des anges. Je m'ennuierais avec les saints; j'aime mieux les hommes.

—Tu devrais avoir honte, Angélique, de parler ainsi devant l'autel, dans la maison du Seigneur !...Ah ! tu m'as ravi mon frère, rends-le-moi, je t'en conjure !

Et elle joignait les mains et la regardait d'une façon suppliante en disant cela.

—Je t'ai ravi ton frère, Amélie ? Ce n'est pas vrai ! Pardonne-moi si je parle ainsi... Je ne l'ai pas plus ravi qu'Héloïse de Lotbinière et Cécile Tourangeau. Veux-tu savoir la vérité ? Le Gardeur m'a aimée et je n'ai pas eu le courage de le repousser. Plus que cela, j'avoue que j'ai répondu à sa flamme. Je te l'ai dit, au couvent, tu t'en rappelles ? Je l'ai aimé et je l'aime encore ! j'en prends à témoin la Madone qui nous regarde !

Et elle montra la niche sainte, là-haut, devant elle.

—Si Le Gardeur fait des extravagances, ajouta-t-elle, je le regrette sincèrement, je le regrette autant que toi. Que puis-je dire de plus ?

Angélique parlait avec sincérité, cette fois, et elle fit sur son amie une impression favorable.

—Je crois que tu dis la vérité, Angélique, répondit Amélie, et je sais que tous ceux qui connaissent Le Gardeur s'affligent de le voir s'oublier ainsi. Pourtant, mon Angélique ! tu aurais pu, par ta grande influence sur lui, le préserver de ces hontes; tu pourrais le sauver encore ! Un mot de ta bouche ferait plus que les plus éloquentes paroles du reste de la terre pour le ramener à la raison...

—Tu mets ma complaisance à l'épreuve, Amélie; mais pour l'amour de Le Gardeur, je puis supporter bien des contrariétés. Sois certaine que je ne puis rien pour le remettre dans la bonne voie. Il met à son retour au bien des conditions impossibles.

—Des conditions impossibles ? Mais quelles conditions ? Oh ! je devine, je sais. Pourquoi donc as-tu accepté son amour et ses hommages, si tu devais ensuite le repousser et le désespérer ? Le Gardeur ne méritait pas cela.

Amélie s'indignait, et des larmes de dépit roulaient dans ses beaux yeux.

—J'avouerai, reprit Angélique, que je ne méritais pas ton frère, si cela peut te consoler. Et crois-tu que ça n'a pas été un sacrifice pour mon cœur que de renoncer à lui ?

—Je ne sais pas, Angélique des Meloises; mais je sais que tu as surpris le meilleur des cœurs, pour ensuite le fouler à tes pieds.

—Devant Dieu, devant la croix de l'autel, riposta Angélique avec indignation, je n'ai point fait cela ! J'ai aimé Le Gardeur, mais je ne lui ai jamais engagé ma foi. Je lui ai déclaré que je ne pouvais l'épouser. Je n'étais plus libre déjà.

Aussitôt, les mille pensées diverses qui l'avaient assaillie depuis la veille, se précipitèrent dans son esprit, et tout ce qu'elle rêvait, espérait, caressait, lui parut plus incertain que jamais. Elle se sentait perdue dans un inextricable labyrinthe.

Cet inutile et maladroit stylet de la Corriveau pouvait compliquer l'affaire... L'intendant l'épouserait-il, s'il la soupçonnait de complicité dans le meurtre? ...Ne serait-il pas sage de ménager Le Gardeur... Il ferait un solide bouclier. Il croirait en elle et la défendrait contre l'univers entier... Si la flèche d'or manquait le but, elle pourrait se servir de la flèche d'argent... Après tout, un mariage d'amour n'est pas à dédaigner, quand on ne peut faire un mariage d'intérêt.

Toutes ces pensées surgirent en un clin d'œil, et imprimèrent à sa figure une expression toute nouvelle et tout étrange.

Amélie remarqua ce changement subit et n'en augura rien de bon. Elle connaissait le masque impénétrable dont savait se couvrir son ancienne compagne de classe, et elle comprit que ce ne serait pas en jetant son frère dans les bras de cette fille égoïste qu'elle le sauverait de la ruine et du déshonneur.

Elle ne chercha plus de ce côté.

—Angélique, reprit-elle, si tu aimes Le Gardeur, aide-moi donc à le faire sortir du palais... Si tu ne peux accepter sa main, tu ne dois pas, cependant, prendre plaisir à le voir se déshonorer.

—Qui oserait dire que je me complais à sa honte ? Je ne l'ai pas définitivement repoussé, du reste...non ! Et si je l'ai invité à revenir de Tilly, ce n'était pas pour le voir se plonger dans la dissipation... c'était mon cœur qui le demandait... Te le dirai-je, Amélie ? Jai jeté l'injure à la face de Péan, à cause de lui ! A cause de lui, j'ai rayé Lantagnac de la liste de mes amis! Lantagnac a osé me montrer l'or qu'il lui avait gagné ! il a osé m'offrir des perles achetées avec l'argent du jeu ! Je les ai jetées au feu, ses perles ! et si j'avais été homme, je l'y aurais jeté lui-même... J'ai pu faire du mal à Le Gardeur, mais je ne souffrirai pas que les autres le maltraitent ! Je ne l'ai pas repoussé finalement... Attendons ! je ne puis rien dire de plus !

—Regarde ici, Angélique, reprit Amélie, c'est là que je lève les yeux quand j'ai besoin du secours d'en haut.

Ses regards chargés de pleurs se fixaient sur la croix du tabernacle.

—Mettons-nous à genoux et prions pour mon frère, continua-t-elle.

Angélique obéit. Toutes deux, pendant quelques minutes, prièrent en silence, prosternées devant l'autel. Mais quelle différence dans la ferveur et la foi !

Angélique se leva soudain :

—Mon Dieu ! je m'attarde trop, dit-elle, il faut que je parte. Je suis bien contente de t'avoir rencontrée. Compte sur moi comme sur une sœur.

Amélie l'embrassa. Ses lèvres crurent effleurer les lèvres froides de la mort. Elle eut un tressaillement pénible, et longtemps après, elle se souvenait encore, comme d'un rêve mauvais, de cet attouchement de glace.

La cathédrale était déserte. Deux ou trois fidèles seulement priaient au pied des autels.

Les deux jeunes filles se séparèrent sous la galerie en arrière, et sortirent par deux portes différentes. Entraînées sur le fleuve de la vie par deux courants opposés, elles ne devaient plus jamais se rencontrer.

XLIV

L'INTENDANT DANS UN DILEMME

—Par Dieu ! si je ne savais pas de source certaine qu'elle est restée jusqu'à minuit chez Mme de Grand'-Maison, je la soupçonnerais ! exclama l'intendant.

Et, furieux de l'assassinat de Beaumanoir, il marchait à grands pas dans sa chambre privée, pendant que son ami Cadet se prélassait dans un fauteuil.

—Qu'en pensez-vous, Cadet ? ajouta-t-il.

—J'en pense ceci : Cela prouve un *alibi*, répondit Cadet.

Il y avait du cynisme et de la moquerie dans sa réponse, et il était évident qu'il faisait cette restriction mentale :

—Cela ne prouve pas son innocence.

—Cadet, vous ne dites pas toute votre pensée. Ne me cachez rien. Je serais curieux de voir si nous chassons le même gibier, et si nos présomptions sont d'accord.

—D'accord ! comme les cloches de la cathédrale ou celles des Récollets ! Je la crois coupable; vous la croyez coupable. Mais je ne voudrais pas être tenu de le prouver, et vous non plus. Pas à cause de ses beaux yeux; à cause de vous.

—Hier soir, chez Mme de Grand'Maison, elle s'est montrée d'une verve et d'une gaieté étonnantes. Varin et Descheneaux m'en ont parlé. Ils n'en revenaient point de leur admiration. Assurément qu'elle n'est pas allée à Beaumanoir.

—Vous vous êtes vanté souvent de connaître les femmes mieux que moi, riposta Cadet en bourrant sa pipe, et je vous ai laissé dire. Quant à connaître Angélique, cela ne me surprenait point, et je pensais bien que vous la connaissiez à fond; mais, nenni ! elle vous a dépisté, celle-là ! Elle vous enfonce ! elle est trop habile pour vous. Elle veut devenir Mme l'intendante, et elle prend les moyens de réussir. Cette fille a le feu d'un cheval de guerre et elle porterait son cavalier jusqu'au bout du monde. Je voudrais pouvoir la suivre. Avant six semaines, avec elle, je régnerais à Versailles !

—Savez-vous, Cadet, que j'ai eu la même pensée. N'eût été cette tragique affaire de Beaumanoir, je crois que je me serais laissé prendre. La Pompadour n'est qu'une niaise à côté d'elle. La difficulté maintenant, c'est de la croire assez folle pour s'aventurer dans une affaire aussi hardie.

—Ce n'est pas la hardiesse qui lui fera défaut, quand elle croira qu'il y va de son intérêt d'agir, répliqua Cadet en fermant paresseusement les yeux.

—Mais comment une jeune fille aurait-elle pu méditer un pareil dessein, et se montrer si candide, si joyeuse?...

—Bah ! Vous ne connaissez pas les femmes ! Elles sont naturellement trompeuses! Autant de mensonges que de bouts de rubans dans leur garde-robe !

—Vous croyez qu'elle a trempé dans ce forfait ? Quelles sont vos raisons ? demanda Bigot, sérieusement, en se rapprochant.

—Mes raisons, les voici : Deux personnes au monde pouvaient désirer la mort de Caroline. Vous et elle. Elle, pour se débarrasser d'une rivale redoutable, vous, pour la soustraire aux recherches de la Pompadour. Ce n'est pas vous qui l'avez tuée, je le sais : donc, c'est elle. Est-ce assez logique ?

—Mais comment le crime a-t-il été perpétré, Cadet ? Elle n'a pu l'exécuter elle-même.

—Alors elle s'est servie de la main d'un autre. Voici la preuve.

Il tira de sa poche le morceau de papier qu'il avait ramassé dans la chambre secrète.

—Est-ce l'écriture d'Angélique, demanda-t-il ?

Bigot saisit vivement le chiffon de papier et se mit à l'examiner avec attention, cherchant quelle main avait coutume d'écrire ainsi. Il ne put trouver.

—Ce n'est pas l'écriture d'Angélique, fit-il... Je ne la connais pas du tout... Et pourtant, j'ai des lettres de presque toutes les dames de Québec ! Dans tous les cas, plus d'une main a trempé dans le meurtre de Caroline. Il y a eu complot. Voyez, les infâmes se sont ménagé une entrevue avec leur malheureuse victime. Le papier est déchiré, mais voici ce qu'on peut lire encore : «A la porte cintrée, vers minuit. Si vous voulez me recevoir, je vous révélerai des choses importantes; des choses qui vous regardent vous-même , qui regardent l'intendant et le baron de Saint-Castin qui arrive dans la colonie». Voilà quelque chose qui jette de la lumière sur le mystère, Cadet. Une femme devait avoir une entrevue avec Caroline, à minuit. Bon Dieu ! Cadet ! pas deux heures avant notre arrivée !...Et nous avons retardé notre départ afin de mieux filouter le seigneur de Portneuf !...Trop tard ! trop tard ! Idée fatale, qui nous est venue de retarder !...La Providence se joue de nous, Cadet ! Elle se moque de nous !...

Il regarda de nouveau le lambeau de lettre :

—Le baron de Saint-Castin qui arrive, lut-il encore. Personne, excepté les conseillers du gouverneur, ne devaient connaître ce fait. Et ils sont sous serment ! La femme coupable a su, par un conseiller parjure, ce qui s'est passé au conseil. Quel peut être ce conseiller ? quelle peut être cette femme ?

—Par Dieu ! Bigot, les déductions vont comme l'eau dans un rapide. Mais je ne croyais pas qu'il se trouvât deux femmes, en la Nouvelle-France, assez adroites et capables d'assez bien s'entendre pour exécuter ce diabolique complot.

—Si les personnages du drame se multiplient comme cela, observa Bigot, il me semble qu'Angélique n'y a point prit part. Une femme si jeune, si belle, si charmante, ne saurait méditer pareille trahison.

—Beau dehors, vilain dedans ! riposta Cadet, avec son cynisme habituel. Voulez-vous lui voir danser un ballet de triomphe sur la tombe de sa rivale ? Epousez-la ! je parie qu'elle donne un bal dans la chambre secrète.

—Taisez-vous, Cadet; je pourrais vous étouffer !... Mais, je ferai mieux que ça : je la mettrai en demeure de prouver son innocence.

—Pas aujourd'hui, j'espère ! Laissons un peu dormir la morte; laissons reposer les chiens et les chiennes ! Parbleu ! nous courons de plus grands dangers qu'Angélique. Vous surtout, car vous êtes en son pouvoir ! Pour se sauver, elle vous accusera. Le roi vous récompensera du splendide mensonge que vous avez fait au gouverneur, en vous ouvrant les portes de la Bastille, et la Pompadour vous enverra à la place de Grève, quand le baron de Saint-Castin arrivera en France avec les restes de sa fille tirés de votre caveau.

—C'est un affreux dilemme, Cadet, un affreux dilemme ! murmura Bigot, dans une angoisse profonde. De quelque côté que nous nous tournions, tout est ténèbres. Angélique en sait trop long, c'est évident; et si elle disparaissait à son tour !...

—Tut ! tut ! inutile de songer à cela; elle est trop connue, trop aimée. Elle ne saurait être jetée dans un coin comme sa pauvre victime. Tenez, Bigot, nous n'avons qu'une chose à faire : c'est de ne rien faire du tout. Silence absolu !

L'intendant se promenait d'un bout de sa chambre à l'autre, en se frottant les mains avec colère.

—Si j'étais certain, bien certain que c'est elle, vociférait-il, je la tuerais ! oui, je la tuerais ! Un crime comme le meurtre de Caroline demande vengeance !

—Bah ! si la vengeance retombe sur votre tête !... Vengez-vous comme un homme doit et peut se venger d'une femme; c'est aussi cruel et plus agréable.

Bigot regarda Cadet et partit d'un éclat de rire.

—Vous voulez la faire passer par le parc aux cerfs, Cadet ? Par Dieu ! avant six mois elle serait sur le trône.

—Non ! par le château de Beaumanoir, d'abord ! Mais vous êtes de trop mauvaise humeur, aujourd'hui, pour rien décider de bon, repartit Cadet, en allumant sa pipe.

—Oui ! je suis de mauvaise humeur, comme jamais, et je me sens enchaîné; je ne puis remuer !

—Pas un mouvement, pas un mot ! c'est mieux... Si Philibert ou de la Corne de Saint-Luc apprenaient la moindre chose seulement ! vous les verriez bouleverser le château de fond en comble, sortir la victime de sa fosse et vous accuser de meurtre, et moi de complicité ! Les apparences sont contre nous. Nous sommes condamnés d'avance. Les maudites femmes ! La meilleure action de ma vie, c'est d'en avoir enterré une... Mais si vous alliez en dire un mot à Angélique, ça serait la plus mauvaise. Je ne suis pas encore prêt à donner ma tête pour aucune d'elles, ni pour vous !

Bigot s'agitait, jurait, tempêtait, mais avouait son impuissance absolue à venger sa bien-aimée Caroline; Cadet fumait tranquillement sa pipe, en attendant que l'orage fut passé.

—Me faire ainsi jouer par une femme ! répétait Bigot, moi qui les ai toujours vaincues... N'importe ! elle me le paiera !

—Epousez-la, par Dieu ! épousez-la ! fit Cadet en riant. Je la prendrais bien pour femme, moi, mais je ne pourrais pas dormir. J'aurais peur de me réveiller sous les dalles du parquet.

Bigot ne put s'empêcher de rire aussi.

Il fut alors décidé, entre Cadet et Bigot, que le silence serait gardé sur cette lugubre affaire. Bigot continuerait à rechercher Angélique et à lui faire sa cour. Il lui proposerait même de l'épouser.

—Mais je ne l'épouserai jamais ! s'écria Bigot, non, jamais ! Seulement, je veux lui donner des espérances, et lui causer des regrets.

—Prenez garde, Bigot ! il ne faut pas jouer avec le feu ! Au reste, vous ne connaissez pas cette femme.

—Oh ! je n'irai que juste assez loin...

—Le mariage ou le couvent, reprit Cadet...

—Je ne veux pas du mariage et je ne ve peux pas lui ouvrir le couvent.

—Tut ! Mère de la Nativité respectera vos lettres de cachet, et saura bien donner à la belle pénitente, une cellule aussi confortable que sûre.

—Mère de la Nativité ! elle m'a sermonné une fois; elle ne m'y reprendra plus ! Elle a failli me faire croire que François Bigot est le plus grand misérable du monde. Si vous l'aviez vue dans son indignation ! quels yeux ! quelle pâleur, et quel feu !.

—Que lui proposiez-vous donc ?

—De recevoir une pénitente, une jolie pénitente qui se frappait la poitrine avec une vigueur que la contrition parfaite peut seule donner. C'est en vain que je lui parlais de la Vallière, et de l'exemple du roi ; en vain que je la menaçai des foudres de l'évêque. Elle a fini par me jeter ce pavé sur la tête :

—«Faites-en votre femme; elle a plus la vocation de la famille, que la vocation religieuse.»

—Et vous n'avez pas réussi ?

—Comme vous voyez, mon cher Cadet.

—Eh bien ! recommença Cadet, après s'être amusé un instant à regarder flotter le léger nuage qui montait de sa pipe, eh bien ! vous l'épouserez... ou vous ferez pis.

Bigot se promenait toujours. Il s'arrêta devant une fenêtre et regarda dehors. Les fleurs d'automne ouvraient leurs frileux pétales, pour les voir aussitôt emportés par la bise. Dans un coin, un rosier blanc agitait ses branches dépouillées.

Bigot qui avait regardé sans voir, machinalement, fut tout à coup captivé.

Il avait cueilli à ce rosier des roses superbes et les avait envoyées à Caroline. Elle les plaça dans son oratoire, pour donner ainsi à sa prière un parfum plus doux.

Et la figure pâle, suave, angélique de la jeune martyre lui apparut, lui sembla-t-il, parmi les roses blanches de son souvenir.

Deux courants d'idées fort différents le saisirent à la fois: les délices de l'amour perdu et la peur de l'avenir.

Il ne redoutait pas Angélique; elle était, comme lui, condamnée au silence. Mais il y avait une autre personne dans le secret; une femme, si l'on en jugeait par le fragment de lettre. Et puis, n'avait-il pas déjà transpiré, ce secret ?

—Cadet, fit-il tout à coup, en se tournant vers son ami, le danger va nous venir de la Corne de Saint-Luc et de Pierre Philibert. Ils sont chargés de trouver Mlle de Saint-Castin, et ils vont la chercher partout, dans toute la Nouvelle-France. Ils apprendront sans doute des Hurons ou de mes serviteurs qu'une femme est venue à Beaumanoir et n'en est jamais sortie. Ils soupçonneront la vérité, visiteront le château, ne trouveront rien dedans, fouilleront dessous, découvriront les traces de la fosse, déterreront la victime... et la Bastille ou la place de Grève pour moi ! la ruine pour vous autres !

Cadet s'écria, en levant sa pipe comme pour l'offrir en expiation :

—Ce serait bien mal récompenser la charité que nous avons exercée l'autre nuit ! Vous auriez mieux fait de ne point mentir, Bigot; nous aurions pu nous battre l'un et l'autre hardiment, avec la chance de la victoire. Maintenant, nous sommes perdus, si votre mensonge est découvert.

—Par Dieu ! il le fallait bien ! Qui aurait pu supposer qu'on allait nous faire danser sur ce pied-là ?...Pourtant, j'aurais dû parler franchement, décidément, je l'avoue Cadet.

—Avec la Pompadour, surtout, il faut être bien prudent, car il est dangereux de la tromper.

—Enfin, Cadet, ce qui est fait est fait, ce qui est écrit est écrit. Bénis le pape ou maudis le diable, tu n'en seras pas plus avancé d'une façon que de l'autre. Allons-y bravement ! Faisons comme les trappeurs des grandes prairies: allumons du feu devant nous, pour nous garer de celui qui nous menace par derrière.

—Alors, si nous sommes traqués, nous brûlerons le château ?

—Brûler le château ? êtes-vous fou, Cadet ! Donnons le change à de la Corne de Saint-Luc et à Philibert. Enveloppons-les d'une fumée si épaisse qu'ils perdent de vue Caroline et ne songent qu'à leur cuisante douleur.

—Je ne vous comprends pas. Vous abusez de la parabole.

—J'ai une idée; vous allez voir. Et il faudrait les cent yeux d'Argus pour découvrir notre main dans le projet que je médite.

Cadet se leva tout radieux :

—Vous voulez tordre le cou à l'oiseau qui chante nos exploits ?...

—Cadet, vous devenez épique. Je vais d'une pierre faire deux coups ! La Corne et Philibert, les seuls hommes que je craigne ici, ne s'occuperont pas longtemps de nous, vous dis-je, et je vais une bonne fois museler le Chien d'or. Il n'aboiera plus, il ne mordra plus !

XLV

JE VEUX NOURRIR GRASSEMENT LA VIEILLE RANCUNE QUE J'AI CONTRE LUI.

Le traité d'Aix-la-Chapelle, si longtemps discuté, fut enfin signé dans les premiers jours d'octobre, et une jolie et rapide goélette de Dieppe en apporta la nouvelle à la colonie. Alors, des feux de joie s'allumèrent partout, sur les bords du grand fleuve, et des *Te Deum* furent chantés dans les églises parées de leurs plus beaux ornements.

C'était la voix de la reconnaissance qui montait vers le Dieu de la paix.

La colonie était épuisée et ruinée, mais son territoire demeurait intact et elle conservait ses droits et ses privilèges.

Les braves colons oubliaient les énormes sacrifices qu'ils avaient faits, pour se réjouir devant Dieu, à la pensée qu'ils possédaient toujours, à l'abri de la couronne de France, leur patrie et leur religion, leur langue et leurs lois ! Ils tressaillaient d'orgueil et de joie, en songeant que le drapeau blanc flottait encore sur le vieux château Saint-Louis !

Le lendemain de l'arrivée de la goélette de Dieppe, Bigot, assis à son bureau, était à dépouiller sa correspondance française, lorsque de Péan entra, avec une liasse de papiers, que le commis en chef de Philibert avait apportés au palais pour que l'intendant y apposât sa signature.

C'étaient des bons payables par le Trésor. Le bourgeois qui faisait de grandes affaires, en achetait beaucoup; mais l'intendant s'emportait toujours quand il se voyait obligé de les signer.

Ce jour-là, il lança mille malédictions au bourgeois absent, mit son nom en grinçant les dents et jeta sa plume au feu quand il eut fini.

Le commis du bourgeois attendait dans l'antichambre. Il le fit venir.

—Dites à votre maître, gronda-t-il, que c'est la dernière fois que j'accepte ses bons. Il n'a pas le droit de faire concurrence à la grande compagnie de cette façon, et je n'en signerai plus.

Le commis, un vieux Malouin aux cheveux gris, pas peureux du tout, le regarda tranquillement.

—J'informerai le bourgeois des désirs de Votre Excellence, répondit-il.

—De mes ordres ! clama Bigot, de mes ordres !

Le commis le regardait toujours avec la même assurance et le même calme.

—Quoi ! reprit Bigot, qu'avez-vous à répliquer ?... Bah ! vous n'êtes pas le premier commis de Philibert sans avoir une bonne dose de son insolence !

—Pardon ! Excellence, je voulais seulement vous faire observer que le gouverneur et le commandant des forces ont décidé que les officiers pourraient vendre leurs bons comme ils l'entendraient et à qui ils voudraient.

—Vous êtes joliment hardi, avec votre patois breton ! Par tous les saints de la Saintonge ! on verra lequel de l'intendant ou du bourgeois réglera cette affaire ! Quant à vous...

—Tut ! tut ! *Cave canem* ! laisse ce sacripant s'en retourner à son maître, intervint Cadet, que l'impassibilité du commis amusait. Ecoute, bonhomme, continua-t-il, présente mes compliments à ton maître,—les compliments du sieur Cadet !—et dis-lui que j'espère bien qu'il viendra lui-même, la prochaine fois, apporter sa nouvelle fournée. Dis-lui aussi que des fenêtres de la Friponne, on peut faire un joli saut.

—Au contraire, sieur Cadet! j'avertirai mon maître de ne pas se montrer ici, et je reviendrai moi-même, avant trois jours, j'en suis sûr, présenter à la signature de Son Excellence une masse de nouveaux billets.

—Sortez ! imbécile ! cria Cadet tout en riant de la ténacité du commis. Vous êtes digne de votre maître.

Il le poussa dehors et ferma la porte avec tant de violence que le choc fut entendu dans tout le palais.

—Ne lui gardez pas rancune, Bigot, reprit-il, il n'en vaut pas la peine. Tel maître, tel valet ! comme dit le proverbe. Après tout, je ne sais pas trop si le Parlement de Paris ne donnerait pas raison au *Chien d'Or* contre nous.

Bigot rageait. Il voyait que Cadet avait raison. Il appelait mille malédictions sur la tête des *honnêtes gens*, sur le gouverneur, sur le commandant des forces. Il n'épargnait pas davantage la Pompadour, sa protectrice. C'était elle qui avait intrigué pour faire conclure le traité de paix. Elle voulait, la jalouse, garder le roi près d'elle, à Paris. Elle préférait les plaisirs à l'honneur, et l'argent aux plaisirs.

—La grande compagnie, s'écria-t-il, en relevant la tête dans un mouvement de dégoût, la grande compagnie paie les violons des fêtes royales de Versailles, pendant que le bourgeois lui enlève le trafic de la Nouvelle-France !

Cette paix inopportune va doubler la richesse et l'influence du *Chien d'Or*.

—Bigot, riposta Cadet, en lançant une bouffée de fumée odorante, vous ressemblez à un prédicateur de carême ! Nous avons, jusqu'à présent, beurré notre pain des deux côtés, mais bientôt, j'en ai peur, nous n'aurons plus de pain à manger avec notre beurre. Il nous faudra ronger vos décrets.

—Mes décrets !... Il y a des gens qui menacent de nous manger aujourd'hui, qui les ont trouvés difficiles à digérer, mes décrets ! Voyez donc, Cadet, ce paquet de bons payables au *Chien d'Or !* Quand cela aura-t-il une fin ? termina-t-il avec une recrudescence de colère.

Et il repoussa les billets.

—Ce Philibert gagne du terrain chaque jour ! Le voilà qui achète les bons de l'armée et les mandats des officiers, pour la moitié de l'escompte exigé par la grande compagnie. Rendez-les donc au commis, ces damnés bons ! et qu'il s'en aille au plus vite ! ordonna-t-il à de Péan.

Le commis, si peu gracieusement éconduit tout à l'heure, attendait patiemment dans l'antichambre.

De Péan alla aussitôt, en faisant une grimace qui n'indiquait pas une soumission absolue, lui remettre les papiers.

—Il faut que cela finisse ! reprit l'intendant, et ça va finir ! Le *Chien d'Or* entasse, dans ses coffres, tout l'argent de la colonie, et si on ne l'enchaîne pas, il va, au premier beau jour, tuer le crédit de la grande compagnie.

—*A méchant chien court lien* ! dit le proverbe, et je crois que le proverbe a raison, riposta Cadet. Le Chien d'or a commencé par aboyer après nous; maintenant, par Dieu ! il nous mord ! Bientôt il va nous ronger les os, comme l'indique cette maudite enseigne de la rue Buade.

—Que feriez-vous, Cadet ?

—Je le pendrais. . .comme un chien !

—Mais il a tant d'amis dans la colonie... sans compter les jansénistes de France, que je ne sais trop si la marquise pourrait me protéger.

Cadet amena Bigot à l'écart.

—Il y a plus d'un moyen d'étrangler un chien, dit-il, on trouvera !

Bigot se sentait enfermé dans un cercle de fer, mais il voulait le rompre et s'échapper. Le meurtre de Caroline, le mensonge au gouverneur, la jalousie de la Pompadour, les recherches du baron de Saint-Castin, l'antipathie de Philibert et de la Corne de Saint-Luc, et, enfin, la paix qui venait d'être proclamée : tout contribuait à le perdre. Un homme d'une énergie commune se serait désespéré; mais les obstacles l'excitaient, l'irritaient et le trouvaient inébranlable.

Au reste, sa morale était accommodante, et tous les moyens lui semblaient bons. Il se mit à arpenter sa chambre, vivement, fiévreusement, la tête basse, et en gesticulant.

De Péan se disposait à sortir; Cadet lui fit signe d'attendre, pour voir ce qu'allait décider l'intendant, car il était évident qu'il élaborait un plan.

Au bout d'un instant, Bigot s'arrêta, en se frappant dans les mains, comme un homme qui vient de prendre une ferme résolution.

—De Péan, fit-il, Le Gardeur a-t-il manifesté le désir de s'échapper du palais ?

—Pas une minute ! Excellence: il est solide comme un pont ! Vous auriez plus vite fait de démolir le pont neuf ! La nuit dernière, il a perdu mille livres aux cartes et cinq cents aux dés. Alors, il s'est mis à boire. Il ne vient que de se lever. Son valet, quand je suis sorti, était en train de lui laver la tête et les pieds dans du cognac.

—Vous êtes son ami intime, de Péan; il vous estime comme un frère; il vous croit son ange gardien, n'est-ce pas ?

—Quand il est ivre ! A jeun, c'est autre chose; je n'ose pas en approcher trop: il donne des ruades comme un poulin qu'on étrille à rebours.

—Faites-le boire alors; tenez-le plein. Il faut lui mettre la selle et le lancer à la poursuite du plus gros gibier de la colonie.

De Péan, qui ne comprenait guère ce langage figuré, regarda l'intendant d'un œil chargé de points d'interrogation. Bigot reprit :

—Vous avez essayé, une fois, d'atteindre Mlle de Repentigny, si je me rappelle bien ?

—Oui, Excellence ! mais le raisin était trop haut... maintenant il est trop vert.

—Tut ! tut ! fin renard que vous êtes ! ne dites pas cela; un autre bond et vous allez l'atteindre.

—Votre Excellence me vante trop, assurément. Au reste, si j'avais à choisir aujourd'hui, je...

—Coquin! je devine ce que vous allez dire... Vous n'avez pas mauvais goût; vous êtes un connaisseur. Qu'il soit fait selon votre désir ! Arrangez-nous une jolie partie de chasse à la Philibert, et je donne à Angélique, pour sa dot, le chien d'or transformé en doublons. Vous me comprenez ?

De Péan se dressa. Il n'osait comprendre. Cependant, fasciné par la fortune et la femme qui miroitaient aux yeux de sa convoitise, il se sentait disposé à tout entreprendre.

—Comment ! balbutia-t-il, vous m'approuveriez si je recherchais Mlle des Meloises ?

—Plus que cela ! je vous aiderais, et j'aurais pour Mme de Péan, toute la déférence, toute l'estime, toute l'admiration que je ressens pour Angélique des Meloises.

De Péan ne voulait en croire ses oreilles.

—Je vous jure, affirma l'intendant, que vous l'aurez si vous le voulez, et avec la plus belle dot de la colonie.

Cadet murmura entre ses dents, pour ne pas être entendu !

—L'imbécile qui la prendra...

Il acheva dans un sourire cynique :

—L'intendant n'est pas trop sot, après tout, pensa-t-il.

De Péan ne se trouvait pas à l'aise, malgré tout.

—Mais il faudra, tout de même, le consentement d'Angélique ? demanda-t-il. J'aimerais mieux que ce fut elle qui me demandât.

—Bah ! de Péan, vous ne savez pas de quoi sont faites ces femmes-là; autrement, vous auriez vite trouvé l'appât qu'il leur faut. Vous avez réalisé quatre millions pendant la guerre ?

—Je n'ai pas compté; mais je sais que je dois tout à votre amitié, Excellence !

—C'est bien ! c'est bien ! mon amitié vous donnera encore Angélique des Meloises... puisque Angélique des Meloises ne saurait devenir la femme de l'intendant. Savez-vous ce que vous avez à faire maintenant ?

—Oui, je le sais, Excellence ! et je ne puis vous dire assez combien je suis touché de votre bonté.

Bigot sourit ironiquement.

—J'espère, dit-il, que vous n'aurez jamais à vous plaindre de mon amitié. A l'œuvre maintenant ! travaillons à notre délivrance ! Cadet et moi, nous avons résolu de châtier l'arrogance du Chien d'or. Cependant, nous ne voulons pas donner du bâton au bourgeois comme à un commerçant ordinaire; nous voulons le traiter en gentilhomme, au bout de l'épée. Malgré son titre de marchand, il est noble, voyez-vous; et il porte l'épée. Il la porte bien, que diable ! eh, il peut s'en servir ! A vous de tout prévoir ! Il faudrait l'insulter, le provoquer... puis le tuer. Mais bravement, dignement, avec toutes les couleurs du droit et de la raison. Que cela se fasse en plein jour et comme à mon insu. Vous comprenez ?

—Parfaitement ! et il n'en dépendra pas de moi si l'affaire manque. Nous naviguons dans les mêmes eaux; cela me va à merveille. Tous les actionnaires de la grande compagnie seront enchantés de croiser le fer avec le bourgeois, si le bourgeois ne décline pas l'honneur.

—Pas de crainte pour cela, de Péan; donnons au diable son dû. Le bourgeois, pour laver une injure, se battrait avec les sept champions de la chrétienté; et je ne sais pas trop s'il y a trois gentilshommes dans la colonie, capables de lui mettre du fer dans la poitrine.

Cadet qui les écoutait avec un certain air d'ironie, intervint à son tour :

—Il vaut mieux choisir le moment et ne rien risquer de notre côté. Une injure, une petite bagarre, tout le monde crie, se précipite... un coup d'épée bien dirigé, et c'est fait... Un duel ! vous n'y pensez pas ! Ce ne serait pas le bourgeois qui se battrait, mais son fils le colonel. Et la grande compagnie n'en serait pas quitte à si bon marché.

—Mais je ne veux pas qu'on l'assassine ! répliqua Bigot vigoureusement, ou qu'on le surprenne la nuit ou dans un coin !

—Vous avez raison, répondit Cadet, qui vit bien que l'intendant songeait à Beaumanoir, vous avez raison ! Mais qui va se charger de cette difficile besogne !

—Reposez-vous sur moi, riposta de Péan; je réponds de l'affaire. Je connais un actionnaire de la grande compagnie qui fera triomphalement passer le char de la Friponne sur le corps du bourgeois, si je puis une bonne fois l'atteler.

—Quel est cet actionnaire ? demanda Bigot.

—Le Gardeur de Repentigny, déclina de Péan avec fatuité.

—Tut ! tut ! il nous passera plutôt sur le dos !... les Philibert l'ont ensorcelé.

—Veuillez me laisser faire, et vous verrez !

—A votre aise, de Péan ! vous avez vos coudées franches. Quelle victoire pour la grande compagnie ! quelle défaite pour les *honnêtes gens !* si vous réussissiez à mettre du sang entre les Philibert et les Repentigny !

Aussitôt après cette exclamation haineuse, Bigot toucha amicalement l'épaule de son secrétaire :

—De Péan, lui murmura-t-il, vous êtes plus habile que je ne pensais, et la compagnie vous devra une récompense extraordinaire.

—Tenez votre promesse, Excellence ! et je serai satisfait.

—Je la tiendrai, de Péan ! Vous aurez Angélique, avec la plus ronde dot qu'il soit possible d'imaginer. Si vous l'aimez mieux, cependant, vous ne prendrez que la dot. A votre choix.

—Oh ! je tiens à l'une et à l'autre, Excellence! mais...

—Mais ?

—Le Gardeur pourra aussi la lui revendiquer, peut-être, cette femme, pour le prix de son exploit ?

—Bah ! soyez tranquille; ivre ou sobre, il est toujours grand seigneur, et n'acceptera point mes conditions! Vous savez, c'est un romanesque, et il croit à la vertu des femmes.

—A part cela, observa Cadet, il faudra qu'il se batte avec Philibert, avant que son épée n'ait séché; je ne donnerais pas un sou de ses os, cinq heures après la fin du bourgeois.

Cette affirmation parut vraisemblable à de Péan, et calma ses craintes. Il pourrait donc posséder Angélique puisqu'il n'aurait plus de rival à écarter ! il pourrait en même temps entasser de nouvelles richesses. L'heure de la fortune était donc sonnée pour lui !

Il songeait, cependant, à se mettre à l'abri. Il ne voulait pas compromettre un avenir qui s'annonçait déjà si rose et si riant. Il n'avait pas ce reste d'honneur ou de scrupules qui s'affirmait encore dans l'intendant. La ruse, la fourberie, la lâcheté même, ne lui répugnaient nullement. Il verrait seulement à ce que toute l'affaire eut la véritable apparence d'un accident, de quelque chose d'inattendu, de tout à fait inattendu.

Il ne manquerait pas un iota à la trame.

Le Gardeur ne connaîtrait rien du rôle qu'il lui destinait. Il saurait tout plus tard, trop tard !...quand son épée serait bien rougie du sang du Chien d'or...quand il en aurait jusque sur les mains, de ce sang maudit !

En attendant, il le ferait boire, boire, boire ! Il le ferait jouer; il irriterait sa jalousie; il en ferait un démon !

Mais pour mener à bonne fin ce projet infernal, il faudrait une femme.

Angélique était dévouée corps et âme à la grande compagnie, et elle détestait souverainement le Chien d'or.

Mais elle aimait Le Gardeur ! Elle craindrait peut-être pour ses jours. Oh ! l'amour ! Oh ! ces femmes!

N'importe ! il la ferait venir là, sur le lieu du meurtre. Elle s'y trouverait comme par hasard. Elle le croirait du moins.

Il saurait bien, lui de Péan, saisir le moment opportun de la faire intervenir ! Elle se montrerait ! elle parlerait !...

Tout le projet infernal passa comme un tourbillon noir dans l'esprit du secrétaire de Bigot, et tout joyeux, il frappa des mains en s'écriant :

—Je l'ai trouvé !

XLVI

LE BOURGEOIS PHILIBERT

Le bourgeois venait de finir une bonne journée de travail, et enfoncé dans un mœlleux fauteuil, il goûtait maintenant les délices du repos.

Avec la paix, la confiance était revenue, et les affaires prenaient un essor extraordinaire.

Les mers étaient libres et les vaisseaux chargés de toutes sortes de produits, pouvaient les sillonner en tous sens. Le long des quais de la Friponne, le long des quais du bourgeois, les navires se hâtaient de prendre leur cargaison, car l'hiver approchait, et il fallait descendre le fleuve avant que les glaces n'étendissent leur infranchissable barrière.

Tout le monde était à la besogne, et les soldats de la garnison eux-mêmes s'unissaient aux matelots et aux manœuvres pour embarquer les marchandises.

Cependant le temps était doux, calme, limpide. L'onde étincelait comme sous un soleil d'été; la brise soufflait tiède et parfumée comme au printemps. C'était l'été de la Saint-Martin; c'étaient les plus beaux jours de l'automne, un retour fugitif de l'été envolé !

Les fenêtres de la maison du bourgeois s'ouvraient ce jour-là, à la brise et au soleil. Dame Rochelle, assise dans l'une de ces fenêtres, un livre de Jurieu sur les genoux, le tricot à la main, regardait de temps en temps, et tour à tour, les gens qui passaient dans la rue Buade, les mailles de son tricot et les préceptes de son grand prêtre vénéré.

De temps en temps aussi, en vraie calviniste qu'elle était, elle déposait ses lunettes sur un passage difficile, comme le libre arbitre et la nécessité de la grâce, puis les yeux fermés, elle s'imaginait voir clair dans ces mystères.

Le retour de Pierre Philibert avait rempli de joie le cœur de la bonne dame Rochelle, et maintenant, la nouvelle de son prochain mariage avec Amélie de Repentigny mettait le comble à sa félicité. Elle était radieuse, la bonne vieille, dans son sévère vêtement noir, et la gaieté faisait irruption à travers ses airs sombres de puritaine. C'est qu'elle estimait fort Mlle Amélie et qu'en présence de ses hautes vertus, elle sentait tomber ses préjugés. Elle la comparait presque à la grande Marie, la sainte des Cévennes.

Le mariage promettait d'être une grande affaire, et les fêtes de la noce seraient dignes de la maison de Repentigny et de la fortune de Philibert.

Le bourgeois ouvrait ses coffres et versait l'or à pleines mains; il ouvrait son cœur et se répandait en actions de grâces !

Son âme était ensoleillée comme la nature, calme comme les champs déserts, limpide comme les eaux. L'orage grondait peut-être, mais loin, sous l'horizon; il ne le voyait point, ne l'entendait point.

Le but de sa vie allait être rempli : son fils allait faire un brillant mariage, après avoir conquis les lauriers du champ de bataille, et la couronne de la gloire. Et lui, le vieillard fortuné, il n'aurait plus bientôt qu'à s'écrier, comme cet autre vieillard heureux de la Bible: *Nunc dimittis, servum tuum, Domine, in pace* !

Chrétien, il se réjouissait de la paix qui rayonnait de nouveau sur le monde; citoyen, il était heureux de voir le territoire national intact, la patrie sauvée ! père, il songeait à racheter pour son fils les riches domaines que l'injustice et la jalousie lui avaient enlevés en Europe.

Il songeait à les racheter, car il avait de l'or et il n'aimait pas les recours à la justice, même pour revendiquer ses droits méconnus.

Ses agents à Paris avaient ordre de tout racheter, à n'importe quel prix. Ces domaines avec le château seraient le cadeau de noce des jeunes époux.

Après avoir longtemps rêvé à ces choses, le bourgeois leva la tête et regarda dame Rochelle.

Dame Rochelle ajusta ses lunettes et ferma son livre.

—Pierre est-il de retour ? demanda-t-il.

—Non maître; il m'a prié de vous dire qu'il est allé à Lorette avec Mlle Amélie.

—Ah ! je suppose qu'Amélie a fait quelque vœu à Notre-Dame de Lorette et qu'il veut prendre sa part de l'obligation ! Cela promet, n'est-ce pas, dame Rochelle? Et il se mit à rire avec candeur, avec complaisance, comme il avait coutume de faire.

Dame Rochelle se releva un peu comme pour parler plus facilement :

—Pierre et Amélie sont dignes l'un de l'autre, fit-elle; il n'y a pas, en dehors du ciel, de couples mieux assortis. S'ils ont fait des vœux à Notre-Dame de Lorette, ils les accompliront fidèlement, comme s'ils les avaient faits au Seigneur lui-même.

La bonne vieille huguenote ne se serait pas montrée si accommodante s'il ne se fut agi de Pierre et d'Amélie.

Le bourgeois reprit :

—Bonne dame Rochelle ! vous allez rajeunir pour vivre maintenant avec Pierre et Amélie. Ils veulent que vous habitiez avec eux. Amélie a bien pleuré quand je lui ai raconté votre navrante histoire.

Dame Rochelle laissa tomber ses yeux pleins de larmes sur la robe de deuil qui lui rappelait de si lamentables et si lointains souvenirs.

—Merci, maître ! dit-elle, merci ! Avec ces chers enfants, mes derniers jours seraient sans doute des jours de bénédiction; mais je veux rester avec vous, car vous aussi vous avez pleuré, et vous connaissez les douleurs de la vie.

—Je vous comprends, dame Rochelle, mais voici que mon âme s'éveille à la joie et que le souvenir des jours mauvais s'efface devant la clarté d'un jour nouveau. Mes yeux n'auront plus de larmes désormais, et ma bouche va sourire toujours ! Le bonheur m'inonde ! Nous allons tous ensemble retourner dans notre vieux château de Normandie.

Dame Rochelle fit un bond en joignant les mains.

—Que dites-vous là, maître ! nous allons retourner en France ? Ah ! je pourrai donc reposer près de lui, dans la verdoyante vallée de la Côte d'Or !

—Je ferai pour Pierre, continua le bourgeois, ce que je n'aurais jamais fait pour moi-même: je le réinstallerai dans le château de ses pères et obtiendrai qu'on lui rende les titres et les honneurs de sa famille. N'est-ce pas là un magnifique couronnement à ma carrière ?

—O maître ! répliqua dame Rochelle, ce beau rêve s'accomplira-t-il ? Laisserez-vous jamais la colonie ? Vous êtes aimé ici, mais vous êtes haï. Ceux qui vous aiment voudront vous garder au milieu d'eux, et ceux qui vous haïssent désireront votre mort ! Vous-même, pourrez-vous vous éloigner de ces lieux où tant d'années de votre vie se sont écoulées ? Ne voudrez-vous pas mourir à l'ombre de ce *Chien d'Or* où vous avez si heureusement vécu ?

Elle baissa la tête un moment, puis la relevant, elle regarda le bourgeois d'une façon singulière.

—Maître, dit-elle, j'ai une chose à vous demander.

—Qu'est-ce donc, bonne dame ? répondit-il.

—N'allez pas au marché, demain.

Le bourgeois la regarda tout surpris.

Elle faisait jouer ses aiguilles, et les yeux demi-fermés, les lèvres frémissantes, elle semblait contempler quelque chose d'étrange et de douloureux.

—O mon maître, reprit-elle, vous ne retournerez jamais en France !...Mais Pierre sera rétabli dans la maison des Philibert !...

Le bourgeois n'ajoutait pas une foi entière à ses rêveries; il s'en moquait assez souvent. Cependant, il éprouva un malaise :

—Je me résigne à tout, répondit-il, et je serai heureux de me sacrifier pour mon fils...

Dame Rochelle joignit les mains et se mit à prier comme pour conjurer un danger prochain.

Le bourgeois la regardait avec une vive attention.

—Un marchand de la Nouvelle-France qui se moque des décrets de l'intendant, un exilé qui veut rentrer dans ses droits et ses possessions peut s'attendre à bien des contrariétés, observa-t-il tranquillement; mais n'anticipons point, et mettons notre confiance en Dieu.

—Et n'allez point au marché, demain, répéta dame Rochelle.

—Voilà qui est drôle, après tout ! répliqua le bourgeois. Quelle est cette fantaisie ?...Pourquoi n'iraisje pas ? C'est le jour de la Saint-Martin, et les pauvres vont m'attendre. Si je n'y vais point, plusieurs s'en retourneront les mains vides.

—Ce n'est pas une fantaisie, affirma dame Rochelle, j'ai vu aujourd'hui deux gentilshommes du palais regarder en passant votre enseigne, et parier qu'il y aurait bataille demain entre Cerbère et le Chien d'or. Je me souviens de mes leçons de mythologie, ajouta la vieille.

—Moi aussi, reprit le bourgeois, et je comprends l'allusion. Mais cela ne m'empêchera point de me rendre au marché; seulement, je me tiendrai sur mes gardes.

—Faites-vous donc accompagner par votre fils ! implora la ménagère.

Le bourgeois se prit à rire sur les craintes frivoles de la bonne dame, et commença à plaisanter sur les inconvénients d'avoir une prophétesse dans sa maison.

Dame Rochelle n'insista pas. Elle connaissait au reste la ténacité du vieillard.

—Maître, cria-t-elle soudain, voici l'un des gentilshommes qui ont parlé au sujet de la bataille de Cerbère et du Chien d'or.

Le bourgeois courut à la fenêtre et reconnut de Péan. Il reprit aussitôt son siège tranquillement en disant :

—C'est en effet une des têtes du Cerbère qui garde la Friponne, mais il n'est pas dangereux, ce chevalier-là.

De Péan tourna le premier coin et galopa vers la rue Saint-Louis. Il se rendait chez Angélique des Meloises.

XLVII

UNE PARTIE NULLE

Angélique, depuis la veille de la Saint-Michel, avait été ballottée péniblement par mille émotions diverses. Mille fois elle était passée de l'espoir à la terreur et de la crainte d'être trahie à la confiance.

Elle aurait bien voulu savoir ce que pensait Bigot de la mort de Caroline, et sur qui pesaient ses soupçons ; mais Bigot s'était enfermé dans un mutisme impénétrable, et nul ne pouvait deviner les sentiments qui l'agitaient.

Elle maudissait la Corriveau qui s'était inutilement servi du poignard et n'avait pas laissé à sa victime le masque trompeur d'une mort calme et naturelle.

Elle osa, un jour, parler de nouveau des lettres de cachet et demander encore l'éloignement de sa rivale.

Bigot lui lança un regard foudroyant et lui répondit que sa rivale avait quitté Beaumanoir pour toujours.

Angélique soutint son regard avec hardiesse et ne trahit pas la moindre émotion.

—Je vous remercie, dit-elle, d'avoir si bien tenu votre promesse.

—Vous ne me devez pas tant de reconnaissance, reprit Bigot, car ce n'est pas moi qui l'ai envoyée. Elle a disparu je ne sais comment ; elle est partie, envolée ! Je donnerais la moitié de ma fortune pour savoir qui l'a aidée à s'enfuir...

Angélique s'attendait à une explosion de rage, à un débordement de plaintes, et rien de tout cela ! De l'indignation, mais une froide indignation; une grande douleur peut-être, mais une douleur calculée !

Et c'est ainsi qu'en face l'un de l'autre, ils restaient deux énigmes indéchiffrables. Ils se surveillaient, s'épiaient et se trompaient sans cesse. Dignes adversaires ou vaillante paire d'amis, également faux, également rusés, également dissimulés, ils causaient, semblait-il, avec un charmant abandon de tendresse et de dévouement, d'amour et de fidélité.

Cependant, Bigot ne parlait point de mariage, et Angélique se demandait s'il nourrissait des soupçons contre elle, ou si elle avait perdu quelque chose de sa beauté.

Elle avait si aisément mis à genoux les hommes dont elle ne voulait point ! comment se faisait-il qu'elle ne pouvait vaincre le seul qu'elle voulut épouser ?

Elle songeait parfois à Le Gardeur, et le tableau riant d'une vie calme et pure se déroulait devant ses yeux. Elle se prenait alors à maudire sa destinée et son ambition. Elle abhorrait la Corriveau, cette sorcière infâme qui l'avait aidée de ses conseils et s'était faite son instrument.

Pauvre Le Gardeur ! il courait vite à sa perte. Cette pensée du déshonneur et de la ruine de l'homme qu'elle aimait lui faisait mal. Pourquoi ne pas l'arrêter, lui le bien-aimé, sur le bord de l'abîme ? pourquoi ne pas l'arracher à ses ennemis, à la honte, à l'ignominie ? et pourquoi ne pas s'envoler avec lui, vers les splendeurs de la félicité, comme des oiseaux qui s'échappent des filets du chasseur pour prendre leur essor dans les espaces radieux ?...Ah ! pourquoi !...

De Péan galopait, sans faire attention aux regards de mépris que lui lançaient les *honnêtes gens*.

Quand il arriva chez le chevalier des Meloises, il vit à la porte un valet qui tenait un cheval par la bride. Il reconnut le cheval de l'intendant.

Il entendit un rire argentin et leva les yeux vers la fenêtre d'où ce rire s'envolait. Bigot et Angélique étaient à demi-cachés dans les soyeux rideaux.

—Ne les dérangeons pas, pensa-t-il, nous aurons notre tour.

Il continua sa course du côté de la grande allée.

Il savait qu'Angélique n'aimait pas l'intendant et que l'intendant ne l'épouserait jamais, cette belle coquette. La Pompadour lui réservait une femme de son choix.

Il n'était pas aimé, lui non plus, mais il comptait sur les circonstances heureuses, sur le hasard intelligent, surtout sur son étoile qu'il appelait une bonne étoile.

Quand il revint, le cheval que le valet tenait toujours par la bride, piaffait encore à la porte de la maison, et l'intendant n'avait pas bougé de la fenêtre où s'encadrait aussi la rieuse figure d'Angélique.

Mlle des Meloises l'aperçut et se prit à rire.

—Voyez donc de Péan, dit-elle, il caresse sa bête en attendant l'heure de l'amour.

De Péan s'amusait à peigner, avec ses mains, la crinière de sa monture, en soupirant après le moment où Bigot sortirait.

Il était aussi humble et poltron avec ses maîtres qu'arrogant envers ses inférieurs. Angélique, qui aimait les hommes hardis, décidés, entreprenants, se moquait de sa pusillanimité.

—Garçon, demanda-t-il au groom, est-ce qu'il y a longtemps que l'intendant est ici ?

—Depuis le midi, répondit le groom en se découvrant poliment.

—Et est-il toujours resté comme cela dans la fenêtre avec Mlle Angélique ?

—Je n'en sais rien, monsieur. Je n'ai point d'yeux pour épier mes maîtres.

—Oh ! oh ! fit de Péan. Et il se rangea pour n'être pas vu.

—Le chevalier de Péan s'exerce à la patience, reprit Angélique, et vous lui faites l'occasion belle, Excellence!

—Désirez-vous que je parte ? demanda Bigot en se levant.

—Bah ! laissez-le faire; il attendra là aussi longtemps que je voudrai.

—Ou bien que je resterai ici. C'est un amoureux commode, qui fera un mari plus commode encore, dit Bigot.

Angélique lui darda un regard menaçant. Elle ne pouvait souffrir qu'on lui parlât d'aimer cet homme.

—Eh bien, chevalier, dit-elle, si vous êtes obligé de partir, partez ! Mais laissez-moi refaire le nœud de votre cravate.

Elle approcha ses doigts de fée de la cravate qui se défaisait.

—Ce nœud est comme l'amour, reprit-elle en riant, il a *besoin d'être éprouvé.*

Bigot ne répondit rien. Il songeait à Caroline de Saint-Castin. Un jour, sur les rivages du bassin des Mines, elle aussi avait refait de ses doigts tremblants le nœud fatal de cette cravate, et c'est alors qu'elle trahit le doux secret de son cœur.

Angélique devina ce qui se passait dans l'âme de son amoureux, et elle recula vivement. Elle avait peur d'entendre l'épouvantable accusation.

—Merci ! fit Bigot, nouer et dénouer sont pour moi des choses souvent difficiles, presque pénibles...

Angélique fit semblant de ne pas saisir le sens de cette parole.

—Je le crois bien, dit-elle, en faisant un effort pour paraître calme, et cependant c'est à peine si vous me dites un petit merci. Avez-vous découvert le lieu où s'est cachée la fugitive ? demanda-t-elle bravement pour vaincre la peur.

Bigot allait sortir. Angélique hasarda une autre question. C'était comme le post-scriptum de l'entrevue:

Je ne crois pas qu'elle ait quitté Beaumanoir, ajouta-t-elle, ou, si elle l'a fait, vous savez où elle s'est réfugiée ! Voulez-vous jurer sur mon livre d'heures que vous ne savez pas où elle est ?

Bigot la regarda fixement une minute, cherchant à découvrir sa pensée. Elle se passa la main sur les yeux, comme si elle eut senti une trahison au fond de leur prunelle étincelante.

—Je veux bien jurer tout ce que vous voudrez, répliqua-t-il, je prendrai Dieu ou le diable à témoin; c'est tout un pour moi. Lequel choisissez-vous ?

—L'un et l'autre ! riposta cyniquement Angélique. Ah ! vous ne savez pas, continua-t-elle, le mal que vous m'avez fait, en me forçant à repousser la main de Le Gardeur ! Comment avez-vous tenu votre promesse ?

—Ma promesse ? Par Dieu ! j'ai pourtant continué d'être franc avec les dames et de tenir ce que je promets.

—Si vous avez oublié, je me souviens, moi ! et je pense que François Bigot ne pourrait faire pis que tromper Angélique des Meloises.

Elle dit cette dernière parole avec une animation subite et en frappant du pied. Bigot se crut menacé; il pensa n'avoir rien de mieux à faire qu'à changer de manière.

—Pardonnez-moi, ma chère Angélique ! dit-il avec une douceur extrême, je n'ai jamais forfait à l'honneur et je sais tenir mes engagements. La dame que vous redoutez n'est plus à Beaumanoir. Venez parcourir les galeries du château et je vous jure que vous n'y entendrez que le bruissement d'ailes des esprits qui nous visitent.

Angélique crut voir une allusion dans ce bruissement d'ailes des esprits.

—Comment pouvez-vous m'affirmer cela ? demanda-t-elle.

—Parce que de la Corne de Saint-Luc et Pierre Philibert sont venus faire des recherches à Beaumanoir. Ils ne se sont pas gênés pour entrer partout, mais, en revanche, ils ont cru devoir me faire des excuses quand ils se sont retirés.

—Bah ! riposta Angélique, si l'on avait chargé des femmes de cette perquisition, elles l'auraient bien trouvée la jolie captive !

—Je vous jure que je ne puis dire où elle est !

—Fort bien ! fit Angélque en lui tendant la main. Ils comprenaient l'un et l'autre qu'ils étaient liés par un pacte tacite, secret et qu'ils ne devaient pas rompre la chaîne inique qui les unissait.

Bigot se leva de nouveau pour sortir.

—Vous n'avez pas l'air heureux, aujourd'hui, Bigot, reprit Angélique, et l'on dirait que ma présence vous ennuie.

—En effet, je suis de mauvaise humeur. La disparition mystérieuse de cette jeune fille, et la provocation du bourgeois, qui nolise, pour son commerce, tous les vaisseaux en disponibilité, en voilà assez, je pense, pour chasser la gaieté. Mais ces peines me ramènent vers vous, Angélique, car vous êtes ma consolation.

Il sortit.

Pendant qu'il montait à cheval Angélique pensait :

—Il me soupçonne, c'est sûr, il me soupçonne ! Mais je le tiens ferme. Ah ! c'est heureux qu'il ne puisse avouer la présence de Mlle de Saint-Castin à Beaumanoir !...Comme il se montrerait tout autre !... Je donnerais tous mes joyaux pour savoir ce qu'il a fait de la jolie morte que la Corriveau lui a façonnée... La Corriveau ! la vieille misérable qui a gâté mon affaire avec son coup de poignard !... Je serais si facilement devenue sa femme !... Il ne m'aurait pas soupçonnée. Il fallait que le démon vint contrecarrer ainsi mes espérances !...

De Péan entra à son tour ; Angélique s'avança toute souriante au-devant de lui. Un coup de baguette et la méduse s'était transformée en une fée adorable.

Pourtant, elle le détestait, ce vaniteux coquin qui se perdait dans la foule de ses admirateurs, et elle aurait préféré le voir mourir à cause d'elle, que de le voir vivre pour lui présenter d'éternels hommages.

Un jour qu'il se battait pour elle avec le capitaine de Tours, elle dit en riant qu'il valait tout juste un moineau, et qu'il ne fallait pas gaspiller, pour le tuer, plus de poudre qu'il n'était nécessaire.

Cependant, elle n'était pas fâchée de le voir arriver, car elle avait peur d'elle-même quand elle se trouvait seule; ses pensées l'épouvantaient et elle avait besoin de distractions.

De Péan s'attarda longtemps. Il lui exposa son projet contre Philibert, lui parla d'un rassemblement, d'une bagarre, et d'un accident ! Il lui dit que Le Gardeur se trouverait là aussi, comme par hasard, et qu'il faudrait le soutenir.

Elle acquiesça avec plaisir, et promit de se rendre sur la place du marché. Elle voyait bien que Le Gardeur était un instrument dans ce complot, et qu'il pouvait courir un certain danger. Il faudrait veiller sur lui.

Le soir de ce jour-là, les associés, réunis au palais, se livraient à des regrets amers, à cause de la paix qui venait d'être annoncée; ils lançaient des invectives contre le traité fatal à leurs intérêts, et buvaient à la guerre prochaine.

Bigot les laissa faire quelque temps, puis, quand il eut assez joui de leur désespoir, il leur dit en souriant :

—Vous oubliez que le danger et la perte sont deux choses. Philibert va avoir le sort d'Actéon; il sera mis en pièces par son chien.

La nouvelle fut accueillie avec des applaudissements. Cadet se pencha vers de Péan :

—Le piège est-il tendu ? demanda-t-il.

—Oui, répliqua de Péan, bien tendu. J'espère que le gibier ne nous échappera point.

—Au grand jour, en plein soleil... la foule...cris... bagarre..., murmura Cadet.

—Tout est prévu, soyez tranquille !

—Vous êtes rusé comme un démon, de Péan, mais prenez garde de vous prendre vous-même, cependant.

—Ne craignez pas, Cadet ! Demain soir il y aura réjouissance au palais et deuil au *Chien d'Or*.

Le Gardeur était trop ivre pour saisir l'allusion de Bigot. Cette mort d'Actéon, dévoré par ses chiens, éveilla toutefois son attention, et il comprit qu'il se machinait quelque chose contre Philibert. Il se leva en jurant que personne, ni l'intendant, ni les autres, ne toucherait un cheveu de la tête du bourgeois.

—Bah ! repartit de Péan, il s'agit bien du bourgeois ! ... C'est de son chien qu'il est question. Le bourgeois, son fils, et la vieille sorcière huguenote qui les dorlote, se pendront les uns les autres, quand le temps sera venu. Pour nous, nous en voulons au Chien d'or, et c'est lui que nous allons prendre maintenant !

—C'est bon ! répliqua Le Gardeur en cherchant à rendre terrible son regard chargé de vapeurs, c'est bon ! pendez des chiens tant que vous voudrez, mais celui qui touchera au bourgeois me touchera !

Et après deux ou trois tentatives infructueuses, il réussit à tirer son épée et à la mettre sur la table.

—Voyez-vous ça, de Péan, continua-t-il, c'est l'épée d'un gentilhomme, et je la passerai au travers du corps de l'insolent qui menacera le bourgeois, ou son fils, ou la sorcière huguenote, comme vous appelez dame Rochelle, une femme dont vous ne mériteriez d'être ni le fils, ni le neveu, ni le cousin !...

—Par saint Picaut ! souffla Cadet à de Péan, vous avez fait fausse route, ce n'est pas l'homme qu'il vous faut. Pourquoi, diable ! l'avez-vous choisi ?

—Je l'ai choisi, parce que c'est l'homme de la circonstance; vous verrez ! A jeun, Le Gardeur est un grand défenseur de la morale; gris, il tuerait le diable; ivre, il saccagerait le ciel ! Je le connais ! je n'ai pas fait fausse route.

Bigot suivait cette petite scène avec intérêt. Il vit que Le Gardeur pouvait tout aussi bien se ruer sur ses amis que sur ses ennemis, s'il n'était adroitement dirigé et trompé.

—Venez, Le Gardeur, fit-il; remettez l'épée au fourreau; nous avons meilleure chasse à faire que la chasse au Chien d'or. Ecoutez ! les voici ! les voici les messagères bénies de la paix ! Ouvrez grandes les portes pour les recevoir !

—Les messagères de la paix ! gronda Cadet, ce sont elles qui, depuis le commencement du monde, portent la guerre en tous lieux !

Et tout l'entourage de l'intendant se livra à qui mieux mieux, au jeu, au vin, à la débauche, pour étourdir de plus en plus Le Gardeur, et le défendre contre tout retour à de nobles sentiments.

XLVIII

FERMEZ AVEC UNE AGRAFE D'OR LE LIVRE DU BONHEUR!

La vie se divise en trois grandes époques: la jeunesse, l'âge mûr et la vieillesse; elle est marquée de trois grands événements: la naissance, le mariage, la mort. L'homme, comme l'astre merveilleux qui l'éclaire, a son lever, son midi, son couchant !

Le père se réjouit dans ses fils, car ils lui survivront ici-bas, et par eux il prolonge son existence dans l'avenir.

L'homme, un jour, se tourne vers la femme qu'il a choisie pour sa compagne, et la nouvelle épouse s'appellera bienheureuse entre les femmes.

L'amour est semblable à un fleuve d'argent qui sort des profondeurs de l'âme, pour couler entre des rives verdoyantes jusqu'à l'océan de l'éternité où il va se perdre.

Heureux ceux qui s'aiment d'un amour grand et pur, et qui, dans l'épanchement suave de leurs deux âmes, se jurent une éternelle fidélité ! Le jour du doux aveu est le plus beau de leur vie.

Ce jour s'était levé pour Pierre Philibert et Amélie de Repentigny. Ce fut sur les bords du petit lac de Tilly qu'ils virent poindre son aurore resplendissante. Il avait grandi et sa splendeur remplissait le ciel.

Amélie avait donné son amour sans réserve, sans restriction. Il était si naturel de s'attacher à Pierre Philibert, si difficile de ne pas l'aimer !

Elle ne se souvenait pas, vraiment, quand elle avait commencé à l'aimer.

Comme Sara, elle bénissait le Seigneur dans son allégresse, et elle mêlait à ses prières le nom de l'homme qui devait être son orgueil et son appui.

Un souffle tiède passait sur les champs jaunis. La petite rivière Lairet courait, avec un murmure métallique, sur les cailloux gris, et sur ses bords, des touffes de plantes vivaces, aux longues feuilles pointues, et des fleurs tardives perdues dans les feuilles mortes, se montraient de place en place.

Pierre et Amélie revenaient de faire une course à cheval par les chemins solitaires de Charlesbourg. Rendus sur le bord de la jolie rivière, ils remirent leurs montures aux mains d'un serviteur qui les accompagnaient et prirent à travers champs.

L'heure qui sonnait était enivrante comme une coupe de vin généreux, et l'avenir souriait comme la terre de la patrie où revient l'exilé !

—Pierre, commença Amélie, si mon ancienne maîtresse de classe apprend que je me promène ainsi dans les prés déserts avec vous, elle va secouer la tête comme si tout espoir de salut était perdu.

—Mais quel reproche pourrait-elle vous faire, chère Amélie, moi qui vous connais si bien, je ne puis vous en faire qu'un seul...

—Vraiment ? Moi qui me croyais parfaite ! Méchant ! vous me coupez mes ailes d'ange, fit en riant la jeune fille. Et que me reprochez-vous ?

—De tenir trop de l'ange et pas assez de la femme. Je désirerais épouser une femme... de la terre.

—Soyez tranquille, j'aurai assez de défauts pour être cette femme.

Le bonheur d'Amélie était parfait ce jour-là. Le Gardeur lui avait écrit un mot pour lui demander pardon, et il était vraisemblable qu'il allait s'échapper du palais pour reprendre son rang de gentilhomme et sa liberté.

Il avait entendu parler de son mariage avec Philibert, la félicitait chaleureusement et envoyait mille bénédictions à son ami.

Elle montra la lettre à Pierre qui fut tout à fait touché.

Dans cette heureuse disposition d'âme, tout lui paraissait plus doux et plus beau : les buissons alignés comme une frange grise sur le bord du ruisseau, la brise qui roulait le feuillage sec, le flot où se mirait le ciel bleu. Et comme un écho à leurs voix émues qui parlaient d'amour, un bruit vague, léger, mystérieux, montait de partout.

Quelques oiseaux attardés, perchés sur les branches nues des aubépines, jetaient, de moment en moment, une note plaintive, comme un soupir triste, comme un regret. On eut dit qu'ils pleuraient les jours chauds de l'été sitôt enfuis.

Au détour du ruisseau, ils aperçurent, de l'autre bord, quelques fleurs assez brillantes: Amélie s'assit sur un tronc d'arbre, et Pierre traversa l'eau pour en cueillir.

—Lesquelles voulez-vous ? demanda-t-il.

—Les nénuphars blancs, d'autres aussi... toutes ! Je veux les déposer aux pieds de Notre-Dame-des-Victoires. Ma tante et moi nous avons fait un vœu; il nous faut l'accomplir demain.

—Un vœu ! je tiens à payer ma part, acceptez-vous?

—Oui, mais à la condition que vous ne me demandiez pas quel est ce vœu. Revenez, maintenant, ajouta-t-elle, vous en avez plus que nous ne pourrons en emporter.

—Oh ! mais je veux aussi moi témoigner à la Madone ma reconnaissance pour le bonheur dont je suis rempli !

Pierre, sautant d'un caillou sur un autre, cueillait les blancs nénuphars pendant qu'Amélie, les mains jointes, remerciait le Seigneur de la félicité dont il inondait son âme.

Pierre revint avec une charge de fleurs et s'assit sur le tronc d'arbre, auprès de sa jeune bien-aimée.

—Combien de fois, reprit-il, dans ma vie de soldat, couché sur le sol, un caillou sous la tête, pendant que mes camarades s'amusaient auprès du feu de bivouac, je regardais les étoiles sereines qui flottaient dans l'azur du ciel et je pensais à vous ! et je priais pour devenir digne de vous et gagner votre amour !... Elle ne verra jamais en moi que le rude et grossier soldat, me disais-je, et pourtant, je ne sais pourquoi, je n'aurais pas donné mon espérance pour un royaume.

—Ah ! Pierre ! il n'était pas si difficile, après tout, de gagner ce que vous possédiez déjà, fit Amélie en souriant.

Amélie ! reprit-il encore, on dit que la vie ne se compte pas par les heures, mais par les pensées et les sensations. S'il en est ainsi, j'ai vécu un siècle de bonheur, aujourd'hui ! Je suis un amoureux bien vieux déjà !

—Mère Saint-Pierre, qui a été religieuse pendant cinquante ans, et qui jouit de la béatitude céleste maintenant, nous disait que ceux qui s'aiment ici-bas selon Dieu, demeurent éternellement jeunes dans le ciel, et que plus ils ont aimé longtemps sur la terre, plus ils sont heureux et jeunes là-bas. N'est-ce pas que c'est une douce philosophie ?

—Vos paroles, Amélie, sont plus douces à mon cœur que les plus douces philosophies !

—Oh ! fit Amélie, ramenant la conversation sur un autre sujet, voyez donc la maison de Sainte-Foy, comme elle paraît vaste sur le bord de la côte, au milieu des arbres sans feuilles.

—Il faut qu'elle soit grande pour recevoir tous ceux que nous aimons.

—Il faudra plusieurs chambres pour votre père, et les meilleures; et plusieurs aussi pour cette bonne dame Rochelle. J'arrangerai bien cela.

—Et moi ?

—Vous ? il faudra vous contenter de ce qui sera bon pour moi, fit-elle en riant.

Je sais tenir une maison, continua-t-elle, vous verrez. J'ai pris mes degrés dans la cuisine des Ursulines, et j'ai eu un *accessit* de bonne ménagère.

—Alors, fit Pierre, vous vous marierez comme les filles de l'Acadie: avec un dé d'argent au doigt et une paire de ciseaux à la ceinture; ce sont les emblèmes du travail et de l'économie domestique.

Le soleil baissait. L'occident resplendissait comme un océan de pourpre, et des rayons étincelants se brisaient en paillettes d'or et de feu dans l'onde, aux pieds des deux fiancés.

Un calme enivrant s'épandait sur les prés. Bientôt les ombres du soir sortirent des montagnes voisines.

Pierre et Amélie se levèrent de leur siège rustique. Débordants d'ivresse, pleins d'espoir et de reconnaissance, ils reprirent à pas lents le chemin de la ville.

XLIX

LA PLACE DU MARCHE LE JOUR DE LA SAINT-MARTIN

Le matin du jour de la Saint-Martin, un épais brouillard s'étendait sur la ville. Toutefois, les rayons du soleil le traversèrent peu à peu comme des flèches d'or, et il s'évanouit tout à fait, à l'heure où les cloches de la cathédrale sonnèrent à toute volée pour appeler les fidèles à l'office pieux qui allait commencer.

La brise attiédie balayait la place du marché et poussait dans les coins et le long des trottoirs, avec le frissonnement de la soie, les feuilles mortes des grands arbres.

Les premières gelées avaient touché le feuillage, et le feuillage s'était empourpré comme sous un baiser d'amour. Seuls les pins résineux gardaient leur verdure sombre.

La place du marché occupait le carré qui se trouve entre la cathédrale de Notre-Dame et le collège des Jésuites.

Ce dernier, un immense quadrilatère, formé de murs épais et de voûtes solides, laissait apercevoir, par la porte cochère qui donnait sur la place et que surmontait un écusson sacré, quelques avenues bordées de grands chênes où les religieux se promenaient seuls en silence, ou deux à deux, en songeant aux obligations de leur ordre ou en discutant les grandes questions de l'époque.

Un mince filet d'eau traversait la place en murmurant. Il serpentait sous les ormes, et hommes et bêtes venaient s'y désaltérer. De chaque côté de cette source limpide, les voitures se rangeaient de bonne heure, les jours de marché.

Le jour de la Saint-Martin, donc, il y avait foule sur le carré: habitants, gens de la ville, ménagères, servantes; tous ceux qui avaient quelques denrées à vendre ou quelques provisions à faire.

Une belle occasion, au reste, de rencontrer les amis et les connaissances, et de parler de la paix.

Tout le monde semblait à l'aise; la gaieté animait toutes les figures.

Le marché était abondamment fourni. Ici des pommes de la côte de Beaupré, tout imprégnées des senteurs du miel, des poires de l'Ange-Gardien, du raisin de l'île d'Orléans, l'île de Bacchus aux riants coteaux; là, le gibier de toutes sortes: les oies, les outardes, les canards tués sur les battures de la canardière ou de l'île aux grues, à leur arrivée de la baie d'Hudson.

C'était sur ces malheureux oiseaux de passage que les chasseurs dirigeaient les coups, maintenant qu'ils ne pouvaient plus tirer sur le Bostonnais ou sur l'Anglais.

Il y avait des amas de truites prises dans les petits lacs et les rivières de Montmorency; de saumons magnifiques et d'anguilles grosses comme le bras du pêcheur qui les avait tirées de l'eau. Il y avait des sacs de grain, moulu au moulin banal, des tinettes de beurre jaune comme de l'or, l'orgueil des ménagères de Beauport et de Lauzon, qui ne cessaient de crier à leurs marmots quand ils demandaient des beurrées: mes enfants, ménagez le beurre !

Depuis longtemps on n'avait vu pareil étalage de produits. Pendant la guerre, les habitants n'osaient venir sur le marché, car les commissaires de l'armée, ou si l'on veut les agents de la grande compagnie, ne manquaient pas de reconnaître celui qui offrait en vente quelques articles remarquables, et ils faisaient aussitôt une descente sur sa ferme.

A l'une des extrémités de la place, s'élevait une croix de bois dont les larges bras semblaient protéger les boutiques et les échoppes d'alentour, et au pied de cette croix, une estrade de planches, haute de quelques pieds, d'où le regard pouvait embrasser tout le marché.

Un Jésuite venait de monter sur l'estrade, et le crucifix à la main, il tonnait contre les vices et les lâchetés de l'époque. La foule avide, curieuse, se pressait autour de lui.

Le jansénisme avait bouleversé la France de fond en comble, et maintenant le gallicanisme, né de la première erreur, revendiquait pour la France ces privilèges religieux qui semblent rapetisser aux limites d'un État, la religion de toute la terre.

Les ardentes disputes de la France eurent leur écho dans la colonie, nonobstant les efforts déployés par l'évêque et le clergé de Québec pour se garer de ces regrettables querelles.

Les Jésuites se prononcèrent hautement pour Rome et le saint-père, qu'ils proclamèrent seul juge infaillible dans les questions de morale et de foi, de gouvernement ecclésiastique et d'éducation.

Cependant, la position de ces religieux devint de plus en plus critique en France. On enviait leurs richesses, on jalousait leurs talents et leur habileté. Le clergé séculier se tourna contre eux généralement. Le Parlement de Paris déclara qu'ils n'avaient pas une existence légale, et le nouveau ministre, le duc de Choiseul, les supprima à cause de leur opposition à la nouvelle philosophie.

D'un côté, Voltaire et sa troupe les harcelaient; de l'autre, le saint-siège, mal informé peut-être, les foudroya.*

Leurs biens furent confisqués et ils furent proscrits comme ennemis de l'Etat.

---

* C'est une erreur. Le saint-siège ne condamna pas les Jésuites. Il crut devoir, à cause des haines implacables déchaînées contre la Compagnie de Jésus, prononcer la dissolution de l'ordre, comme un général d'armée licencie quelquefois ses meilleures troupes.

La dissolution de la Société de Jésus en France, fut suivie naturellement de la dissolution de la Société de Jésus en Canada, et le grand collège de Québec, qui avait envoyé des missionnaires pour enseigner le peuple et convertir les païens, qui comptait dans toute l'Amérique française tant de martyrs de la foi, devint une caserne de soldats anglais !

Il demeura une caserne jusqu'à nos jours !

La croix sculptée au-dessus de la porte cochère, avec les trois lettres I H S, et la couronne d'épines qui surmontait la girouette du plus haut pignon, restent seules pour nous raconter la destinée première de cet imposant édifice.

L

BIENHEUREUX, O SEIGNEUR ! SONT CEUX QUI MEURENT EN FAISANT TA VOLONTÉ !

C'était la coutume du bourgeois Philibert de parcourir la place du marché, non pas pour s'enorgueillir des témoignages d'estime qu'il recevait de toutes parts; non pas pour acheter ou vendre dans un but de spéculation, même honnête, mais pour y chercher les pauvres, les déshérités et les secourir dans leurs besoins.

Ils étaient nombreux les indigents, car la guerre impitoyable laisse toujours après elle la ruine et la désolation.

Le bourgeois connaissait mieux les pauvres que les riches. Il aimait à les appeler par leurs noms, et à remplir leurs paniers; il aimait à les renvoyer contents dans leurs tristes réduits. Il se plaisait à leur dire qu'il n'était que le dispensateur des biens de Dieu, et que le Christ a recommandé aux hommes de s'aimer et de se secourir mutuellement.

Tous les jours, au *Chien d'Or*, une table de douze couverts était servie. Douze pauvres, les nécessiteux dont parle l'Écriture sainte, venaient s'y asseoir, et les meilleurs mets étaient pour eux. Le bourgeois se sentait glorieux comme s'il eut dîné avec des rois.

Le jour de la Saint-Martin était l'anniversaire de la mort de sa femme, et pour honorer la mémoire de cette regrettée compagne, il redoublait ses bonnes œuvres. Il disait en riant qu'il fallait, à part ses douze apôtres—ses douze pauvres,—recevoir aussi les soixante et dix disciples.

Le matin où nous sommes, il fit sa toilette pour sortir, prit sa canne à pommeau d'or et descendit l'escalier.

Dame Rochelle vint au-devant de lui, dans le grand passage. Elle paraissait tout anxieuse.

—Maître ! dit-elle, n'allez donc pas au marché, aujourd'hui ! j'en arrive moi-même et j'ai tout prévu pour la journée.

—Je vous suis bien reconnaissante, dame Rochelle. Mais vous savez que je suis attendu; c'est un des meilleurs jours. Qui remplira les paniers de tous ces malheureux qui n'osent pas mendier de porte en porte ? Il faut que je fasse ma tournée, dame Rochelle !

—Pour une fois, je vous en supplie, écoutez-moi, ne sortez pas; je redoute un malheur !

Le bourgeois connaissait assez la bonne dame pour être sûr qu'elle n'insistait pas ainsi sans motifs.

—Pourquoi donc, demanda-t-il, voulez-vous m'empêcher de sortir ?

—Pour une excellente raison, maître ! mais une raison dont vous allez vous moquer. Il y a quelque chose de menaçant dans l'air. Les amis de l'intendant veulent chasser les *honnêtes gens* de la place du marché. Je les ai entendus ! Il va y avoir du tumulte. C'est une première raison. Une autre, c'est que je pressens un malheur sur votre maison.

—Merci ! excellente dame; merci de votre sollicitude! Mais je trouve dans vos craintes, une raison de plus pour sortir. Ne faut-il pas que j'essaie d'empêcher toute querelle entre mes concitoyens ?

—Ah ! vous n'avez pas entendu ce que j'ai entendu, moi ! Vous n'avez pas vu ce que j'ai vu !... Je vous en supplie, restez ici aujourd'hui !

Et elle joignit les mains en le suppliant ainsi.

—S'il y a danger quelque part je serai là, car je suis gentilhomme, affirma le bourgeois fièrement.

—Ah ! si Pierre était ici pour vous accompagner! Emmenez quelques serviteurs avec vous dans tous les cas !

—Quand j'ai un devoir à remplir, dame Rochelle, je ne me laisse pas arrêter par la peur. J'ai des ennemis, c'est vrai; mais il faudrait être bien hardi pour attaquer le bourgeois Philibert, en plein jour, sur une place publique.

—Il s'en trouve, maître, de ces gens hardis ! il s'en trouve !

—N'importe ! Ne serais-je pas digne de mépris, si la crainte de l'intendant ou de ses amis me détournait de mes devoirs ?

—Je sais que je supplie en vain; pardonnez-moi mon anxiété, maître, que Dieu vous accompagne ! que Dieu vous protège !

Les yeux de la bonne dame Rochelle se remplirent de larmes.

—Eh bien ! fit le bourgeois, pour vous montrer combien je fais cas de vos alarmes, et suis sensible à votre amitié, je vais prendre mon épée. L'épée, c'est, après une conscience pure, la meilleure amie d'un gentilhomme, au moment du péril. Apportez-moi mon épée.

—Oh ! très volontiers, maître ! Comme le glaive du Chérubin, qu'elle vous garde et vous défende aujourd'hui !

Elle alla aussitôt chercher dans la salle la rapière qui y était suspendue comme ornement. Le bourgeois ne la portait que dans les grandes cérémonies.

Il mit en écharpe le riche baudrier, et la pointe du fourreau d'argent traîna sur le parquet avec un léger cliquetis.

Il sortit en souriant.

Dame Rochelle le suivit du regard jusqu'à la cathédrale. Il descendit devant l'église et elle le perdit de vue. Alors, elle vint se rejeter dans sa chaise.

—Hélas ! murmura-t-elle, c'est dommage que Pierre soit allé à Sainte-Anne !

Elle ouvrit sa bible et chercha dans les paroles du Seigneur quelques consolations à ses amertumes.

Il y avait beaucoup de mouvement, beaucoup de bruit sur le marché quand le bourgeois y arriva. Il se mit à visiter, comme de coutume, les diverses échoppes des marchands de fleurs et de fruits, en s'arrêtant pour dire un mot aux amis qu'il rencontrait et surtout pour causer avec les pauvres et les infirmes qui l'attendaient toujours aux mêmes endroits. Il aimait mieux aller à eux que de les faire venir à lui. Il savait qu'ils comptaient sur son aumône et il eût évité le gouverneur lui-même plutôt que ces infortunés.

Un groupe de jeunes filles élégamment vêtues achetaient, en se promenant, les dernières fleurs de l'automne, et regardaient d'un œil agaçant les beaux garçons qui venaient en ce lieu faire leur promenade du matin et dépenser, suivant l'occasion, des sourires, de l'esprit et quelquefois aussi de l'argent.

Les demoiselles Hébert et de Grand'Maison faisaient provision d'immortelles et de fleurs de toutes sortes. Maintenant encore, quand vient l'hiver, on garde dans des vases brillants des fleurs desséchées, doux souvenirs des jours de soleil !

Elles étaient fort attentives à leurs achats et aux discours de leurs cavaliers, quand une dame à cheval, accompagnée du chevalier de Péan, s'arrêta près d'elles en poussant une vive exclamation, se pencha, et leur tendit la main. C'était Angélique des Meloises, plus gaie, plus charmeuse que jamais. Elle était voilée, mais son accent joyeux et son timbre argentin la faisaient toujours reconnaître.

Angélique aperçut alors deux jeunes gens avec ses amies.

—Oh ! je vous demande pardon ! messieurs, dit-elle, je ne vous avais pas vus !

C'étaient messieurs Le Mercier et d'Estèbe.

—Mon voile me nuit, ajouta-t-elle.

Et elle le rejeta de côté fort coquettement, puis offrit le bout de ses doigts aux gentilshommes qui y mirent un baiser.

—Bonjour ! Angélique ! exclama joyeusement Mlle Hébert. Quelle belle matinée ! Oh ! comme vous êtes rayonnante de fraîcheur, ma chère amie !

—N'est-ce pas ! répondit Angélique en scandant sa réponse de son rire argentin. C'est, vois-tu, l'air du matin et une bonne conscience qui me ravivent.

—Vous achetez des fleurs ? demanda-t-elle aux jeunes filles. J'ai été en chercher à Sillery, moi !

Et du bout de sa légère cravache elle caressait sa joue rose.

Elle n'eut pas le temps de continuer, car de Péan lui fit remarquer alors qu'il y avait du tumulte de l'autre côté du marché.

—Venez-vous, dit-il, nous allons voir ce que c'est ?

Mesdemoiselles Hébert et de Grand'Maison ne furent pas fâchées de la voir s'éloigner. Elles se sentaient écrasées par ses airs de souveraine, et craignaient qu'elle ne leur enlevât leurs cavaliers. L'enchanteresse n'avait qu'à dire un mot et tous la suivaient.

Guidée par de Péan, elle arriva bientôt à l'endroit où l'on se querellait. On voyait les gestes de menace, on entendait les cris de fureur qui précèdent d'ordinaire les coups d'épée et les combats en règle.

A sa grande surprise, elle reconnut Le Gardeur de Repentigny, ivre et furieux, qui s'efforçait, en jurant, de pousser son cheval dans la foule.

Il venait de laisser la table de jeu. Il avait perdu toute la nuit, et, dans son désespoir, il avait bu et accusé le sort d'injustice. Il prétendait que le colonel de Saint-Remy l'avait friponné au piquet et lui refusait sa revanche.

—Il a quitté le palais comme un serpent ! criait-il, je veux le rejoindre et lui cingler la figure avec mon fouet, s'il ne consent à se battre comme un gentilhomme !

Le Gardeur était accompagné du sieur de Lantagnac, un fameux dissipé qui avait gagné sa confiance, et qu'il trouvait tour à tour sans égal ou souverainement méprisable, selon qu'il était ivre ou à jeun, lui Le Gardeur.

Ce jour-là, sur un mot de de Péan, le sieur de Lantagnac s'était attaché à Le Gardeur comme son ombre. Il avait bu avec lui, et avait excité sa colère contre de Saint-Remy, tout en ayant soin cependant de se tenir assez sobre lui-même pour parer à tout événement.

Ils se dirigèrent ensemble vers la place du marché, ayant appris que de Saint-Remy était à l'église. Ils voulaient l'insulter par un coup de cravache et le forcer à se battre en duel—Le Gardeur du moins. Le misérable de Lantagnac mentait quand il se vantait d'être prêt à tout.

Ils allaient à toute vitesse, au risque d'écraser les gens qui se trouvaient sur leur chemin.

—Ce sont des gentilshommes de la Friponne ! cria-t-on, et ils furent poursuivis par des malédictions.

Juste à ce moment-là, le bourgeois Philibert se trouvait avec un de ses pauvres. Il s'informait de sa santé, de ses peines, de ses besoins, et le pauvre, appuyé sur ses béquilles, écoutait la tête inclinée et le sourire sur les lèvres, les bonnes paroles de son protecteur.

De Lantagnac reconnut le bourgeois.

—Le chien ! grinça-t-il, si je l'écrasais comme par accident !

Et il fouetta son cheval.

Le bourgeois le vit venir et lui cria d'arrêter, mais en vain.

Le cheval de Lantagnac fit un écart et, sans modérer de vitesse, passa sur le malheureux infirme qui roula dans la poussière, la figure tout ensanglantée. Le fer du sabot l'avait frappé au front.

Le Gardeur arrivait, éperonnant sa monture et criant comme un diable de livrer passage.

Le bourgeois comprit le danger. Pas pour lui, il ne craignait rien; mais pour le pauvre qui était par terre baignant dans son sang. Il se précipita pour détourner le cheval.

Il ne reconnut pas tout de suite l'imprudent cavalier. Au reste, Le Gardeur était presque méconnaissable, dans l'état d'ivresse et de colère où il se trouvait; et lui-même, Le Gardeur, ne reconnut pas non plus le bourgeois. Il se serait certainement arrêté dans sa course téméraire.

Il devait en être ainsi. La vie du bourgeois Philibert se jouait, ce jour-là, sur l'échiquier du monde où les bons et les mauvais génies se disputent continuellement la vie des mortels. L'esprit du bien perdit; l'esprit du mal gagna.

On était à l'un de ces points d'intersection où les fils de plusieurs existences se divisent, se croisent, se séparent, pour s'en aller, sans retour, les uns vers la vie, les autres vers la mort; ceux-ci au bonheur, ceux-là au désespoir.

Le Gardeur fouettait son cheval. Le blessé gisait devant lui, et allait être écrasé. Mais il ne l'avait pas entendu; il ne l'avait pas vu. Disons-le franchement, si cela peut être une excuse : il ne l'avait pas vu !

Le bourgeois saisit la bride avec tant d'énergie que le cheval fit une soudaine volte-face, et se cabra violemment. Le Gardeur faillit tomber.

Bouillant de rage, il sauta à terre. Il ne savait pas encore à qui il avait affaire, et se souciait peu de le savoir. Il ne voyait qu'un insolent qui avait osé l'arrêter et il voulait le châtier sur-le-champ.

De Péan arrivait sur la place avec Angélique; il reconnut le bourgeois. Superbe, impassible, il semblait provoquer Le Gardeur.

—Voilà l'heure du triomphe pour notre compagnie, pensa-t-il.

Et, se servant de sa main comme d'un porte-voix, il cria tout joyeux cette horreur qui domina le tapage de la foule :

—Le Gardeur, achevez-le !

Angélique, toujours les rênes à la main, était pâle comme un marbre, immobile comme une statue. Elle avait peur pour son bien-aimé que la foule menaçante entourait. Le bourgeois, elle s'en souciait bien ! Au reste, il avait tout le monde pour lui.

Mais la tempête allait laisser des ruines ! Il allait tomber, ce brave citoyen, dans la gloire de ses bonnes œuvres, comme un roi frappé de la foudre dans les splendeurs de son palais !

Le Gardeur s'avança sur lui avec imprécations, et lui donna un coup de cravache.

Le vieux marchand sentit, à cette insulte, son sang bouillonner; il leva vivement sa canne pour parer un second coup et frappa son agresseur au poignet. Le fouet tomba. Alors Le Gardeur voulut se précipiter sur le vieillard, mais les habitants le repoussèrent. Il eut une horrible tentation... La vie de plusieurs allait finir, la vie de bien des innocents !

Une main se posa tout à coup sur son épaule, et il entendit une voix de femme lui parler avec chaleur.

Angélique avait percé la foule. Elle n'était plus pâle, ni calme dans sa frayeur, mais tout enflammée. Elle fixait sur son amant ses yeux redoutables qui rendaient fous. Elle avait vu ce qui venait de se passer et se sentit aussi indignée que lui du coup de canne qu'il avait reçu.

De Péan avait jugé le moment venu.

—Angélique, avait-il dit, le bourgeois frappe Le Gardeur; quelle insulte ! Allez-vous endurer cela !

—Jamais ! s'était-elle écriée, et Le Gardeur non plus!

C'est alors qu'elle avait poussé son cheval, s'était ouvert un chemin jusqu'à Le Gardeur, et que, lui mettant la main sur l'épaule, elle lui avait parlé d'une voix passionnée.

—Comment, Le Gardeur ! avait-elle dit, vous souffrez qu'un Malva comme ça vous abîme de coups, et vous portez l'épée ?

C'en fut assez. Enivré, fasciné par ce regard et cette parole, Le Gardeur aurait tué son père.

Il jura qu'il allait se venger sans retard, et, poussant un cri sauvage, agile et fort comme une panthère, il se débarrassa des habitants qui le gênaient, tira son épée et la passa à travers le corps du bourgeois.

Le bon vieillard n'avait pas eu le temps de se mettre en défense. Il tomba mourant, à côté de l'infortuné à qui il venait de faire l'aumône et dont il voulait protéger les jours.

—Bravo ! Le Gardeur ! exclama de Péan; c'est le meilleur coup d'épée qui ait jamais été donné en la Nouvelle-France ! Le *Chien d'Or* est vaincu et le bourgeois a payé sa dette à la grande compagnie !

Le Gardeur le regarda d'un air étrange :

—Quel est cet homme, de Péan ? Qui ai-je tué ?... demanda-t-il.

—Le bourgeois Philibert, que diable ! répondit de Péan d'un air tout fier.

Le Gardeur poussa un cri rauque.

—Le bourgeois Philibert ! J'ai tué le bourgeois Philibert ! ! ! De Péan en a menti, Angélique ! dit-il, en se tournant vers la jeune fille; je ne voudrais pas tuer un moineau qui appartiendrait au bourgeois. Oh ! dites-moi que de Péan me trompe !

—De Péan dit vrai, confirma Angélique, épouvantée du regard terrible de Le Gardeur... Mais c'est le bourgeois qui vous a frappé d'abord. Je l'ai vu! Il vous a frappé avec sa canne. Vous êtes un gentilhomme, et un gentilhomme tuerait le roi lui-même, si le roi osait le frapper de son bâton comme on fait d'un chien !... Regardez; on le relève, c'est bien lui.

Le Gardeur, tournant ses yeux égarés vers sa victime, reconnut en effet le bourgeois qu'il estimait si profondément.

Il jeta son épée à terre.

—Malheureux que je suis ! s'écria-t-il, je suis un parricide ! un parricide ! J'ai tué le père de mon frère ! ...O Angélique des Meloises ! c'est vous qui m'avez fait tirer l'épée ! Et je ne savais pas contre qui ! Je ne savais pas pourquoi !

—Je viens de vous le dire, Le Gardeur ! et vous m'en voulez ? Mais, voyez le tumulte ! sauvons-nous, ou nous allons nous faire tuer comme le bourgeois ! Vite ! vite ! Le Gardeur ! Au palais ! au palais !

—A l'enfer ! plutôt, vociféra Le Gardeur; le palais ne me reverra jamais ! Sauvez-vous, Angélique ! peu m'importe la mort, à moi !... De Péan, emmenez-la ! ou bien il y aura encore du sang de versé !... C'est votre ouvrage, de Péan ! rugit-il, en jetant au traître chevalier un regard de menace.

—Voudriez-vous donc vous venger sur elle ou sur moi, Le Gardeur ? questionna de Péan, pâle de crainte.

—Sur elle ? êtes-vous fou ? Sur vous, par exemple ! si vous ne l'emmenez pas tout de suite loin de cette bagarre !...Je veux voir le bourgeois ! O Dieu ! est-il mort ?

Une immense clameur retentit aussitôt sur la place du marché.

Le bourgeois vient d'être tué ! La grande compagnie, c'est la grande compagnie qui l'a assassiné !

Des hommes accouraient de toutes parts en vociférant et en gesticulant.

La nouvelle se répandit comme une fusée dans la ville, et un cri de vengeance monta du milieu de la foule.

Le premier qui courut au secours du bourgeois fut le frère Daniel, un Récollet. Il s'agenouilla près de lui et sa robe grise se teignit de larges taches de sang.

Hélas ! le mourant ne pouvait plus prier ni entendre les prières des autres !

Cependant, quand le Frère gris lui fit le signe de la croix sur le front, il ouvrit les yeux et le regarda fixement une minute; puis ses lèvres pâles frémirent et il murmura deux noms : Pierre ! Amélie ! Ce fut tout.

Il était mort !

—«Heureux les morts qui meurent dans le Seigneur !» prononça le Récollet, car ils se reposent de leurs peines !

De Péan avait remarqué la surexcitation de la foule, et il se tenait prêt à fuir. Mais il voulait emmener Angélique, et Angélique s'obstinait à attendre Le Gardeur.

Or, Le Gardeur s'était jeté à genoux auprès du cadavre du bourgeois et essayait de le relever.

Il pleurait et poussait des gémissements amers.

Un habitant qui le voyait faire, se mit à crier :

—Voici l'assassin, le voici !... C'est cet homme ! c'est cette femme-là aussi !...tous les deux !... C'est elle qui lui a dit de tirer l'épée !...

Il montrait Le Gardeur et Angélique.

La foule crut qu'il désignait de Péan.

—Non ! pas celui-là ! hurlait-il; l'autre ! celui qui est démonté !... celui qui est ivre !... Qui est-il ? Où est-il ?

Et tout en criant, il s'ouvrit un chemin jusqu'au malheureux Le Gardeur.

—C'est lui ! clama-t-il, je le tiens !

—Par Dieu ! il a bien l'air d'un meurtrier, en effet ! tonnèrent une douzaine de voix.

Le Gardeur se tenait toujours agenouillé près de sa victime avec le bon Frère récollet. Plusieurs hommes se jetèrent sur lui.

Il tendit ses bras.

—Faites-moi prisonnier ! gémit-il, tuez-moi si vous le voulez; c'est moi, le coupable !...J'ai assassiné le bourgeois !

Aussitôt une dizaines d'épées flamboyèrent.

—Ne le tuez pas ! retentit une voix stridente, c'est Le Gardeur de Repentigny ! Aidez-nous à le sauver, vous Hébert ! vous Martin ! vous Dupuis !

Tout le monde regarda d'où venait cette clameur, et quelle était cette femme qui connaissait ainsi les gens par leurs noms.

On aperçut Angélique des Meloises.

Le Gardeur se releva et fut reconnu. Nul ne voulait croire à son crime, car il passait pour le meilleur ami des Philibert.

De Péan voulut profiter de ce moment de répit pour s'esquiver, et il saisit le cheval d'Angélique par la bride.

—Venez ! dit-il à la jeune fille, sauvons-nous avant que la rage de cette foule ne se tourne contre vous ou contre moi.

—Je ne bougerai pas d'ici, de Péan ! sauvez-vous, poltron que vous êtes !...Comment ! Le Gardeur est menacé et je l'abandonnerais !... Ils me tueront la première !

—Mais comprenez donc, Angélique, qu'il faut fuir ! Ces gens ne feront aucun mal à Le Gardeur, maintenant... Ils vont me soupçonner ! C'est sur moi que va se décharger leur colère... J'ai un corps et une âme à sauver, comme lui !

—Au diable votre âme et votre corps ! C'est votre faute, cela ! C'est vous qui m'avez soufflé ces infernales paroles!... Je ne partirai pas !

Elle tenta de se frayer un chemin jusqu'à Le Gardeur, mais elle n'y réussit point. Elle vit qu'il était enfermé, dans un cercle étroit, un cercle de citoyens émus, agités, surexcités. Mais ces hommes paraissaient le prendre en pitié plutôt que le menacer.

Il était prisonnier. Elle ne s'en doutait pas, car elle eut certainement cherché à le délivrer.

De Péan s'aperçut alors qu'une partie des gens se tournaient vers lui avec des regards et des gestes menaçants; il donna de l'éperon et de la cravache à son cheval qui partit au galop.

Il tenait toujours l'une des rênes de la bride du cheval d'Angélique, de sorte que celui-ci dût suivre.

Ils galopèrent vers les casernes du régiment du Béarn, où ils cherchèrent un refuge contre les malédictions de la populace.

Le Gardeur, subitement dégrisé, comprit l'énormité du crime qu'il venait d'accomplir, et se mit à supplier la foule de le tuer sur-le-champ.

—Voici mes mains, criait-il, enchaînez-les ! ce sont les mains d'un meurtrier !

Mais personne n'osait le toucher, tant l'étonnement était grand. Sa douleur immense, son excessif regret, attendrissaient les plus durs; et plusieurs disaient qu'il avait eu un accès de folie, et qu'il fallait le plaindre plutôt que le châtier.

A sa propre demande, il fut remis à un piquet de soldats et conduit prisonnier au château Saint-Louis. Un nombre considérable de curieux le suivirent jusque sous la grande porte cochère.

Pendant ce temps-là, des hommes prenaient sur leurs épaules le cadavre du bourgeois et le portaient au *Chien d'Or*.

Eux aussi étaient suivis d'une multitude nombreuse. Et du milieu de cette multitude qui marchait à pas lents derrière le mort, s'élevaient des plaintes et des gémissements.

Les premiers, dans cette procession funèbre, s'avançaient, la tête basse et en murmurant des paroles sacrées, les deux Frères récollets, Daniel et Ambroise, les amis fidèles du défunt.

Ils disaient ces paroles de l'hymne de saint François d'Assise, le fondateur de leur ordre :

Loué soit le Seigneur dans la mort et la vie !
Notre soif de vieillir n'est jamais assouvie,
Et chacun à son tour dans la tombe est couché !
Malheur à l'insensé qui meurt dans son péché !
Mais heureux celui-là qui te remet son âme
Pure comme à l'instant où ton Verbe de flamme,
Dieu puissant ! la créa pour l'immortalité.
La mort est son triomphe et sa félicité.

Dame Rochelle entendit du bruit et regarda à sa fenêtre. Elle vit la masse du peuple qui s'agitait comme des vagues sur un rocher, et des gens qui débouchaient de diverses rues en courant tous vers la place.

Les employés du bourgeois sortirent aussi et rejoignirent les autres.

Dame Rochelle devina qu'il était arrivé quelque malheur à son maître et elle se mit en prière.

Le bruit augmentait toujours. Elle se pencha à la fenêtre et demanda ce qu'il y avait.

—Le bourgeois est mort ! fut-il répondu. C'est la grande compagnie qui l'a tué ! On l'apporte ici.

Elle tomba à genoux en poussant un cri d'angoisse.

La lugubre procession entra. Ceux qui portaient le cadavre vinrent le déposer dans le salon rempli de soleil. Le ciel semblait sourire à cette mort d'un homme vertueux.

Les habitants qui l'avaient apporté le regardèrent un moment avec des larmes dans les yeux, puis se retirèrent en silence.

Ils étaient tristes comme devant la dépouille d'un père bien-aimé.

Ainsi finit le bon bourgeois. Il aurait pu gouverner un empire, tant il avait d'énergie et d'habileté, et si immense étant son influence dans la colonie.

Il n'était plus qu'un peu de poussière qui allait, demain, se confondre avec la poussière du champ des morts.

Le Chien d'or était muet ! Le Chien d'or n'était plus qu'un souvenir ! Mais il allait rester buriné dans la pierre, pour rappeler aux générations futures le lamentable événement que nous venons de raconter.

Dame Rochelle s'était précipitée dans la chambre où son maître venait d'être déposé.

—Ah ! vos implacables ennemis vous ont donc tué enfin ! s'écria-t-elle... Je le savais ! Vous étiez trop juste ! trop bon ! Votre vertu leur reprochait trop hautement leurs vices !... Pierre ! oh ! Pierre ! où est-il en ce moment de désolation ? Comment le revoir ? Comment lui dire cette chose horrible ?...

Les amis du bourgeois arrivaient tour à tour et le tumulte augmentait dans la rue. Le gouverneur et de la Corne de Saint-Luc accoururent les premiers. Ils avaient hâte de connaître les détails du meurtre.

Claude de Beauharnois et Rigaud de Vaudreuil les suivirent de près. Quand ils passèrent sur la rue Buade, ils entendirent des cris de malédiction contre la Friponne et contre l'assassin. Cependant, les gens se découvrirent pour les saluer.

Comme il y avait lieu de penser que les magasins de la grande compagnie allaient être attaqués par la populace furieuse, le gouverneur envoya des troupes pour les protéger. Il fit garder, aussi, par divers détachements, le palais de l'intendant, les hangars de la Friponne et la maison de Mme de Tilly.

Le docteur Gauthier avait examiné la blessure et constaté la mort. La blessure saignait toujours... Le bon Frère était toujours à genoux, en prière, aux pieds du mort.

De la Corne de Saint-Luc sentait son cœur se briser de désespoir, dans sa vaillante poitrine, quand il songeait que le meurtrier de son ami était son filleul, l'objet de son orgueil et de ses prédilections.

—Oh ! quelle honte ! quelle honte ! gémissait-il. Ce serait mon propre fils qui aurait ainsi trempé ses mains dans le sang d'un juste, que je n'en éprouverais pas plus de douleurs ni plus d'humiliation !

—De la Corne, lui dit le gouverneur, je suis désolé comme vous. Mais il y a un mystère dans ce forfait, un mystère terrible ! Il paraît que de Péan a laissé tomber une parole qui indiquerait un complot. Le Gardeur, de lui-même, n'aurait jamais eu l'idée d'une pareille monstruosité.

—Ah ! je le crois ! je le crois ! s'écria de la Corne de Saint-Luc. Il a dû être victime de quelque machination infernale. Il respectait, il aimait le bourgeois, le père de son meilleur ami !

—Le parti des *honnêtes gens* est décapité, observa le gouverneur avec intention.

—C'est vrai comme l'Évangile ! approuva de la Corne de Saint-Luc. Et Bigot, ajouta-t-il, comme pour compléter la pensée du gouverneur, ne rencontrera plus d'obstacles désormais. Je pense qu'il est au fond de l'affaire. C'est une œuvre digne de lui !

—Je ne dis pas non, de la Corne, mais ces gens de la grande compagnie sont tellement adroits et rusés, qu'il sera bien plus facile de les soupçonner que de les convaincre.

—Ce qui m'étonne, ce n'est pas l'assassinat lui-même mais c'est le choix de Le Gardeur pour le perpétrer.

—C'est, en effet, quelque chose d'inexplicable. Ils l'ont enivré, paraît-il...et quand un homme n'a plus sa raison, il est souvent plus cruel envers ses amis qu'envers les autres.

—C'est évident ! clama de la Corne de Saint-Luc, qu'ils l'ont fait boire pour le pousser ensuite à ce crime terrible !

—Je le crois, approuva le gouverneur. Il doit en être ainsi, car il aimait trop Pierre Philibert, son sauveur, pour faire quoi que ce fût qui l'aurait chagriné.

—Ils se chérissaient l'un et l'autre comme des frères, ajouta le vieux soldat. Bigot a pu corrompre les habitudes de Le Gardeur, mais jamais il n'a pu le dépouiller de son cœur ni de ses sentiments de gentilhomme.

—Il y a dans ce crime, de la Corne, un mystère que je ne puis approfondir, et un autre malheur nous menace peut-être. Nous sommes pourtant assez éprouvés déjà !

—Qu'est-ce donc ? fit de la Corne anxieusement.

—Pierre Philibert arrive ce soir et il y aura duel entre lui et Le Gardeur. Voilà le couronnement de l'infernal complot ! Pierre Philibert est la plus vaillante épée de la Nouvelle-France et il vengera la mort de son père.

De la Corne de Saint-Luc fit un bond, puis secouant la tête :

—Non ! répliqua-t-il, non, il n'y aura pas de duel ! Le Gardeur offrira sa poitrine au fer de son ami, mais il ne se défendra point. Au reste, il est prisonnier, le malheureux !

—Nous veillerons sur lui, ajouta le gouverneur, et justice sera faite. Pas de vengeance aveugle, mais pas de lâche faveur !

Un messager entra pour dire au gouverneur que ses ordres avaient été exécutés fidèlement et que la paix se rétablissait.

—Maintenant que nous avons protégé la propriété publique, reprit le gouverneur, il nous faut aller consoler nos amis.

—Hélas ! ajouta de la Corne de Saint-Luc, les hommes versent des larmes amères, c'est vrai, mais les femmes ont des larmes de sang ! Quelle doit être la douleur de ma pauvre filleule Amélie de Repentigny et de Mme de Tilly !

—Allez les consoler, de la Corne, et que l'ange du Seigneur vous accompagne !

De la Corne de Saint-Luc sortit de la maison en deuil, prit la rue du Fort et monta vers le cap.

—Quelle triste journée, ô mon pauvre Rigaud ! quel déshonneur pour notre colonie ! exclama le gouverneur à son ami de Vaudreuil, pendant qu'ils retournaient ensemble au château Saint-Louis.

—Je donnerais la moitié de ce que je possède pour que ce lugubre drame pût être effacé de nos annales, répliqua Rigaud. C'est heureux que votre ami Kalm soit parti car il n'aurait pas manqué d'écrire, et toute l'Europe l'aurait lu, qu'en Nouvelle-France l'intendant royal fait assassiner les gens pour se venger et pour remplir les coffres de la plus grande compagnie de voleurs qui n'ait jamais existée.

—Faites attention, Rigaud ! ne parlez pas trop haut. On ne sait pas après tout. Mais le sang de l'honnête bourgeois crie vengeance, et notre devoir est de rechercher tous les coupables. Nous les trouverons, j'en ai l'espoir.

—Vous avez raison, comte, mais écoutez-moi bien : dès l'instant que vous essaierez de débrouiller la trame damnée et de mettre la main sur les coquins qui l'ont ourdie, vous recevrez vos lettres de rappel.

—C'est possible, Rigaud, répondit le gouverneur en branlant la tête; il s'accomplit de si étranges choses sous ces étranges femmes qui règnent à la cour. Cependant, tant que je serai ici, je ferai mon devoir.

Le comte fit appeler quelques-uns de ses plus habiles et de ses plus dévoués conseillers, pour prendre en considération le lamentable accident qui venait d'avoir lieu, et aviser aux moyens d'atteindre les coupables et de faire triompher la justice.

LI

LES MAUVAISES NOUVELLES VONT VITE

Le matin de la Saint-Martin, le soleil inonda de joyeux rayons les fenêtres de la chambre d'Amélie de Repentigny. Il y avait une gaieté nouvelle dans cette lumière dorée de l'automne qui se précipitait d'un ciel pur, et donnait à tous les objets un éclat inaccoutumé.

Amélie était entourée de ses plus intimes amies. Elle tenait conseil, un grave et important conseil ! aussi grave que le permettaient la pétulance et l'enjouement de la jeunesse heureuse, aussi important que le choix d'une toilette de noce.

Oui, les gentilles conseillères discutaient bouillons de dentelles et falbalas, nuances des étoffes et formes des habits. Elles discutaient aussi les noms des filles et des garçons d'honneur.

Amélie était toute à ses rêves de bonheur.

Elle gardait encore, sur ses joues fraîches, les teintes roses que la promenade de la veille y avait fait naître. Elle entendait encore les murmures de la petite rivière Lairet, et, plus doux que ces murmures, les soupirs de Pierre, son fiancé ! Les paroles de tendresse qu'il lui avait dites, résonnaient toujours comme une musique divine, au fond de son âme.

Et puis, elle rappelait les doux aveux qu'elle avait laissé tomber de ses lèvres. Elle s'était peut-être montrée un peu trop expansive... pas assez, peut-être ! Plutôt pas assez. Devant l'homme qui est son fiancé, qui sera son maître et son roi pour la vie, la jeune fille, comme Sara devant Abraham, peut bien s'enorgueillir de sa joie, et verser comme un parfum, l'amour de son cœur !

Amélie avait rêvé qu'elle s'était mariée dans un paradis terrestre, et ce paradis, pour elle, ressemblait aux bords du petit lac de Tilly et de la jolie rivière Lairet. Et les anges du ciel avaient chanté l'hymne d'un hymen éternel.

Dans sa chambrette ensoleillée, ce matin-là, il y avait Hortense de Beauharnois qui venait d'être fiancée à Jumonville de Villiers, Héloïse de Lotbinière, sa plus tendre amie, Agathe, la spirituelle enfant de la Corne de Saint-Luc et Marguerite de Repentigny, sa cousine.

Des dentelles et des broderies, des étoffes des Indes et de Cashmere, couvraient toutes les chaises et les tables. Un éclatant fouillis !

Sur une tablette, il y avait un riche coffret d'or, incrusté de diamants, où un artiste vénitien avait ciselé les noces de Cana. C'était le cadeau de noce du bourgeois Philibert.

Amélie était vêtue d'une robe blanche et ses cheveux noirs, dénoués, retombaient négligemment sur ses épaules. Elle se montrait vive, enjouée, expansive et, comme un reflet de l'ardeur chaste de son âme, une flamme inaccoutumée rayonnait dans ses grands yeux souvent pensifs.

Elle portait sur sa poitrine la croix d'or que Philibert lui avait donnée autrefois, une épingle, souvenir de Le Gardeur, et à son doigt, l'anneau de ses fiançailles.

Hortense de Beauharnois vint s'asseoir devant elle sur un tabouret, et s'appuyant avec grâce sur ses genoux:

—Nous étions loin de songer à cela, dit-elle, au couvent !

Et elle montrait l'anneau qu'elle portait, elle aussi, depuis quelques jours.

Elle mit sa main à côté de celle d'Amélie pour comparer les deux joyaux.

—Elle est belle ta bague, fit Amélie, et tu peux en être fière.

—Et je suis fière de mon fiancé ! A part Philibert, je ne vois pas un pareil gentilhomme dans toute la Nouvelle-France.

—Et tu trouves qu'il ressemble à Pierre ?

—Pas au physique, mais au moral : mêmes qualités, même noblesse, mêmes vertus ! Il n'a pas la haute stature de Pierre, ni son œil bleu acier; mais il est aussi beau d'une autre façon.

—Et tu l'aimes bien, ton Jumonville ?

—Et je veux être digne de lui! N'est-ce pas que nous sommes heureuses, Amélie ?

—Trop, peut-être. J'ai toujours peur des grandes félicités. Pierre revient ce soir; il ne repartira plus sans moi, je te l'assure. Tu comprends ?... Tiens, Le Gardeur m'a écrit une charmante lettre. Il a réfléchi, le pauvre enfant ! il reprend quelque empire sur lui-même, et ses nobles sentiments se réveillent tout à fait... Comme je suis heureuse !

—Pauvre Le Gardeur ! te l'avouerai-je, Amélie ? si Jumonville n'était pas revenu, j'aurais été la rivale d'Héloïse, et comme elle, sans doute, j'aurais été supplantée par Angélique.

—La bonne Héloïse ! murmura Amélie, elle se serait consolée en songeant que tu es digne de celui qu'elle aime.

—Je n'aurais pas une aussi parfaite résignation, Amélie, et je ne voudrais pas maintenant faire le bonheur d'un autre que Jumonville ! C'est de l'égoïsme, mais c'est bien naturel pourtant; je mourrais s'il m'était infidèle !

Marguerite de Repentigny se leva soudainement du milieu des flots de mousseline et de soie, de dentelles et de fleurs qui l'entouraient.

—C'est assez d'égoïsme comme cela, vous, les deux jeunes amoureuses; je proteste ! s'écria-t-elle en regardant avec un sourire charmant, Hortense et Amélie, qui s'oubliaient dans leurs confidences.

—Moi aussi je proteste ! fit Agathe de la Corne de Saint-Luc. Mariez-vous le plus tôt possible, mais ne venez pas nous narguer cruellement, nous, pauvres déshéritées, et nous faire...

—Sécher de langueur ! acheva Hortense en voulant l'embrasser.

Et elle continua :

—Je serai ta demoiselle d'honneur, Agathe, quand tu auras fait ton choix.

—Le prince qui doit m'enlever n'est pas encore arrivé, riposta Agathe. Mon mari sera roi... à mes yeux, quand même il serait mendiant aux yeux des autres. S'il n'est pas roi, il sera officier. Je ne sors pas de l'armée !... Tu te souviens de notre chanson du couvent :

Je voudrais bien me marier,
Mais j'ai grand peur de me tromper.
Je voudrais bien d'un officier,
Je marcherais à pas carrés
Dans ma jolie chambrette !

Et, tout en chantant ce gai couplet, Agathe, couronnée de fleurs d'oranger, la tête haute, les bras raides, marchait à pas mesurés dans la chambre, et contrefaisait tour à tour Hortense et Amélie, au grand plaisir de ses compagnes qui riaient de bon cœur.

Le soleil enveloppait d'un nimbe éclatant ce groupe charmant de jeunes filles. Quelques reflets tombaient dans le petit oratoire, et l'on eut dit l'échelle céleste de Jacob avec les anges qui montaient et descendaient.

Amélie aperçut ces filandres d'or qui semblaient sortir de la croix comme un rayonnement et son cœur s'éleva vers Dieu. Hortense vit au même instant le jeu divin de la lumière, et posant sa main sur l'épaule de son amie, elle aussi fut comme absorbée dans un ravissement céleste.

Alors le galop d'un cheval rapide retentit sur le pavé et une clameur monta de la rue.

Hortense et Amélie se regardèrent inquiètes et les autres jeunes filles se précipitèrent au balcon.

Le cavalier disparaissait à l'angle du cap.

Mais le cri devenait plus formidable, comme si de nouvelles voix se fussent mêlées aux premières.

Des gens à cheval, d'autres à pied, se précipitaient vers le château Saint-Louis. Quelques-uns montaient la place d'Armes et se dirigaient,en faisant des menaces, vers la maison de Mme de Tilly.

Le jeune La Force galopait à toute bride. A la vue des demoiselles qui étaient au balcon, il s'arrêta court,

—Mon Dieu ! monsieur La Force, qu'y a-t-il donc ? demanda l'une d'elles.

—Qu'y a -t-il ? fit une autre.

La Force se découvrit. Il avait l'air triste, désespéré.

—Mme de Tilly est-elle chez elle ? demanda-t-il.

—Elle est sortie, monsieur La Force... mais qu'avez-vous donc ? que se passe-t-il ! interrogea vivement Hortense qui venait d'accourir.

—Mlle Amélie est-elle ici ? reprit La Force d'une voix qui trahissait son émotion.

—Oui, elle y est, répondit Hortense. O ciel ! continua-t-elle, toute tremblante, lui apportez-vous quelque mauvaise nouvelle ?

—Mauvaise nouvelle pour elle... pour Mme de Tilly... pour nous tous ! dit La Force dans un gémissement. Mais d'autres vont venir qui diront tout... Préparez Mlle Amélie à la plus amère des épreuves... Je me sauve !...

Et il partit au galop.

Les jeunes filles, pâles de terreur, se regardèrent anxieusement, en se demandant ce que signifiaient ces paroles étranges.

Amélie et Héloïse avaient saisi quelques mots. Elles s'élancèrent vers le balcon.

Au même instant, deux servantes montaient, la bouche béante, les yeux hagards, et terriblement excitées. Elles n'attendirent pas les questions, mais sans précautions, brusquement,—comme c'est la coutume de ces personnes-là,—elles jetèrent la terrible nouvelle au milieu du groupe inquiet.

—Le Gardeur vient de tuer le bourgeois Philibert sur la place du marché !... Il est mort, lui aussi, ou prisonnier. Il paraît qu'ils vont brûler la Friponne, pendre l'intendant sous l'enseigne du *Chien d'Or* et détruire toute la ville !...

Heureuses de n'avoir pas été devancées, ces deux servantes se précipitèrent dans les escaliers et coururent semer l'épouvante dans toute la maison.

Hortense et Agathe avaient vainement essayé d'empêcher Amélie d'arriver au balcon; elles n'avaient pu l'empêcher d'entendre les indiscrètes messagères.

Amélie aperçut l'épouvantable vérité comme à la lueur d'un éclair sinistre; elle fut foudroyée comme par un éclat de tonnerre.

En une seconde, elle contempla sa ruine profonde ! En une seconde, elle vit son frère devenu un assassin ! le cadavre du bourgeois gisant sur la place publique ! Pierre ! son amour et son orgueil, perdu à jamais !

Il y avait du sang entre elle et lui, maintenant ! du sang et la malédiction d'un mourant !...

Un instant, elle regarda ses compagnes émues, et ses yeux grands ouverts semblaient voir des choses invisibles. Une atroce souffrance se peignait sur sa figure; elle semblait implorer un secours que nul sur la terre ne pouvait plus apporter.

Elle ne dit pas une parole, poussa tout à coup un sanglot amer et tomba dans les bras d'Héloïse de Lotbinière.

Elle s'était évanouie.

Ses jeunes compagnes l'inondaient de pleurs en la déposant sur sa couche, car son sommeil était comme la mort, et sa félicité venait d'entrer dans un éternel tombeau.

En l'absence de Mme de Tilly, Marguerite de Repentigny donna les ordres nécessaires aux serviteurs, et défendit de recevoir.

Mme Couillard et Mme de Grand'Maison ne furent pas longtemps avant de se présenter à la porte.

La curiosité les poussait, les pressait. Elles durent s'en retourner aussitôt, scandalisées de ce qu'il n'y avait pas d'exception en leur faveur.

Après un long évanouissement, Amélie ouvrit les yeux et fixa, tout étonnée, ses fidèles compagnes.

Elle cherchait à se souvenir.

Agathe n'avait pas pensé à ôter la couronne de fleurs d'oranger qu'elle avait mise sur sa tête tout à l'heure, dans un moment de folle gaieté, pour faire rire ses amies. Amélie aperçut cette couronne de mariée et le voile nuptial, et la conscience de ce qui se passait lui revint soudain.

Elle revit les mains sanglantes de son frère, et le cadavre du bourgeois... et elle porta d'instinct la main à ses paupières comme pour effacer l'horrible vision.

Ses compagnes se mirent à lui parler doucement, pour tâcher de la distraire un peu de l'effrayante pensée, ou de la consoler à force d'amitié. Mais elle ne voulait plus, elle ne pouvait plus être consolée.

Elles pleurèrent toutes ensemble.

Amélie sortait d'une race forte. Elle était capable de souffrir, et les résolutions les plus héroïques ne l'effrayaient point.

Elle comprit que son existence de calme et de félicité venait de finir. Le crime de son frère avait secoué jusque dans ses fondements l'édifice glorieux de son bonheur. C'était le tremblement de terre qui abîme et détruit les prés verdoyants et les palais somptueux !

Elle ne serait jamais la femme de Philibert ! Plus d'espérance ! plus d'espérance ! Rien ne pouvait la soustraire à cet arrêt fatal du destin qui l'écrasait comme la pierre du tombeau ! Ah ! que les larmes sont amères après les délices de l'amour et de l'espoir !...

Elle mourrait, elle était morte ! Morte à la joie, aux plaisirs, aux espérances ! Dieu l'avait frappée!...

Un crime affreux venait d'être commis et elle, l'innocence et la douceur, elle en portait tout le poids et en subissait le châtiment !...

Elle se leva. Elle était belle, dans sa pâleur de marbre, comme la belle Niobé. Elle paraissait comme elle, immobilisée dans sa douleur.

—Mes chères compagnes, dit-elle, c'en est fait de la pauvre Amélie de Repentigny. Dites à Pierre—elle eut un sanglot—dites à Pierre qu'il ne me haïsse pas à cause du sang qui souille notre maison...Dites-lui comme je voulais l'aimer, le rendre heureux !...toujours ! toujours ! Dites-lui que mon seul bonheur sera de savoir qu'il a pitié de moi... qu'il ne m'oublie pas, qu'il m'aime toujours !... Je n'ose pas le supplier de pardonner à Le Gardeur... Je ne puis pardonner moi-même... Mais qu'il soit miséricordieux...Et maintenant, ajouta-t-elle, d'un accent énergique et fiévreux, maintenant, emportez cette menteuse toilette nuptiale... Je suis la fiancée de la mort !... Ce sont des vêtements de deuil qu'il me faut... qu'il me faut, à moi, la sœur... O mon Dieu ! j'allais dire : la sœur d'un meurtrier.

Elle ramassa les guirlandes de fleurs, les étoffes soyeuses, les dentelles superbes et les jeta dans un coin de la chambre.

—Ma gloire s'est évanouie, reprit-elle, et je suis châtiée dans ma vanité !...Mais c'est pour lui que je voulais être belle !...Vous donnerez tout cela à quelque douce fiancée qui aura plus d'amour que de richesses, et elle s'en parera, le jour de ses noces, en songeant à l'infortunée Amélie de Repentigny !...

Toutes les jeunes filles la regardaient en pleurant.

Elle ouvrit sa garde-robe.

—Il y a ici depuis longtemps, continua-t-elle encore, un autre voile nuptial... je ne me doutais pas qu'il me servirait !

Et elle tira un long voile noir.

—C'est le voile de ma grand-tante, Madeleine de Repentigny, une religieuse. C'est un bien de famille. Je le porterai jusqu'à ma mort... Embrassez-moi, ô mes sœurs ! mes filles d'honneur, mes compagnes ! je m'en vais aux Ursulines, faire pénitence pour Le Gardeur et prier pour mon bien-aimé Pierre !

—O Amélie, s'écria Hortense, songes-y, réfléchis avant de prendre cette extrême résolution; Pierre en mourra.

—Pierre ? ah ! je l'ai tué, déjà !... Il est mort pour moi... Comment pourrais-je supporter son regard !... Je mourrais de honte, comme si j'étais vraiment coupable !... Je me donne à Dieu pour mon frère et pour mon fiancé ! qu'Il me prenne en expiation ! Soyez heureuses et priez pour moi !...

Ses compagnes l'entourèrent de leurs bras et la couvrirent de pleurs et de baisers.

—Adieu ! fit-elle, adieu ! je me sauve avant le retour de ma tante... j'ai peur de sa douleur !...

Héloïse de Lotbinière se jeta de nouveau dans ses bras.

—Tu ne partiras pas seule, s'écria-t-elle ! je m'en vais avec toi !...Moi aussi je veux prier pour Le Gardeur..., moi aussi !

Sa voix s'éteignit dans les pleurs.

—O ma cousine chérie ! fit Amélie, viens, viens ! la lampe de Repentigny brûle toujours dans la sainte chapelle et nous serons bien, là, pour pleurer et prier !

Et les deux jeunes amies, la tête couverte d'un long voile noir, s'arrachèrent aux embrassements de leurs compagnes et sortirent de la brillante maison qui avait été leur demeure heureuse, pour se rendre au sombre monastère des Ursulines.

Héloïse et Amélie, la figure recouverte d'un voile épais, aux bras l'une de l'autre, sans voir personne et sans être reconnues, traversèrent les rues qui conduisaient au monastère.

Elles se hâtaient d'entrer dans la solitude.

Des groupes de femmes se formaient aux portes des maisons, et la triste nouvelle du meurtre volait de bouche en bouche. Tout le monde parlait de cela, questionnait les passants, regardait si quelqu'un ne surviendrait pas encore avec quelques détails inédits.

Les hommes avaient couru au *Chien d'Or*. Ils étaient indignés et regardaient, en proférant des menaces contre les auteurs de l'attentat, cette honnête et hospitalière maison, tout à l'heure d'une apparence si gaie, maintenant remplie de deuil, avec des tentures noires dans les fenêtres, et un long crêpe noir à la porte.

Quand Amélie et sa cousine passèrent sur la rue Desjardins, Mme Bissot qui causait avec sa voisine Mme Hamel, vit bien que c'étaient deux grandes dames, et elle en fit la remarque.

—Je ne serais pas surprise, dit-elle, qu'elles seraient des amies du bourgeois, ou peut-être, des désolées qui vont cacher leurs chagrins au couvent... Vous ne les connaissez pas, madame Hamel ?

—Pas du tout; c'est étonnant ! Mais il est facile de voir qu'elles rentrent au couvent. Tenez ! madame Bissot, j'ai vécu trente ans, fille et femme, dans la rue Desjardins, et je m'y connais. Rien qu'à les voir passer, je puis vous assurer que ce sont des cœurs brisés qui vont se réfugier sur le tombeau de la Mère de l'Incarnation.

Mme Bissot avait toujours une explication à donner.

—Notre sexe est doué d'une telle sensibilité, madame Hamel ! fit-elle en hochant la tête. Quand j'étais fille, je ressemblais à une sensitive. Il paraît que la tombe de la Mère Marie de l'Incarnation possède le rare privilège de calmer les troubles du cœur. Mais n'est-il pas singulier de voir se réfugier au cloître les jeunes filles qui perdent leurs amoureux ? Vous vous souvenez de la belle Madeleine des Meloises, qui se leva dans la nuit, à la nouvelle de la mort du jeune officier son promis, et se rendit pieds nus aux Ursulines, pour n'en plus revenir jamais ? Elle a trouvé des consolations dans le cloître, car depuis lors, elle chante toujours. Et, mon Dieu ! qu'elle chante bien ! Je vais aux vêpres exprès pour l'entendre.

—Oui, madame Bissot, c'est singulier ! Mon vieux dit toujours : sensibilité de la femme, inconstance de l'homme et folies de l'amour, rendent la vie joyeuse, et je crois qu'il a raison. Mais voyez donc ! je vous le disais bien que je m'y connaissais ! Elles vont au couvent.

Amélie et Héloïse venaient de monter le grand perron de pierre du cloître, qui formait comme une barrière implacable entre le monde et la solitude.

Le soleil baignait d'un flot de lumière le haut pignon du cloître et le beffroi léger. Au-dessus de la porte, dans une petite niche, une statue de saint Joseph, les bras tendus, semblait leur sourire et les accueillir avec bonté. La lumière du ciel pénétrait dans le vestibule dénudé et lui donnait un aspect radieux. Un rayon qui traversait le guichet garni de barreaux, tombait de l'autre côté en formant une croix lumineuse sur le plancher nu.

Les deux jeunes filles s'arrêtèrent un instant sur le seuil de pierre. Amélie attira Héloïse sur son cœur.

—Il en est temps encore, dit-elle, n'entre pas pour l'amour de moi.

—Frappe à la porte, frappe, Amélie !...Que ferais-je dans le monde... sans toi... sans lui ?... Je suivrais bien Le Gardeur jusqu'aux extrémités de la terre, mais je ne le peux plus, je ne le dois plus !...Entrons ! entrons !...Je t'en fais l'aveu, c'est ici que je voulais venir mourir. La lampe de Repentigny brille pour éclairer nos pas. Entrons !

—Le soleil est beau, Héloïse, le soleil est beau ! fit Amélie en se retournant comme pour dire un dernier adieu à la suave lumière qui tombait du ciel.

Héloïse regarda le guichet où passait un éclatant rayon que les barreaux divisaient en forme de croix.

—Vois cette croix de feu que nous avons tant de fois admirée, en venant à la classe; elle sera désormais tout mon soleil ! dit-elle.

—Cette croix et la lampe de Repentigny ! ajouta Amélie, en embrassant sa cousine.

Elle frappa à la porte. Sa main tremblante souleva à peine le lourd marteau. Elle frappa de nouveau et des pas se firent entendre dans les corridors solitaires.

Une religieuse voilée s'approcha du guichet :

—Que désirez-vous, mesdames ? demanda-t-elle.

Amélie répondit :

—Bonne Mère des Séraphins, nous désirons..., nous désirons, toutes deux, quitter le monde et entrer dans votre monastère, pour servir et adorer le Seigneur, pour prier pour les autres et pour nous-mêmes.

—C'est un saint désir. «Il faut ouvrir à ceux qui frappent», le Seigneur l'a dit. Attendez, je vais quérir Mère supérieure.

Elle s'éloigna pour revenir un instant après.

—La Mère supérieure a délégué ses pouvoirs à Mère Esther, pour le moment, dit-elle.

Et elle fit lentement rouler sur ses gonds la lourde porte.

Les jeunes filles entrèrent dans une espèce d'antichambre au plancher fort luisant,et meublée d'une table et de deux ou trois chaises.

Une religieuse, grande, digne, l'air doux, reçut avec bonté les deux postulantes qu'elle connaissait bien. Elle les reçut avec bonté, mais pas avec cette affectueuse bienveillance, cette expansive sensibilité des natures françaises.

La vénérable Mère Esther était une fille d'Albion. Elle avait les qualités de sa race, savait parfaitement le français et aimait beaucoup la France. Elle était entrée dans le cloître à quinze ans. Elle y vécut trente-quatre ans, dans la prière et la paix.

Mère Esther portait une longue robe noire retenue à la taille par une ceinture de cuir. Un bandeau blanc lui ceignait le front, et un voile noir tombait de chaque côté, sur ses épaules, cachant à demi la guimpe de neige qui lui couvrait la poitrine.

On ne voyait point ses cheveux coupés ras, suivant l'antique façon des couvents, car le Seigneur aime le sacrifice des beautés qu'il a créées.

Les religieuses ne laissent plus croître jamais les tresses soyeuses de leur chevelure tombée sous les ciseaux, le jour de leur consécration. Pourquoi ? Par mortification, sans doute, et pour se dépouiller de ce qui faisait leur puissance et leur grâce aux yeux des hommes.

Esther Wheelwright avait eu une destinée étrange, pas très rare, pourtant, à cette époque de guerre de frontières.

Une bande d'Abénaquis l'avait emmenée prisonnière après avoir saccagé la maison de son père, et elle vécut plusieurs années de la vie sauvage.

Un jour, un missionnaire jésuite la rencontra. Il obtint sa liberté et la conduisit à Québec. Le gouverneur qui était alors le premier marquis de Vaudreuil, touché de ses malheurs, de son esprit, de sa beauté, l'adopta comme son enfant et la fit instruire avec sa fille, au couvent des Ursulines.

Elle n'oublia jamais le souvenir de sa captivité. Quand ses parents et ses amis connurent sa délivrance et le lieu de son refuge, ils la pressèrent de revenir au toit paternel. Mais après une lutte pénible entre les affections naturelles et le devoir, elle resta en la Nouvelle-France et se consacra à Dieu.

Pour l'engager à retourner avec les siens, on lui avait envoyé le portrait de sa mère, une femme très belle. Cette figure presque divine était toujours là, devant ses yeux, et semblait l'appeler sans cesse. Alors la Mère Des Anges, une artiste, peignit une auréole autour de la tête superbe et la transforma en une sainte madone. Le calme rentra dans le cœur de la jeune religieuse, car la madone semblait lui sourire maintenant et l'encourager dans sa généreuse résolution.

—Bonne mère, s'écria Amélie de Repentigny, en jetant ses bras autour du cou de la religieuse, nous sommes venues, Héloïse et moi, pour solliciter le bonheur de vivre et de mourir dans votre monastère. Voulez-vous nous recevoir ?

—Vous êtes les bienvenues, mes enfants, répondit Mère Esther en leur mettant un baiser sur le front. La lampe de Repentigny ne s'éteint pas dans la chapelle des saints, et la porte du monastère s'ouvre avec joie pour recevoir les membres de votre famille.

—Merci, bonne mère ! Mais nous emportons un lourd fardeau de tristesse et de peines ! reprit Amélie d'une voix pleine de larmes.

—Je le sais, Amélie, je le sais ! Mais Notre-Seigneur a dit : «Venez à moi, vous tous qui souffrez et succombez sous le fardeau, et je vous soulagerai et vous donnerai le repos.»

—Je ne cherche pas le repos, bonne mère; je veux prier pour que le sang que mon frère a versé aujourd'hui, ne crie pas sans cesse contre lui... O Mère Esther ! vous connaissez Le Gardeur ? Vous savez comme il était doux et généreux ?... Vous avez appris son crime ?...

—Je sais tout, ma bonne enfant... Les mauvaises nouvelles se répandent vite... Je ne comprends pas qu'un si parfait gentilhomme en arrive à commettre un pareil forfait... Mais nous prierons ensemble pour lui: nous prierons !...

—Il ne savait pas ce qu'il faisait, reprit vivement Amélie... Il n'aurait pas voulu tuer le bourgeois !... il n'aurait pas voulu me tuer !... Je ferai pénitence pour lui !... Je ferai pénitence sous la cendre et le cilice pour obtenir que Dieu lui fasse miséricorde !...

Mère Esther resta un moment comme plongée dans une amère réflexion, puis s'adressant à Héloïse :

—Il y a longtemps, dit-elle, que je vous attends... Vous avez lutté contre l'ange du Seigneur, petite mondaine, mais l'ange vous a vaincue.

Et elle sourit avec douceur.

—Il m'a vaincue, répéta Héloïse souriante aussi à travers ses larmes, et je veux être une esclave fidèle de ses saints tabernacles... Mais vous savez que Mère supérieure nous appelle, nous les filles de la maison de Lotbinière, des fiancées sans dot...

—Vous aurez une dot, Héloïse, repartit vivement Amélie, et une des plus magnifiques !

—Merci, répliqua Héloïse, si l'on ne veut pas me recevoir pour l'amour de moi, je ferai comme ma tante, l'admirable quêteuse, qui alla de porte en porte, dans la ville, solliciter une aumône pour payer son admission.

—Ne craignez rien, Héloïse, assura Mère Esther, vous êtes attendue et vous serez reçue avec plaisir, même sans dot aucune.

—Vous êtes bien bonne, Mère Esther... Mais comment saviez-vous que je devais venir ici ?

—Hélas ! chère enfant ! les bruits du monde n'ont que trop d'échos dans notre retraite !... Nous savions que vous aviez perdu une douce espérance et que vous retourneriez vos regards et votre cœur vers l'unique Consolateur des affligés. Mais venez, je vais vous conduire auprès de Mère supérieure, qui doit être dans le jardin avec Mère Saint-Pierre et Mère Sainte-Hélène, votre ancienne amie et maîtresse de classe.

Le bonhomme Michel courait la ville pour le compte de quelques jeunes pensionnaires, au moment de la bagarre. Il s'était hâté de revenir au couvent pour raconter tout ce qu'il avait vu et entendu.

La nouvelle avait fait le tour de la communauté en un clin d'œil et causé une surprise et un trouble extraordinaires. Les classes furent interrompues et cent têtes curieuses se montrèrent dans les fenêtres ouvertes.

Mère Migeon de la Nativité était assise sous un frêne gigantesque, bien cher à la communauté à cause des souvenirs lointains qu'il rappelait. La Mère Marie de l'Incarnation, la sainte Thérèse du Canada, venait, dans les premiers jours de la colonie, s'asseoir sous ses larges rameaux, pour enseigner la prière et la religion aux enfants des colons et des Sauvages.

Mère Esther passa avec Héloïse et Amélie dans un large corridor garni d'images saintes, et noyé dans la pénombre. Elle arriva à une salle carrée pavée de pierres, ouvrit une porte, descendit quelques degrés et se trouva dans le jardin.

Le jardin, vaste et entouré de murs, gardait encore des fleurs dans son gazon; des pommiers, des pruniers, des poiriers, dépouillés de leurs feuilles et de leurs fruits, élevaient ça et là leurs branches grises.

Dans les allées solitaires, des religieuses se promenaient en méditant sur la vanité des plaisirs du monde, et le bruit du siècle n'arrivait pas jusqu'à elles d'ordinaire.

Mais ce jour-là, au pied du grand frêne, il y avait des murmures inaccoutumés. La Mère supérieure, entourée de ses saintes compagnes, écoutait les rumeurs qui venaient du dehors et s'efforçait de calmer l'agitation qui voulait se produire, dans l'oasis bénie.

De place en place, des petits groupes se formaient pour causer de la triste nouvelle.

De place en place aussi, une religieuse, à genoux sur le tuf de l'allée, ou devant la statue de saint Joseph, priait tout bas avec une foi touchante.

Plusieurs se détournèrent curieusement à l'arrivée de Mère Esther et des jeunes postulantes. Mais nulle n'osa parler.

La Mère supérieure fit signe à celles qui l'entouraient de se retirer un peu.

Deux seulement demeurèrent près d'elle, l'une à sa droite, l'autre à sa gauche, pour lui tenir compagnie.

Alors Mère Esther s'approcha et lui présenta mademoiselle Amélie de Repentigny et mademoiselle Héloïse de Lotbinière.

LII

LA LAMPE DE REPENTIGNY

La révérende Mère Migeon de la Nativité était très âgée, mais n'avait rien perdu de l'éclat de son regard et de la vivacité de son esprit. Comme toutes ces modestes femmes qui vivent dans les cloîtres, en priant et en méditant sans cesse, elle portait la vue basse et gardait le sourire placide que fait naître la paix intérieure. Aux avertissements que lançaient parfois ses yeux vigilants, on devinait une longue habitude de l'autorité. Au reste, elle savait commander, avait été réélue supérieure plusieurs fois et se voyait de plus en plus entourée de respect et d'amour.

Elle habitait le monastère depuis près d'un demi-siècle. Elle était aidée, dans le gouvernement de la maison, par plusieurs conseillères, et surtout par la Mère Esther, son assistante.

L'une des principales religieuses qui formaient le *Conseil des Sages*, avait nom Grand-Mère Saint-Pierre. Elle était fille d'un homme remarquable, le seigneur de Boucherville, qui fut anobli pour avoir vaillamment défendu les Trois-Rivières contre les Iroquois en 1653.

Grand-Mère Saint-Pierre comptait près de quatre-vingts ans, et elle en avait passé soixante dans le monastère. Elle jouissait toujours d'une santé florissante et des hautes qualités de l'intelligence que Dieu lui avait données. Elle vit de nombreux jours encore.

A ses pieds, le bras appuyé sur ses genoux, dans une suppliante position, se tenait une femme, assez frêle, mais fort belle, la mère Charlotte de Muy de Sainte-Hélène, une de Boucherville aussi, la petite fille, du défenseur des Trois-Rivières.

Elle n'avait pas hérité de la robuste constitution de ceux de sa race, mais elle possédait les talents littéraires de son aïeul, et elle devint l'historienne de sa communauté.

L'histoire du couvent des Ursulines est tellement liée à l'histoire de la colonie que l'une complète l'autre, si elle ne la remplace tout à fait.

Mère Sainte-Hélène vit descendre sur sa tête une partie des bénédictions que son aïeul mourant, comme un autre patriarche Jacob, demanda au ciel de répandre sur ses enfants; et le vieux noble dût tressaillir de bonheur, s'il connut alors combien l'amour de la patrie devait faire battre le cœur de sa petite fille.

Il est difficile, en ces temps de calme où nous vivons, de comprendre les émotions que les cris de guerre causaient partout.

Nulle retraite assez profonde où les bruits redoutables et les rumeurs sinistres ne réussissaient à pénétrer.

Sous la plume de la Mère Sainte-Hélène, les annales du couvent prennent un intérêt nouveau. Aux récits des combats de l'Église et des triomphes de la Foi, se mêlent les peintures de la guerre, les faits d'armes des héros canadiens et les épanchements d'un amour sans bornes pour la jeune patrie.

Quelle joie ! quelle exaltation ! dans le vieux récit, quand triomphent les armes ! Mais quelles larmes sur les défaites des troupes françaises et leurs désastres sans retour !

Mère Sainte-Hélène écrivit jusqu'à la fin de ses jours, l'alternative de revers et de triomphes, de tressaillements de bonheur et d'angoisses !

Elle tenait encore la plume quand éclata la guerre des Sept Ans. Du fond du cloître obscur, elle suivait avec anxiété le mouvement des armées de Montcalm sur la frontière. Elle poussa un cri de joie en enregistrant les victoires de Chouaguen et de Carillon.

Mais, plus tard, quand elle s'aperçut que la France épuisée abandonnait lâchement ses colonies; que le cercle de fer des bataillons se rétrécissait de plus en plus pour étreindre Québec; que Wolfe commençait à lancer dans la ville assiégée ces boulets et ces bombes qui devaient pleuvoir pendant soixante mortels jours, elle éprouva alors une douleur si profonde que sa plume n'écrivit plus que d'amers sanglots ! Puis, quand tomba Montcalm,—l'héroïque Montcalm !—et que son cadavre sanglant, enveloppé dans le drapeau de la France, fut placé dans la tombe que les boulets avaient creusée bien avant sous les murs du couvent, elle poussa ce cri de désespoir :

«Le pays est perdu !»...et elle rendit à Dieu son âme brûlante de patriotisme.

Elle ne vit pas l'esclavage de sa patrie.

Mais ces tristes événements reposaient encore dans le sein de Dieu. Le traité d'Aix-la-Chapelle promettait le repos à la colonie et lui donnait l'espoir de voir refleurir l'agriculture et le commerce.

Mère Sainte-Hélène venait de retracer, d'une main ferme, les consolations dont le cloître se voyait tout à coup rempli, et les actions de grâces qu'il faisait monter vers le Dieu de la paix.

Mère Migeon de la Nativité avait voulu recevoir les deux nouvelles postulantes, au jardin, sous le vieil arbre de la Mère Marie de l'Incarnation.

Elle se leva à leur arrivée, les embrassa tendrement et les félicita sur leur pieuse détermination.

—Petites enfants prodigues ! dit-elle en souriant, le monde n'est pas fait pour vous. Ses vanités, ses fausses promesses, ses plaisirs menteurs nourrissent mal les âmes ! Vous vous trouverez mieux ici; vous serez plus près de Dieu !...

—O mère ! s'écria Amélie, vous ne savez pas ce que je sacrifie ! non ! vous ne le savez pas ! Mais que le ciel m'aide à souffrir en silence... je ne veux plus, je ne puis plus sortir de la retraite où le crime d'un autre m'a poussée !...

—Ma pauvre enfant ! je sais tout !... Vous alliez épouser le fils du bourgeois... Allons ! consolez-vous !

C'était dit d'une singulière façon. Mère Migeon était la tante de Varin; elle aimait assez ce vilain neveu, et même, à cause de lui, étendait ses sympathies jusque sur la grande compagnie.

Grand-Mère Saint-Pierre reprit aussitôt.

—Vous êtes une bonne enfant, Amélie, une enfant digne de votre race illustre. Des filles comme Héloïse et vous sauvent le monde où elles vivent, et se sauvent dans les cloîtres où elles meurent.

Mère Sainte-Hélène embrassa les nouvelles arrivées.

—J'ai enregistré bien des noms aimés dans nos annales, dit-elle, mais aucun, jamais, avec le plaisir que j'éprouve en ce moment. Vous semez dans les pleurs, mes enfants, pour moissonner dans la joie !

—Votre tante s'intitulait l'humble servante de Marie, reprit la Mère supérieure, et la lampe qu'elle a suspendue devant la Madone brillera désormais d'un éclat nouveau, par les soins de ses nobles nièces.

Quelques novices en voile blanc causaient à quelques pas du grand arbre. L'arrivée d'Amélie et d'Héloïse les avait détournées de leur pieux entretien de coutume. L'une d'elles disait qu'Héloïse devait épouser Le Gardeur.

—Non, répliqua une autre, c'est Angélique des Meloises.

—Le Gardeur l'aime à la folie, Angélique des Meloises, riposta une troisième, mais la belle coquette l'a désespéré et elle doit se marier avec l'intendant; c'est une affaire décidée.

—Je le crois bien, fit une autre voix; ma sœur qui se trouvait au bal de l'intendant, doit en savoir quelque chose, et elle me l'a assuré. Mais il paraît, ajouta-t-elle en rougissant, qu'il a sa femme à Beaumanoir.

—Ce n'est pas sa femme, riposta vivement la première, ma tante de Grand'Maison, qui connaît bien madame Varin...

Elle n'acheva pas. La maîtresse des novices, Mère Saint-Charles, aux aguets à une petite distance, surprit une partie de leur conversation et l'interrompit brusquement.

—Venez à la chapelle, mes chères enfants, ordonna-t-elle, en leur jetant un regard chargé de reproches et toujours doux cependant, venez à la chapelle demander pardon à Dieu de ce moment d'oubli !

—Mais, bonne Mère, demanda Marie Cureux, la plus hardie des novices, y a-t-il donc tant de mal à parler du mariage ? Papa et maman se sont mariés et c'est à l'église qu'on se marie ! Après tout, nous n'avons fait que chuchoter.

Les autres sourirent en se cachant.

—Les religieuses ne doivent songer qu'à leur divin époux, Jésus-Christ, répondit la bonne maîtresse en regardant le ciel.

—Ah ! nous ne sommes que de vilaines pécheresses ! soupira la petite sœur Bédard, une cousine de Zoé Bédard, de Charlesbourg.

Elle ne se croyait pas si pécheresse que cela, et elle ne faisait pas encore le signe de la croix au souvenir des gaietés de la jeunesse.

Elle devint une religieuse exemplaire tout de même, et ce fut elle qui—dans un autre ordre de choses, c'est vrai—inventa le fameux potage du couvent, dont raffolait la baronne de Longueuil.

La gourmande baronne en envoyait chercher un bol tous les jours. C'était ce qu'elle aimait le mieux, disait-elle, après les sacrements.

Le bonhomme Michel envoyait, de moment en moment, des émissaires par les rues de la ville, pour recueillir toutes les rumeurs qui circulaient. Le calme se rétablissait; la ville reprenait son aspect ordinaire.

Le Gardeur avait rendu son épée et demandé d'être jeté dans les fers. Il fut enfermé dans une pièce du château, mais traité avec certains égards.

Amélie et sa cousine sollicitèrent la faveur d'aller s'agenouiller dans la chapelle des Saints, devant la Madone.

Cette chapelle renfermait les reliques de plusieurs saints et resplendissait d'or et de peintures. Dans une niche, au-dessus de l'autel, une statue de la Vierge, les mains baissées comme pour laisser tomber des grâces sans nombre, et devant la statue, une lampe qui brûlait depuis deux générations, la lampe de Repentigny, allumée par Madeleine en souvenir de sa pieuse vocation.

La belle et noble Madeleine de Repentigny faisait les délices de Ville-Marie. Son fiancé, un jeune et vaillant officier, fut tué, et elle vint se réfugier avec sa douleur immense, dans le cloître de Québec. Elle pria longtemps, demandant au ciel un signe qui lui ferait connaître sa volonté. Le signe fut accordé. Elle se dépouilla de ses vêtements précieux pour se couvrir de deuil et alluma cette lampe votive en témoignage de sa reconnaissance.

Sept générations d'hommes ont passé; la maison de Repentigny est disparue de nos bords; son nom, sa gloire sont oubliés, mais dans la chapelle des Saints, la lampe brûle toujours !

Héloïse et Amélie demeurèrent longtemps en prière, à genoux devant la Vierge, mère des affligés. Elles versèrent des larmes abondantes, en demandant miséricorde pour Le Gardeur et paix éternelle pour l'âme du bon bourgeois.

Le souvenir de Pierre Philibert se mêla au souvenir du criminel et à celui de la victime. Ils étaient inséparables !

Amélie, dans son angoisse extrême, sentait par instant son cœur se révolter... Devait-elle donc s'offrir ainsi en sacrifice pour la faute d'un autre ?...

Tout à l'heure, son âme débordait de joie comme une fontaine de vin généreux ! tout à l'heure, elle, la pauvre désespérée, elle était un objet d'envie !...Le cloître, le voile qui l'envelopperait comme un suaire, c'était donc tout ce qui lui restait de ses félicités promises !

Une religieuse priait, et tout absorbée dans sa méditation, les yeux cloués sur le tabernacle, ne voyait rien, n'entendait rien de tout ce qui se passait autour d'elle.

—Mère Sainte-Vierge, lui dit Amélie qui se sentait faiblir sous le poids de sa croix, Mère Sainte-Vierge, priez pour moi ?...

La religieuse tourna vers elle des yeux pleins de pitié.

—Il faut s'humilier avec le divin époux avant de partager sa gloire; il faut souffrir et monter avec lui la route du calvaire avant de monter au ciel et de boire à la source de l'éternelle félicité !...

Son regard s'anima soudain, sa voix devint presque vibrante dans le silence sacré quand elle ajouta :

—Voilà trente ans que j'entretiens votre lampe, ô filles de Repentigny, venez prendre ma place, Dieu le veut... *Laus Deo !*

Amélie éclata en sanglots, saisit la main de la vieille religieuse et la colla à ses lèvres.

Au même instant, des voix tristes et mélodieuses flottèrent comme des ailes de chérubins, sous la voûte de la chapelle, et les plaintes de l'orgue s'unirent à ces voix:

Pia mater, fons amoris,
Me sentire vim doloris,
Fac ut tecum lugeam !

disaient-elles avec l'accent de la douleur et de la supplication.

—Ceux qui sèment dans les pleurs moissonnent dans l'allégresse, murmura la religieuse, mais au ciel seulement !

Le chœur suave et l'orgue sonore continuèrent.

Quando corpus morietur,
Fac ut animæ donetur
Paradisi gloria ! Amen !

Cette harmonie sainte et douce résonnait aux oreilles d'Amélie et d'Héloïse, comme le chant mystérieux des vagues de l'éternité qui seraient venues mourir sur les rivages du temps.

Mme de Tilly arriva au couvent au moment où ses nièces désolées sortaient de la petite chapelle.

—Mes chères enfants ! Mes pauvres infortunées ! s'écria-t-elle en leur ouvrant ses bras, qu'avez-vous donc fait pour être ainsi frappées par la colère de Dieu ?...

—Bonne tante ! répondit Amélie, pardonnez-nous de nous être, ainsi, séparées de vous !... Nous renonçons au monde !

—Pardonnez-nous, bonne tante, répéta Héloïse...

—Pauvres petites, vous pardonner !... Ah ! je voudrais aussi, moi, pouvoir m'enfermer dans le cloître avec vous, en ce jour de désolation !...Mais ma place est ailleurs et mon œuvre n'est pas finie !...

—Avez-vous vu Le Gardeur, tante? demanda vivement Amélie, en lui saisissant la main dans une étreinte douloureuse.

—Oui, je l'ai vu et j'ai pleuré sur lui !... Sa douleur est mortelle. Il demande à passer par une cour martiale. Il veut s'accuser ! il veut expier !

—O tante ! et il aimait tellement le bourgeois ! Cela ressemble à un affreux cauchemar... Le Gardeur tuer le père de Pierre !... celui qui devait être mon père !...

Et elle se mit à sangloter, et elle demanda en gémissant :

—Mon Dieu ! mon Dieu ! que vont-ils faire de lui ? Vont-ils le mettre à mort ?

—Non, Amélie, non. Le gouverneur va, d'après l'avis de ses plus intimes conseillers, et vu les circonstances étranges qui entourent son crime, l'envoyer en France, par la *Fleur de Lys*, qui part demain. Le roi lui-même prononcera. Il sera plus facile d'élucider cette affaire là-bas. Les factions sont trop puissantes ici.

Amélie se cacha le visage dans ses mains. Elle paraissait terriblement agitée, terriblement souffrante. C'était toujours un long répit, songeait-elle, et le roi serait juste... Il verrait que Le Gardeur a été poussé et qu'il a frappé en aveugle... Un roi, ça doit être juste comme Dieu !

—Pourrai-je le voir avant son départ, tante? demanda-t-elle.

—Hélas ! c'est impossible ! Le gouverneur est inflexible sur ce point. Il ne veut pas. Personne ne pourra communiquer avec lui.

—Ah ! je ne le verrai plus en ce monde! s'écria-t-elle, je ne le verrai plus !

Et elle s'appuya sur Héloïse, car elle se sentait défaillir.

—Le roi lui pardonnera peut-être, reprit celle-ci, en la soutenant dans ses bras...

—Le roi ?... ah ! que le Seigneur lui fasse miséricorde, à lui tout d'abord !... Et que les hommes lui pardonnent ou ne lui pardonnent pas, j'offre, moi, le reste de ma vie à Dieu en expiation de ses fautes...

—Moi aussi, Amélie ! fit Héloïse. Nous avons franchi pour la dernière fois le seuil de cette maison : nous n'en sortirons plus !

—Je viens aussi de voir Pierre Philibert, dit Mme de Tilly, après un moment d'amer silence.

—Vous avez vu Pierre ? s'écria Amélie dans une étreinte nouvelle de la douleur.

—J'étais en prière auprès des restes de son père quand il est entré. Il n'était pas attendu si tôt. Chère Amélie, je n'ai jamais rien vu de navrant comme son muet désespoir !

—Et qu'a-t-il dit ? qu'a-t-il fait ? Ne nous a-t-il pas tous maudits, vous ! moi ! et surtout Le Gardeur ? N'a-t-il pas appelé la vengeance du ciel sur la maison de Repentigny ?

—Dans l'effondrement de son bonheur, il n'a maudit personne ! Il n'a accusé personne du mal qu'on lui faisait. Il s'est bien douté que Le Gardeur était un aveugle instrument.

—Comme il est bon !...

—Il m'a demandé où tu étais; qui tu avais pour te consoler ou pleurer avec toi...

—Il vous a demandé cela ?...ô le bon cœur !...le noble caractère !...

Et elle fondit en larmes.

—Et il ne provoquera point Le Gardeur, demanda Héloïse d'une voix tremblante ?

—Il est touché du désespoir de Le Gardeur et il sait d'où part le coup qui a tué son père.

—Mon Dieu ! mon Dieu ! exclama Amélie, au milieu de ses pleurs, combien la perte que je fais est grande! ... Pierre, mon noble Pierre, mon fiancé ! mon époux ! ah ! c'est donc vrai que nous sommes à jamais séparés ? à jamais perdus l'un pour l'autre !... O ma tante ! je lui ai juré ma foi... je lui appartiens... je ne puis plus me séparer de lui !... Il sera à moi pour toujours... A moi dans la mort ! à moi dans la tombe !...à moi dans le ciel !...

—Calme-toi, mon enfant ! Ma pauvre Amélie ! calme-toi, ou je ne te dirai pas tout.

—Tout ? vous ne dites pas tout ! Ah ! parlez, je serai calme. Tenez ! voyez comme me voilà raisonnable !...j'écoute. Je ne dis plus rien...

Et la pauvre enfant cherchait à comprimer les rudes battements de son cœur,essuyait ses paupières humides, essayait de sourire même, malgré l'amertume de ses pensées.

—Il est venu pour te voir, reprit Mme de Tilly.

—Ici ? fit vivement Amélie en pâlissant.

—Ici. Mais il n'a pas eu la permission d'entrer, même dans le parloir.

—Il est venu pour me voir ! pour me voir! répéta la jeune postulante avec une émotion pleine de ravissement et de tristesse...

Et ses beaux yeux levés au ciel roulaient de grosses larmes.

Elle ajouta presque aussitôt :

—Je serais morte de honte à ses pieds... Il valait mieux ne pas le recevoir sans doute... Mais pourquoi lui refuser cela ?

—La Mère Migeon est juste mais sévère. Elle est la tante de Varin, et n'aime point les Philibert. Ton entrée au couvent cause un mortel chagrin à Pierre, ajouta-t-elle, car il sait ce que cela veut dire.

—Hélas ! pouvais-je faire autrement ? Oserais-je mettre dans sa main loyale, ma main souillée de sang ? ...Mais il me pardonne; il ne m'oublie point; il m'aime encore ! Ah ! c'est une consolation qui me reste dans ma triste infortune !...

—Mes chères enfants, je vous quitte pour vous revoir bientôt, fit Mme de Tilly en embrassant ses nièces.

—Soumettons-nous à la volonté du Seigneur, continua-t-elle; quand vient la nuit, les objets disparaissent dans l'obscurité, et nous ne les apercevons plus; ils sont comme s'ils n'existaient point, et cependant, ils existent toujours, et quand rayonne la lumière ils apparaissent de nouveau. Nous sommes dans les ténèbres à cette heure, et nos regards ne voient plus que l'image de Notre-Dame de Grand Pouvoir, au pied de laquelle brûle la lampe de Repentigny; mais le soleil de la justice se lèvera un jour pour tous.

LIII

OH ! QU'ILS SONT BEAUX DANS LA MORT SES RESTES BENIS !

Depuis longtemps le chant des vêpres avait cessé. C'était le soir; et l'angélus, s'échappant en accords mélodieux de tous les beffrois, venait d'inviter la terre à bénir la mort et la vie.

Les religieuses du monastère entraient dans leurs humbles cellules, et les enfants dont elles avaient la garde reposaient dans les dortoirs peuplés de songes gracieux.

Des bougies vacillantes plongeaient leurs timides rayons dans les ombres des grands corridors, où de temps en temps résonnaient les pas discrets des pieuses femmes qui sortaient de la chapelle.

Comme le flot sonore qui chante pendant que la lune paisible l'enveloppe de ses clartés, Mère Sainte-Madeleine de Borgia, à genoux au pied de la statue de saint Joseph, avait entonné l'hymne solennel.

Ave, Joseph, fili David juste !
Vir Mariæ de quâ natus est Jesus !

Mère Esther, suivie des deux nouvelles postulantes, traversa un long couloir, passant devant les portes des alcôves où s'endormaient, en récitant le *Memorare*, les fidèles épouses du Christ.

Elle s'arrêta devant une cellule fermée.

Sur la porte de cette cellule se lisaient en lettres noires, ces paroles du Sauveur : «Venez à moi, vous tous qui êtes accablés par la douleur, et je vous consolerai.»

Elle ouvrit.

—Entrez, dit-elle aux deux jeunes filles,c'est la cellule d'une fidèle servante de Marie, votre bien-aimée tante,

Mère Madeleine. Par une faveur spéciale, vous y passerez ensemble les premières heures de votre sainte captivité.

—Le souvenir de mon illustre parente habite toujours ici, répondit Amélie, et il m'apprendra la résignation.

La cellule était presque nue. Dans un coin, un lit blanc mais dur comme la couche d'un anachorète; adossée au mur, une petite table de bois simplement poli, avec quelques livres dessus ; puis une couple de chaises sans peinture. Tout au fond, suspendue à la cloison, était restée une figure de Notre-Dame des Sept Douleurs, brodée en soie. Une œuvre d'art !

Amélie et Héloïse vinrent s'agenouiller devant cette image. Puis après une prière fervente, elles se levèrent pour l'admirer à la lumière de la lampe.

—Tante Madeleine a brodé cet admirable sujet, dit Amélie, dans une heure de mortelle angoisse, alors que son fiancé Julien Lemoine venait de mourir sur le champ de bataille. Elle est avec lui maintenant. Elle est bien heureuse.

—Nous souffrons plus qu'elle n'a souffert, observa Héloïse. Les larmes peuvent suffire à pleurer ceux qui ne sont plus, mais elles ne suffisent pas à pleurer ceux que l'on a perdus sans espoir et qui vivent toujours !...

La lampe mettait comme une auréole de gloire au front de la Vierge des Douleurs. Les deux jeunes filles se jetèrent à genoux de nouveau et pleurèrent longtemps.

Mme de Tilly avait déclaré à la Mère supérieure que ses nièces seraient richement dotées, et Mère Migeon ressentit une grande joie de cela, car le couvent se trouvait dans une position difficile depuis quelques années. La guerre avait épuisé les sources de revenus et l'inquiétude se glissait forcément dans l'esprit de celles qui étaient chargées de l'administration. Elles cachaient bien, autant que possible, la situation à la communauté, pour ne pas la distraire de la prière et de la méditation, mais l'heure redoutée n'aurait pas manqué de sonner enfin.

Cependant, les bonnes religieuses s'étaient déjà soumises de grand cœur à bien des privations. C'était presque la ration des naufragés. Mais la patrie souffrait et il était doux en quelque sorte de souffrir avec elle et pour elle.

Depuis longtemps le tronc de saint Joseph, pour les pauvres, ne se remplissait plus. Saint Joseph au blé, veillait depuis longtemps sur des magasins vides, saint Joseph au labeur restait insensible aux supplications des cuisinières qui lui demandaient des aliments au moins en quantité suffisante.

—Je remercie saint Joseph de ce qu'il nous donne et de ce qu'il nous ôte, dit Mère Saint-Louis à l'oreille de Mère Saint-Antoine, comme elles sortaient ensemble de la chapelle. Le jour qu'Amélie de Repentigny fera profession, sera pour nous le jour des noces de Cana. L'eau se changera en vin. Je n'aurai plus besoin de ramasser les miettes, excepté pour les mendiants.

Les jours vinrent et s'enfuirent avec leur continuel lot de peines et de joies. Le temps inexorable marchait toujours son pas mesuré, également sourd aux langueurs de l'ennui et aux désirs satisfaits.

Amélie, fatiguée de la terre, soupirait après cette autre vie où le temps n'existe plus, mais où les pensées et l'amour mesurent seuls l'éternité !

Héloïse et elle se soumettaient humblement au joug de l'obéissance. Toutes deux rivalisaient d'ardeur pour la pénitence et la prière.

L'esprit de leur pieuse tante Madeleine semblait remplir encore la petite cellule; elles se sentaient dans une atmosphère deux fois sanctifiée, et l'air qu'elles respiraient semblait saturé des aromes du ciel.

Amélie n'oubliait point Philibert cependant, et quand, par hasard, elle entendait son nom, elle levait vers Dieu ses yeux remplis de larmes et murmurait une prière.

Cependant le crime de son frère, l'anéantissement de ses plus chères espérances, la perte irréparable de son fiancé, la complète destruction de sa félicité ici-bas: c'en était plus qu'il ne fallait pour la briser et la pousser au tombeau. Elle maigrit, ses joues se creusèrent. Elle demeura belle pourtant, et son âme ardente parut se refléter davantage dans sa figure émaciée. Elle semblait s'immatérialiser. Une tache rose comme le reflet d'un feu intérieur parut sur sa joue, s'effaça, puis revint encore pour ne plus disparaître; ses yeux pleins d'amour s'agrandirent et brillèrent d'un éclat inouï. Elle se prit à tousser, à tousser, et bientôt, ses forces l'abandonnant, elle se traîna comme un fantôme dans les corridors solitaires,

Mère Migeon secoua la tête d'un air désespéré. Des prières et des messes furent offertes à Dieu pour elle, mais en vain. Dieu l'appelait à lui. Et puis, elle était heureuse de mourir.

Quand Pierre Philibert apprit qu'elle se mourait, il accourut au monastère. Il espérait en forcer l'entrée par ses prières, ses promesses et ses pleurs. Hélas ! il ne savait pas que l'inflexible règle est plus puissante que les murs des citadelles et que l'armée religieuse ne capitule jamais !

Il pouvait entrer dans le parloir, mais jamais son pied ne franchirait la porte sombre qui le séparait de sa bien-aimée !

Amélie viendrait peut-être derrière la grille; mais il ne la verrait toujours qu'à travers d'implacables barreaux croisés drus.

La portière lui dit d'abord que la jeune postulante ne pouvait se rendre au parloir, et qu'il n'y avait plus qu'à s'en retourner, puisqu'il ne pouvait franchir le seuil du cloître.

Il poussa un gémissement profond.

—Au moins, dites-lui que je suis ici, que je suis accouru pour la voir une dernière fois !... Je ne sortirai pas avant que j'entende sa dernière parole ! que j'aie reçu son dernier adieu !

Amélie retrouva une force nouvelle en apprenant que Pierre l'attendait, qu'il voulait la voir ! Elle supplia les religieuses de la conduire au parloir. . . Cela ne la ferait pas mourir plus tôt; cela n'offenserait pas le bon Dieu . . Il devait être son époux, cet homme. . . et le Ciel avait reçu leurs serments !

Elle pleura ses dernières larmes; elle entoura de ses bras amaigris le cou de la Mère supérieure; elle invoqua sa tante Madeleine qui avait tant pleuré elle aussi, avant de monter aux cieux. . .

Au même instant, quelqu'un vint annoncer que Mme de Tilly attendait aussi dans le parloir, et désirait fortement voir la jeune mourante.

La Mère supérieure ne résista plus. Amélie fut portée dans une chaise et déposée derrière la large grille noire. Héloïse la suivait.

—Pierre ne me reconnaîtra pas, lui murmura-t-elle. Pourtant je vais lui sourire et peut-être qu'il se souviendra.

Son voile était rejeté en arrière, découvrant sa figure douce et pâle.

Dès qu'il entendit le bruit des pas dans les couloirs, Pierre tressaillit, car il eut un pressentiment de son bonheur amer. Ses yeux se fixèrent ardents sur les barreaux épais. Il était tenté de les rompre.

Elle arriva.

Il poussa une clameur et ouvrit les bras comme pour l'enlacer dans une dernière étreinte. Il se heurta à l'implacable grille.

—Amélie ! ma bien-aimée Amélie ! criait-il, ah ! je vous vois donc une fois encore, mais comment ?. . .

—Vous ne maudissez pas ma famille. . . Vous avez donc pitié de moi, murmura la mourante.

—Pauvre ange ! pauvre ange ! moi, maudire votre famille ! moi, manquer de pitié ! ah ! vous ne me connaissez donc plus ?

Et de grosses larmes coulèrent de ses yeux.

Amélie se rejeta en arrière dans son fauteuil, et se couvrant le visage de ses mains, elle commença à sangloter.

Pierre, collé à la grille de l'étrange prison, la regardait par les trous étroits, et ses doigts crispés semblaient vouloir déchirer les barreaux.

—Amélie ! Amélie ! appelait-il... Ah ! si près de toi ! et ne pouvoir mettre sur ton front le baiser de l'époux !

Mme de Tilly pleurait en silence, appuyée sur le bras de sa chaise. Héloïse aussi pleurait.

Amélie se découvrit la figure tout à coup et tendit ses bras vers son fiancé.

—Pierre ! gémit-elle, je vais mourir... je me meurs ! Je suis heureuse de mourir...puisqu'il me faudrait vivre sans vous !... Oh ! je vous aime !...

Pierre sanglotait et les transes amères soulevaient ses épaules.

—Pierre ! reprit Amélie, voulez-vous accepter ma vie en expiation du crime de Le Gardeur ? Voulez-vous pardonner à mon malheureux et aveugle frère ?

—Pauvre enfant ! il est pardonné depuis longtemps, depuis longtemps !... Il ne savait pas ce qu'il faisait... Il a été l'instrument des ennemis de mon père !... Je lui ai pardonné sa faute, et pour l'amour de vous, en ce moment, je lui rends mon amitié !...

—Mon noble Pierre ! s'écria Amélie mourante, merci ! merci ! Et se penchant en avant, elle mit ses doigts de marbre sur la grille noire, et comme des rayons fauves, ils passèrent dans les vides que formaient les barreaux.

Pierre les couvrit de baisers ardents.

Il croyait qu'ils allaient se réchauffer sous ses lèvres de feu : hélas ! ils se refroidissaient de plus en plus.

Il regarda. Amélie, la tête légèrement inclinée, souriait doucement.

—Amélie ! s'écria Pierre, Amélie ! ne meurs pas maintenant ! Dieu va se laisser attendrir...Amélie !

Elle souriait toujours; le sourire était buriné sur sa lèvre froide: le sourire de l'innocence dans la vie, le sourire de l'innocence dans la mort !

Elle souriait, mais ne l'entendait plus !

Elle était morte ! *

* M. Kirby, qui a donné tant de preuves de respect et même d'admiration pour nos institutions catholiques et pour notre culte, est, il ne faut pas l'oublier, *protestant* en religion. Comme tel, il ne peut connaître toutes les nuances les plus délicates du sentiment catholique et de la sainte réserve qui règnent dans nos communautés religieuses. C'est ce qui explique pourquoi il a, dans l'original, fait admettre Philibert dans la chambre de la mourante.

Le lecteur objectera peut-être que cette scène, fort belle d'ailleurs, manque de vraisemblance. Nous l'admettons volontiers, bien que, avec la bienveillante permission de l'auteur, elle ait été quelque peu modifiée.

Même avec la modification que l'on y a apportée, nous nous faisons un devoir de déclarer que ce serait méconnaître les saintes rigueurs de la règle qui régit nos communautés religieuses et même dénaturer les sentiments qui doivent animer une novice instruite dans la foi catholique, que de lui faire faire une aussi large part à l'amour humain en face de la mort. Une catholique, après avoir renoncé au monde et s'être enfermée dans un cloître, serait-elle animée de sentiments aussi purs que ceux d'Amélie, et aurait-elle quitté son fiancé dans les circonstances extraordinaires racontées plus haut, ne songerait pas à se faire porter au parloir pour l'y rencontrer. Encore moins, les Supérieures d'un couvent permettraient-elles une semblable rencontre.

Cependant, comme nous n'avons rien vu dans cette scène qui pût blesser le sentiment catholique, pas plus que la morale et les convenances, et que c'eût été créer, dans l'ouvrage, une lacune considérable, nous avons cru devoir laisser subsister l'entrevue.—*Note des premiers éditeurs.*

LIV

LA JUSTICE DE DIEU PEUT ETRE LENTE, CAR ELLE EST CERTAINE

Amélie de Repentigny fut inhumée dans la chapelle du couvent. La cérémonie des funérailles laissa, par sa touchante simplicité, une impression véritablement grande. La foule se pressait autour de l'humble tombe.

Pierre Philibert, dissimulé dans un coin, à genoux, la tête penchée sur sa poitrine, pleurait.

Le cri sublime et plein d'angoisses du *Libera* fit frémir son âme, et il jeta un sanglot qui monta vers le ciel avec les supplications des vierges et les mélodies de l'orgue.

Bien des années plus tard, une religieuse à l'air triste, mais serein comme la résignation, venait encore, matin et soir, s'agenouiller sur la pierre qui recouvrait le tombeau d'Amélie. Dans sa prière fervente, le nom de Le Gardeur se mêlait au souvenir de la novice morte si tôt. Cette religieuse, fidèle à la sainte amitié, était Héloïse de Lotbinière.

La lampe de Repentigny versa ses douces clartés sur la tombe de la dernière enfant de l'illustre maison. Elle brille encore aujourd'hui pour rappeler le souvenir des vertus que le ciel a depuis longtemps récompensées !

Mme de Tilly fut inconsolable. Elle regardait Pierre comme son fils et voulait le faire son héritier dès qu'il aurait épousé Amélie.

Elle voulut lui donner son immense fortune, non seulement comme un témoignage de la haute estime qu'elle avait pour lui, mais aussi comme compensation pour les dommages que lui causerait la mort de son père.

Il refusa le royal héritage.

—C'était pour elle que je voulais des richesses, fit-il; maintenant qu'elle n'est plus, je n'ai besoin de rien. Je retourne en Europe mettre de nouveau mon épée au service de mon roi. Je ne chercherai point la mort, mais ne la fuirai point non plus. Il me tarde d'aller rejoindre au ciel ma fiancée...

—O mon Dieu ! s'écriait souvent Mme de Tilly, comme la ruine de notre félicité est profonde !

Le P. de Berey lui répliquait tout en partageant sa sombre désespérance:

—La raison ne saurait seule comprendre ou expliquer les voies de Dieu, et l'homme est un pauvre aveugle que la foi guide sûrement. Le juste est souvent éprouvé et le méchant triomphe; mais ce n'est que pour un temps. La fin du juste est douce et calme, la mort de l'impie sera éternelle !

Il avait perdu sa gaieté habituelle, le bon religieux, et il gémissait sur les afflictions de ses amis.

Après la conquête, Mme de Tilly donna une partie de ses biens aux Ursulines et se retira en France, dans la vieille Normandie, où fleurit encore un rameau de son illustre famille.

Le printemps qui suivit la mort d'Amélie, Pierre Philibert dit un éternel adieu à la terre natale et s'en fut prendre du service dans l'armée. Il se distingua maintes fois par sa valeur et son courage, et vint enfin tomber en héros sur le champ de bataille de Minden.

La mort du bourgeois fut le signal de la défaite et de la ruine du parti des *honnêtes gens*. La grande compagnie triomphait. Elle tenait toute la colonie dans ses serres impitoyables.

Le vertueux de la Galissonnière fut rappelé et il eut pour successeurs les faibles de la Jonquière et de Vaudreuil. Bigot put sans gêne et sans crainte se livrer aux plus sales spéculations. La vanité honteuse entra même dans le château Saint-Louis avec de Vaudreuil, qui devint, affirment plusieurs, le compère de l'intendant.

Après avoir parcouru l'Amérique du Nord en vainqueur illustre, Montcalm vint tomber, inutile victime, sur le rocher de Québec.

Pendant que Bigot regorgeait de richesses et festoyait scandaleusement, les soldats mouraient de faim, et les magasins militaires restaient sans munitions.

L'héroïsme de l'armée ne pouvait aller au-delà de la mort.

La patrie était épuisée. Bigot et toute sa bande infâme déchiquetaient son cadavre de leurs mains crochues et de leurs griffes maudites.

Ce ne sont pas les armées anglaises qui ont pris Québec et forcé Montréal à capituler, c'est la rapacité, c'est le brigandage de Bigot ! C'est la coupable indifférence de la luxurieuse cour de Versailles !

Et les courtisans de Versailles n'étaient peut-être pas fâchés d'être débarrassés du bourgeois et des *honnêtes gens*.

Après un long emprisonnement à la Bastille, Le Gardeur fut libéré. Il n'eut pas de procès. Son épée lui fut rendue et il reprit son grade dans l'armée.

Devenu un autre homme, un homme aussi sage qu'il avait été dissipé, aussi régulier qu'un religieux dans sa conduite, pénitent et mortifié autant que vaillant et brave, il revint dans le Nouveau-Monde et suivit les étendards de Montcalm. Il se battit à Chouaguen, il prit part à la défense des forts de Montmorency et fut un des héros de la bataille des plaines de Sainte-Foy.

Il ne voulut jamais parler à Angélique des Meloises. Un jour, il la rencontra sur le perron de la cathédrale. Elle tressaillit comme au contact du feu, trembla légèrement, rougit même, hésita, puis l'enveloppant du plus ardent regard, lui tendit la main avec un sourire séducteur.

Le Gardeur était de pierre, maintenant. S'il aimait encore une femme, c'était peut-être la modeste religieuse des Ursulines, qui s'appelait autrefois Héloïse de Lotbinière.

A la vue d'Angélique, sa vieille colère se réveilla, il oublia qu'il était gentilhomme, d'un coup violent il repoussa la main qui s'offrait à lui, et s'éloigna.

Après la conquête de la colonie, il repassa en France avec les restes de l'armée. Le roi le combla d'honneurs, mais cela le laissait indifférent, car il n'avait plus personne avec qui les partager ! Tous ceux qu'il avait aimés étaient disparus !

Il ne se maria jamais. Il finit sa carrière remarquable pendant qu'il occupait la haute position de gouverneur de Mahé, dans l'Inde. (16)

Un jour de l'an de grâce 1777, un autre conseil de guerre siégeait aussi dans la grande salle du château Saint-Louis. C'était un conseil bien différent de celui que nous avons vu déjà. Le temps et les circonstances avaient bien changé.

Les conseillers étaient des Anglais et des Canadiens; le gouverneur, leur président, venait d'Angleterre, et se nommait Sir Guy Carleton. Sur les murs de la vaste chambre, les armes de l'Angleterre remplaçaient les emblèmes de la France. Des officiers en habits rouges se promenaient sur le parquet sonore, fidèles et loyaux envers le souverain nouveau, comme ils l'avaient été envers la mère patrie. C'étaient le vieux de la Corne de Saint-Luc, de Salaberry, de Beaujeu, Duchesnay, de Gaspé, et plusieurs autres vaillantes épées. Ils se préparaient à défendre le Canada contre l'invasion américaine.

Le peuple de la Nouvelle-France savait qu'il avait été pillé, volé, ruiné par l'intendant Bigot, puis lâchement abandonné par son roi; alors il s'était tourné avec espoir vers le vainqueur et l'avait accepté franchement, comme l'arbitre de ses destinées nouvelles.

---

(16) Voir l'appendice.

Néanmoins, les liens du cœur ne se rompirent jamais et longtemps, longtemps ! les colons délaissés tournèrent vers la France lointaine des regards mouillés de larmes. Longtemps, ils l'appelèrent secrètement, ardemment, mais en vain !... Elle ne revint plus !...

Quand les colonies anglaises se révoltèrent et que la France vola à leur aide, le peuple canadien se sentit humilié...

Comment ! cette France si cruellement sourde à leurs supplications, cette France si vilement indifférente à leurs souffrances et à leur héroïsme, accourait à la voix des étrangers !...Ah ! l'honneur se révoltait, l'âme s'indignait et le soldat canadien ne pouvait pas marcher sous les mêmes drapeaux que ceux qui avaient été ses ennemis constants ou ses maîtres oublieux !

Il repoussa fièrement les offres séduisantes de La Fayette, et les superbes avances de D'Estaing.

L'évêque Briand prêcha la soumission et la fidélité au régime nouveau; le clergé presque en entier éleva sa voix puissante pour maudire la révolution des États voisins et pousser le peuple canadien à se défendre contre l'invasion.

Jumonville de Villiers était enfin vengé.

Mais le loyal Canadien n'avait pas vidé le calice des amertumes, et son dévouement inaltérable devait rester sans récompense. Aux pillards éhontés de l'Ancien Régime, succédèrent les orgueilleux tyranneaux de la race conquérante, et la province fut traitée en pays conquis.

D'un côté, l'autorité armée de verges; de l'autre, une population soumise presque jusqu'au servilisme.

La lutte fut longue. La colonie eut des héros: les héros de la paix et des combats constitutionnels. Elle eut aussi le sang des martyrs. Or, le sang des martyrs fait germer la liberté.

Guy Carleton tenait à la main un journal qu'il venait de recevoir d'Angleterre. Il le présenta à de la Corne de Saint-Luc.

—Lisez ceci, dit-il; c'est, si je ne me trompe, la mort d'un de vos anciens amis, que j'ai une fois rencontré dans les Indes. C'était un caractère sombre, taciturne, mais un brave et habile commandant.

La Corne de Saint-Luc prit le journal et lut avec une vive émotion :

«Indes orientales. Mort du marquis de Repentigny. Le marquis Le Gardeur de Repentigny, général d'armée et gouverneur de Mahé, est mort l'an dernier, dans cette partie des Indes qu'il avait par sa bravoure et son habileté, conservée à la France. Le marquis servit au Canada où il a laissé aussi la réputation d'un brave et vaillant soldat."

De la Corne de Saint-Luc sentit les larmes rouler sous ses vieilles paupières grises. Il passa le journal à de Beaujeu.

—Le Gardeur est mort ! dit-il, ce pauvre Le Gardeur! On lui a fait plus de mal qu'il n'en a fait aux autres... Que Dieu lui pardonne ! Ses intentions ne furent point perverses... Chose étonnante, celle qui fut la cause de ses malheurs, continue à vivre dans les plaisirs et à briller dans le monde. Les secrets de la Providence sont insondables. Angélique des Meloises fleurit au milieu de ses crimes, le bourgeois est mort victime de ses vertus ! et Amélie ! ma pauvre Amélie !...

De la Corne de Saint-Luc n'acheva point. Il s'assit et demeura longtemps pensif et comme abîmé dans l'amertume de ses réflexions.

Angélique avait joué sa vie contre les satisfactions d'une ambition effrénée, et elle n'avait pas perdu tout à fait la partie. Le meurtre de Caroline de Saint-Castin, et surtout la peur de voir son crime dévoilé, pesaient lourdement sur sa conscience; mais pas assez pour effacer le sourire de ses lèvres, l'éclair de son regard et l'air gai de sa figure. Elle ne se trahit jamais. Elle alla même jusqu'à se cacher sous le masque de la piété, quand la piété devait la protéger mieux. Que lui importait une profanation de plus ?

Le mortel secret de Beaumanoir demeura enseveli sous les ruines du château. Il attend là le jugement dernier.

Mais la perverse fille se livra vainement à l'intrigue et au péché; Bigot, qui la soupçonnait en silence, ne lui offrit jamais de l'épouser, et quand Le Gardeur l'eut humiliée, à la porte de la cathédrale, en dédaignant la main qu'elle lui tendait, elle se livra, de dépit, au chevalier de Péan. Elle devint la femme de ce vil spéculateur.

Epouse infidèle elle voulut autant que possible imiter la Pompadour dans ses magnificences et dans ses turpitudes, et faire du palais de Bigot un autre Versailles, sinon en splendeurs, du moins en immoralités.

Elle mena joyeuse existence. Elle se vêtait de pourpre et de soie, pendant que les grandes dames se dépouillaient pour la patrie ! Elle s'asseyait à une table somptueuse quand le peuple mourait de faim dans les rues de la ville ! Elle achetait des terres et des maisons avec l'argent de l'État, pendant que les braves soldats de Montcalm versaient leur sang après avoir perdu leur solde ! Elle donnait des banquets à l'heure où les boulets anglais enfonçaient les portes de la capitale! Elle prévit la fin de Bigot et sut hériter de ses richesses !

Le sort de Bigot est un avertissement pour les spéculateurs malhonnêtes et les oppresseurs.

Peu de temps après la perte de la colonie, il repassa en France avec Varin, Cadet, Penisault et d'autres actionnaires de la grande compagnie. La Bastille s'ouvrit pour les recevoir, car ils étaient devenus des instruments inutiles.

Ils furent jugés par une commission spéciale, trouvés coupables d'infidélités, de malversations et de pillage, condamnés à la prison jusqu'à restitution, puis à la déportation.

L'histoire ne nous a pas encore appris d'une manière certaine quelles ont été les dernières années de Bigot. Il est étonnant qu'un homme dont le rôle politique en Canada fut si important, soit mort sans éveiller un souvenir. Pas un mot pour raconter sa fin !

On suppose que la Pompadour aura, par son influence, fait adoucir ou commuer sa peine, et que sous un nom d'emprunt et avec les débris de ses vols, il aura vécu dans l'aisance, ou le luxe peut-être, à Bordeaux où il est mort.

Angélique ne le regretta point. Elle se disait cependant que les destinées de la Nouvelle-France auraient été tout autres, si cet homme avait voulu s'attacher à elle par des liens indissolubles et suivre ses conseils.

Alors, du moins, elle n'aurait pas tué Caroline de Saint-Castin ! Elle ne serait pas devenue la femme d'un homme qu'elle haïssait ! Elle n'aurait point profané l'amour !...

Après la chute de la colonie, elle voulut se rendre en France pour tenter la fortune sur un théâtre plus grand; mais la Pompadour lui défendit, sous les peines les plus sévères, de mettre à exécution ce hardi projet.

Elle s'irrita, mais ne s'exposa point. Elle se vengea en se moquant de la royale maîtresse, et en se vantant de l'avoir fait trembler par ses charmes et son esprit.

Les vieillards de la dernière génération se rappelaient d'avoir vu passer, quand ils étaient tout petits, les splendides équipages de madame de Péan, dans l'avenue ombreuse de Sainte-Foy. Et les gens d'alors qui se faisaient vieux hochaient la tête en la regardant, et disaient bien des choses; mais nul ne savait le terrible secret qu'elle cachait au fond de son cœur !

La destinée de la Corriveau fut terrible.

La Corriveau ne fut point indiscrète et ne trahit jamais sa brillante complice, grâce à l'or dont elle fut gorgée, et à la peur de tomber elle-même entre les mains de la justice.

Un jour d'été, dans l'année qui suivit la conquête, le bonhomme Dodier fut trouvé mort dans sa maison. Fanchon, qui soupçonnait un crime, ne se gêna pas pour parler, et donna l'éveil. Une enquête eut lieu et l'on découvrit qu'une main meurtrière avait coulé du plomb fondu dans l'oreille du défunt.

La Corriveau fut arrêtée.

Une cour de justice spéciale fut aussitôt formée, qui siéga dans le grand parloir des Ursulines, où le général Murray avait établi ses quartiers généraux.

Le bombardement avait en partie détruit la ville. La Corriveau eut un procès royal. Elle se défendit habilement; mais l'heure de la justice avait sonné.

Le tribunal la condamna à être pendue et enfermée ensuite dans une cage de fer, qui serait exposée sur les hauteurs de Lévis, en face de la ville.

La sorcière de Saint-Vallier fit appel à la reconnaissance d'Angélique, et la supplia d'intercéder en sa faveur, la menaçant de révéler le meurtre de Caroline si elle ne la sauvait pas de l'échafaud.

Angélique était trop contente de se débarrasser d'une dangereuse complice pour intervenir à cette heure suprême. Elle sut tromper la condamnée, entretenir son espérance et lui fermer ainsi la bouche jusqu'à l'instant fatal.

Longtemps, le lieu où fut exécutée la sorcière passa pour un lieu maudit.

L'hiver, pendant que le vent de nord-est gronde dans les cheminées, et fait craquer le toit des maisons; pendant que la poudrerie vole sur les routes et ensevelit les clôtures grises sous son blanc linceul, les enfants, les femmes, les vieillards, serrés les uns contre les autres, auprès du poêle qui bourdonne, racontent en frémissant comment gémit l'âme damnée de la sorcière, ou comment, dans les ténèbres, avec sa cage de fer, qu'elle traîne comme une plume, elle court après les voyageurs égarés.

Trois générations d'hommes avaient passé depuis que la cage de fer et l'immonde prisonnière étaient disparues, quand un jour, un habitant de Lévis, en creusant le sol, entendit sa bêche résonner sur un corps métallique.

Il creusa encore et constata—ô terreur !—que c'était la cage, avec le squelette de l'horrible vieille !...

Toute la ville courut voir la lugubre trouvaille. L'histoire de la petite fille d'Exili était pourtant bien oubliée déjà.

Un peu plus tard, le Muséum public de Boston achetait la relique maudite et lui donnait une place d'honneur dans ses chambres curieuses.

Une jeune dame de Québec qui savait le drame sanglant et dont l'œil attentif ne laisse rien échapper, l'a vue et me l'a dit.

La maison de Saint-Vallier fût brûlée jusque dans ses fondements, dans la nuit qui suivit l'exécution de la sorcière. Avec la maison de la Corriveau fut détruit le laboratoire d'Antonio Exili, et le secret infernal de l'*Aqua Tofana* fut perdu. Espérons que nul chimiste, jamais, ne le retrouvera.

Et maintenant, notre tâche est terminée. Notre récit finit dans les pleurs, comme presque tous les vrais récits de cette pauvre terre. La justice humaine,la justice divine n'y apparaissent guère. Hélas ! nous aurions aimé qu'il en fut autrement, car le cœur soupire après la félicité comme l'œil après la lumière ! Mais la vérité est plus puissante et plus neuve que la fiction. Et puis, l'heure de Dieu sonne quand il le faut. Sa justice est infaillible et la justice de l'homme est bien aveugle.

Au reste, moi qui écris cette histoire mélancolique, je ne me sens pas le courage de mépriser la tradition et d'oublier la vérité pendant que le *Chien d'Or* est encore là sur une des façades de la rue Buade; pendant que les ruines de Beaumanoir recouvrent encore les cendres muettes de Caroline de Saint-Castin; pendant que sous l'œil de Dieu et les reflets de la lampe votive, Héloïse de Lotbinière et Amélie de Repentigny dorment paisiblement leur dernier sommeil !

FIN

NOTES HISTORIQUES PAR BENJAMIN SULTE

16.—Pierre-Jean-Baptiste-François-Xavier Le Gardeur de Repentigny, né à Montréal le 20 mai 1719, reçut des lettres de grâce du roi après avoir tué Philibert; il se maria à Montréal, en 1753, avec Catherine-Angélique Payan de Noyon qui mourut en 1757. Il passa en France en 1760, prit du service pour les Indes, devint brigadier-général et mourut en 1775, gouverneur de Mahé, sur la côte de Malabar, au sud-ouest de la grande péninsule de l'Hindoustan. (Note de M. Pierre-Georges Roy.)

———o———

DOSSIER

EXTRAITS DE LA CRITIQUE

C'est un anglophone comme William Kirby qui doit nous montrer comment romancer notre histoire (*Le Chien d'Or*, 1884).

[...]

Le Chien d'Or de William Kirby est peut-être le roman le plus révélateur de cette période. Déjà en 1916, Pamphile Le May écrivait: «*Le Chien d'Or* a contribué, autant peut-être que l'œuvre de Garneau, à nous rendre à nous-mêmes, par le récit et la description de la vie d'autrefois.» Ironie du sort, c'est un Canadien anglais qui devait exploiter notre patrimoine avec le plus de bonheur. En agençant les légendes du *Chien d'Or*, de *La Corriveau* et de *Caroline* telles qu'Amédée Papineau les avait consignées, Kirby a réussi une fresque historique du Canada à la veille de la Conquête qui ne manque pas de saveur.

Bien que l'auteur soit très sympathique aux Canadiens français, nous ne pouvons cependant pas considérer les sentiments et les opinions qu'il prête à ses personnages comme l'expression du nationalisme canadien-français. Ce roman concerne cependant notre étude à un autre titre: il constitue une des rares expressions du nationalisme pancanadien au XIXe siècle.

Par l'interprétation qu'il donne de la fin du Régime français, William Kirby poursuit visiblement les mêmes objectifs que ses confrères canadiens-français. Il désire réhabiliter les vaincus de 1760 en reportant tout le blâme de la défaite sur Bigot et sur la France. De plus, il espère qu'une fois rendus à eux-mêmes, une fois guéris de leur complexe de vaincus, les Canadiens français pourront s'associer à part égale à leurs compatriotes de langue anglaise pour former un grand Canada.

[...]

Les intentions de Kirby ne font point de doute. De tous les romanciers canadiens-anglais, il est seul à pénétrer aussi profondément la mentalité canadienne-française. Un point de notre psychologie a retenu son attention: notre complexe d'infériorité. Pas d'unité possible, selon lui, avant la guérison de ce traumatisme. C'est pourquoi il s'emploie à rendre à ses compatriotes de langue française une meilleure estime d'eux-mêmes en incriminant Bigot et la France. Mais ce n'est là qu'un aspect de l'objectif poursuivi. Les Canadiens français n'accompliront leur destinée qu'en s'associant aux Canadiens anglais pour former une seule grande nation. Au fond, n'est-ce pas un peu la pensée de Durham rajeunie et mieux présentée?

Maurice Lemire, *Les grands thèmes nationalistes du roman historique canadien-français*, Québec, Presses de l'Université Laval, 1970, p. 12, 134-135, 137-138.

A curious tension is produced between the exaggerated emotions and romantic actions on the one hand, and the lovingly minute and factually exact descriptions of houses, public buildings, feasts, and local customs on the other. The plot is continually interrupted, and the suspense thereby increased, by extended genre-pictures that superficially read like digressions but frequently prove the most memorable parts of the book. All is seen as if through a gauze of romance, and even the more absurd manipulations of plot and simplistic motivations (often reminiscent of opera scenarios) take on a singular charm. The events in the story are filtered through Kirby's stiff but consistently dignified prose, and even when the willing suspension of disbelief is hardest, narrative interest is maintained. The principal characters may seem too good (or bad) to be true, but they nevertheless achieve a human individuality. For all its faults (especially conspicuous if we persist in invoking the hardly relevant criteria of realistic fiction), this is perhaps the most substantial narrative written in Canada in the nineteenth century.

W.J. Keith, *Canadian Literature in English*, Longmen, London, New York, 1985, p. 44.

Kirby dépeint la société polie de l'aristocratie québécoise, ses bals, ses dîners et ses amusements, ses intrigues, son flirt, son bavardage et ses frivolités, les joyeuses activités des régiments du Roussillon et du Béarn et l'œuvre de l'Église dans l'hôpital, le couvent et le séminaire, convertissant les Indiens et les protégeant contre les marchands sans conscience qui ne désiraient que leur vendre «l'eau-de-vie». Elle concluait des alliances avec eux contre les tribus hostiles et contre les Anglais. La vie des habitants des terres n'est pas passée sous silence. Les coutumes contemporaines sont fidèlement décrites.

[...]

Kirby expose à la façon d'une idylle la vie de cette région aux jours du système seigneurial, et l'on peut dire que, dans l'ensemble, il est exact. Ce système n'était pas aussi sévère que le système féodal de France dont il dérivait. Les conditions différentes du nouveau pays amenèrent d'avantageux changements. Le seigneur jouissait de certains pouvoirs judiciaires, ainsi que des droits de chasse et de pêche. Cependant, les seigneuries pouvaient être achetées, de sorte que quelques familles nobles se trouvaient réduites à la condition de paysan alors que de nombreux paysans devenaient des propriétaires. Pour autant que nous puissions en juger, c'était une société harmonieuse. Toutefois, Kirby ne nous montre pas que, handicapées par le manque de capitaux et exploitées par la cour de Versailles, les colonies françaises étaient dans l'impossibilité de connaître le même progrès matériel que celles de Nouvelle-Angleterre. Dès ce temps, les colonies de Nouvelle-Angleterre commencèrent à développer une culture indépendante, tandis que la Nouvelle-France était toujours dominée par Paris et Versailles.

Aucun Anglais n'apparaît dans le roman et le choc des deux nations n'est énoncé qu'en termes militaires. Cela conduira peut-être le lecteur à soupçonner que Kirby ne porte qu'un intérêt purement antiquaire à cette période.

A. Ch. de Guttenberg, dans *La revue de l'Université Laval*, Québec, Vol. X, nº 4, décembre 1954.

The year in which Kirby's *The Golden Dog* appeared, 1877, is an important one in the history of our literature. Trails had been cut between Upper and Lower Canada connecting their intellectual life, but this novel, by its very commercial success, and in spite of its artistic shortcomings, opened up a highway from Niagara to the Citadel, from the heart of one tradition to the core of another, and since that day a multitude have walked thereon. Pamphile Le May saw this and translated *The Golden Dog* into French. Louis Fréchette also sought permission to translate it, a crowning homage indeed.

Lorne Pierce, *An outline of Canadian Literature*, Toronto, The Ryerson Press, 1927, p. 12.

ÉTUDES SUR L'ŒUVRE DE WILLIAM KIRBY

Maurice LEMIRE, *Les grands thèmes nationalistes du roman historique canadien-français*, Québec, Presses de l'Université Laval, 1970, p. 134-138.

Lorne PIERCE, *William Kirby. The portrait of a Tory Loyalist*. Toronto, Macmillan, 1929.

Raymond G. RICHARD, *Historical Accuracy and Inaccuracy Found in The Golden Dog*. Thèse de maîtrise, Université Laval de Québec, 1963.

Pierre-George ROY, *L'histoire vraie du Chien d'Or*, dans *Les Cahiers des dix*, n° 10, 1945, p. 103-168.

TABLE

Dossier

Hubert AQUIN
Blocs erratiques (50)

Gilles ARCHAMBAULT
La fuite immobile (54)
Parlons de moi (17)
La vie à trois (30)

Philippe AUBERT de GASPÉ
Les anciens Canadiens (96)

Noël AUDET
Ah l'amour l'amour (91)

Yves BEAUCHEMIN
L'enfirouapé (72)

Victor-Lévy BEAULIEU
Don quichotte de la démanche (102)
Les grands-pères (86)
Jack Kerouac (95)
Jos Connaissant (85)
Pour saluer Victor Hugo (81)
Race de monde (84)

Jacques BENOIT
Jos Carbone (21)
Patience et Firlipon (37)
Les princes (25)
Les voleurs (32)

Louky BERSIANIK
L'Euguélionne (77)

Marie-Claire BLAIS
David Sterne (38)
Le jour est noir *suivi de* L'insoumise (12)
Le loup (23)
Le sourd dans la ville (94)
Manuscrits de Pauline Archange:
Tome I (27)
Vivre! Vivre! (28)
Les apparences (29)
Pays voilés — Existences (64)
Un joualonais sa joualonie (15)
Une liaison parisienne (58)
Une saison dans la vie d'Emmanuel (18)

Georges BOUCHER de BOUCHERVILLE
Une de perdue deux de trouvées (89)

Chrystine BROUILLET
Chère voisine (55)

Roch CARRIER
La trilogie de l'âge sombre:
1. La guerre, yes sir ! (33)
2. Floralie, où es-tu ? (34)
3. Il est par là, le soleil (35)
La céleste bicyclette (82)
La dame qui avait des chaînes aux chevilles (76)
Le deux-millième étage (62)
Les enfants du bonhomme dans la lune (63)
Il n'y a pas de pays sans grand-père (16)
Le jardin des délices (70)
Jolis deuils (56)

Pierre CHATILLON
L'île aux fantômes (107)
La mort rousse (65)

Marcel DUBÉ
Un simple soldat (47)

Marc FAVREAU (Sol)
«Je m'égalomane à moi-même..!» (88)

Gratien GÉLINAS
Bousille et les justes (49)
Tit-Coq (48)

Claude-Henri GRIGNON
Un homme et son péché (1)

Lionel GROULX
La confédération canadienne (9)
Lendemains de conquête (2)
Notre maître le passé, *trois volumes* (3,4,5)

Jean-Charles HARVEY
Les demi-civilisés (51)
Sébastien Pierre (78)

Jacques HÉBERT
Les écoeurants (92)

Claude JASMIN
Délivrez-nous du mal (19)
Éthel et le terroriste (57)
La petite patrie (60)

William KIRBY
Le Chien d'Or
2 tomes (111, 112)

Albert LABERGE
La scouine (45)

Jacques LANGUIRAND
Tout compte fait (67)

Louise LEBLANC
37½ AA (83)

Félix LECLERC
L'auberge des morts subites (90)

Roger LEMELIN
Au pied de la pente douce (103)
Fantaisies sur les péchés capitaux (108)
Les Plouffe (97)
Le crime d'Ovide Plouffe (98)
Pierre le magnifique (104)

Alain René LESAGE
Les aventures de M. Robert Chevalier dit de Beauchêne, capitaine de flibustiers dans la Nouvelle-France, *2 tomes* (109, 110)

Alain STANKÉ
Des barbelés dans ma mémoire (106)

Yves THÉRIAULT
Aaron (44)
Agaguk (41)
Agoak, l'héritage d'Agaguk (13)
Cul-de-sac (40)
Le dernier havre (53)
La fille laide (43)
Tayaout, fils d'Agaguk (42)
Les temps du carcajou (52)

Michel TREMBLAY
C't'à ton tour, Laura Cadieux (73)
La cité dans l'oeuf (74)
Contes pour buveurs attardés (75)

Sylvain TRUDEL
Le souffle de l'Harmattan (105)

Pierre TURGEON
Faire sa mort comme faire l'amour (46)
La première personne (54)

Jules VERNE
Famille-sans-nom (7)
Le pays des fourrures (69)

Ouvrage en collaboration
Fuites et poursuites (84)
Gilles Archambault, Yves Beauchemin, Pan Bou cas, Chrystine Brouillet, André Carpentier, Fran Hébert, Claude Jasmin, André Major, Madeleine nette, Jean-Marie Poupart.

Premier amour (100)
Recueil de textes des auteurs de la collection Qu 10/10